FRANCK THILLIEZ

Né en 1973 à Annecy, Franck Thilliez, ancien ingénieur en nouvelles technologies, vit actuellement dans le Pas-de-Calais. Il est l'auteur d'une vingtaine de romans dont *La Chambre des morts*, adapté au cinéma en 2007, prix des lecteurs Quais du Polar 2006 et prix SNCF du polar français 2007, *Puzzle* (2013), *Rêver* (2016), *Le Manuscrit inachevé* (2018) ou bien encore *Il était deux fois* (2020). Il est également connu pour avoir donné vie à deux personnages emblématiques, Franck Sharko et Lucie Henebelle. Ces derniers sont réunis pour la première fois dans *Le Syndrome [E]* (2010), qui a été adapté en BD et est actuellement en cours d'adaptation pour une mini-série qui sera diffusée sur TF1. De plus, ces deux personnages sont présents dans les récents *Sharko* (2017) et *Luca* (2019) chez Fleuve Éditions. Son recueil de nouvelles, *Au-delà de l'horizon et autres nouvelles*, a paru en 2020 chez Pocket. Franck Thilliez a publié *1991* chez Fleuve Éditions en 2021, ainsi que *Labyrinthes* chez le même éditeur, en 2022. Ses titres ont été salués par la critique, traduits dans le monde entier et se sont classés à leur sortie en tête des meilleures ventes. Franck Thilliez est aujourd'hui le 3e auteur de fiction moderne le plus lu en France.

Retrouvez l'auteur sur sa page Facebook :
https://fr-fr.facebook.com/Franck.Thilliez.Officiel

1991

ÉGALEMENT CHEZ POCKET

FRANCK THILLIEZ

1991

fleuvenoir

Pour plus d'information :

#lisez !
engagé
www.lisez.com
Imprimé sur du papier issu de forêts gérées durablement.

© 2021, Fleuve Éditions, département d'Univers Poche

ISBN : 978-2-266-32474-8

Dépôt légal : mai 2022

« Ce détail, semble-t-il, fait paraître le tour plus impossible encore. »

Juan Tamariz, *Mnemonica*.

« Le public ne voit pas la pièce, le lapin ou la fille disparaître parce que en réalité ils ont disparu bien avant que le magicien ne feigne de les faire se dissiper dans l'air. C'est au mauvais moment que le public regarde avec le plus d'attention. »

Clayton Rawson, *The Great Merlini*, « *Off the Face of the Earth* ».

NOTE AU LECTEUR

Avant d'aborder cette histoire, je vous propose une petite balade intérieure qui vous permettra une meilleure immersion dans le roman et ne dévoilera en rien son intrigue.

Vous allez respirer profondément, vous ancrer au sol, et laisser votre esprit voguer quelques secondes en imaginant une grande toile bleue. Fermez les yeux un instant…

Partez maintenant du bord de cette toile, et déplacez-vous mentalement vers son milieu. Concentrez-vous… À présent, vous allez projeter une image, un objet que n'importe qui pourrait dessiner. Allez-y… Dans votre esprit, ces traits balbutiants devraient se dévoiler progressivement et devenir plus clairs…

Bien, vous avez en tête ce dessin facilement reconnaissable ? N'en changez plus et mémorisez-le. Il est une clé qui, durant votre lecture, va vous ouvrir des portes dont vous ne soupçonniez pas l'existence…

1

Le casque de son Walkman vissé aux oreilles, Philippe Vasquez s'engouffra dans la marée humaine, ce flux permanent et anonyme de fourrures, de bonnets et de gants comprimés dans les couloirs du métro Havre-Caumartin. Des airs de musique jamaïcaine s'élevaient au bas des marches tandis que, plus loin, à l'angle du souterrain qui s'élançait vers la gare Saint-Lazare, un homme assis en tailleur jouait du saxophone dans l'indifférence générale.

Les abords des Galeries Lafayette grouillaient de monde à quinze jours de Noël. Philippe était lessivé par ses huit heures quotidiennes à rester debout pour vendre des pulls Benetton. Les cris des marmots, les annonces dans les micros, et toutes ces choses qui brillaient au plafond... À quarante-cinq ans, il ne supportait déjà plus ce chaos de fin d'année et, ce soir-là, il n'aspirait qu'à s'allonger sur le canapé, devant « La Dernière Séance ». FR3 rediffusait un *Tarzan* avec Johnny Weissmuller et Maureen O'Sullivan.

Après vingt minutes de métro, il s'arrêta à la station Jacques-Bonsergent, dans le 10e arrondissement, puis

11

regagna son immeuble rue Lucien-Sampaix. Sa cassette de *De Gainsbourg à Gainsbarre* – une compilation réédité à l'occasion de la mort du chanteur – arrivée en bout de bande, il rangea son lecteur dans son sac et, une fois dans le hall, salua la gardienne.

Il ouvrit sa boîte aux lettres : des publicités, une facture de France Télécom et une enveloppe épaisse, sans nom d'expéditeur, tamponnée dans un bureau de poste du 11e arrondissement. Il grimpa au troisième étage, ôta son blouson et alluma la télé. Le film commençait dans un quart d'heure. Le temps de prendre sa douche et de préparer le dîner, il manquerait les présentations d'Eddy Mitchell assis dans un des légendaires fauteuils rouges d'une salle de cinéma.

Il décacheta l'enveloppe du courrier anonyme sur laquelle son adresse avait été tapée à la machine. Elle contenait une feuille pliée en deux, scotchée sur un petit paquet emballé de papier bleu, et ceint d'un beau ruban rouge. *Un livre*, songea-t-il.

Intrigué, il décrocha la feuille.

Mon cher Philippe,

Tu as des points faibles, que tu t'appliques à compenser chaque fois que tu en as l'occasion. Pour les autres, tu es la plupart du temps un homme discret, tu sais te contrôler en public, mais au fond, tu es souvent préoccupé et parfois pas très assuré. Tu as besoin d'être aimé et admiré, et pourtant tu es critique envers toi-même. Il arrive que tu te demandes sérieusement si tu as pris la bonne décision ou fait ce qu'il fallait, quand il le fallait.

Cette fois, il va te falloir faire le bon choix. Je sais que tu es doté d'incroyables facultés intellectuelles auxquelles toi-même tu n'as jamais cru, et je vais t'en donner la preuve. Je t'invite à fermer les yeux, et à penser à un prénom féminin. Le premier qui te passe par la tête... Vas-y.

Philippe ne baissa pas les paupières, mais, malgré lui, il pensa à « Delphine ». Il poursuivit sa lecture.

Tu y es ? Tu vas maintenant ouvrir ton cadeau. C'est un livre. Il va sans dire qu'un homme tel que toi l'a déjà deviné, n'est-ce pas ? Tu vas te rendre à la page 122 et lire le quatorzième vers. Ensuite seulement, tu liras l'autre lettre, que tu trouveras en fin d'ouvrage.

Qui lui écrivait ainsi ? Qui avait pris soin de coller sur ce pli deux timbres de collection « Albertville 92 » à plus de 2 francs pièce ? Il observa le paquet. Piqué au vif, il coupa le ruban et arracha l'emballage.

Les Fleurs du mal. Des poèmes. Il n'avait jamais rien lu de Baudelaire – depuis quand n'avait-il pas ouvert de livre, d'ailleurs ? Celui-là, tout neuf, sentait encore l'encre d'imprimerie.

Il feuilleta le recueil jusqu'à la page indiquée, la 122. Le poème s'intitulait « Femmes damnées ».

À la pâle clarté des lampes languissantes,
Sur de profonds coussins tout imprégnés d'odeur

Il compta, son regard tomba sur le quatorzième vers.

Delphine la couvait avec des yeux ardents,

Philippe se figea comme un enfant ébahi face à un tour incompréhensible. Abasourdi, il se rendit à la fin du livre et s'empara de la seconde lettre.

Tu vois ? Tu as réussi. À présent que tu te rends compte que tout cela est sérieux, que tu possèdes une faculté que les autres n'ont pas, je vais avoir besoin de ton aide.

Une dernière enveloppe t'attend à mon adresse : Mme Escremieu, 26 bis, rue des Rosiers, Paris 4ᵉ. Code d'entrée : 267954A. Pour des raisons que tu comprendras bientôt, je ne peux pas la récupérer moi-même, mais toi, il est absolument nécessaire que tu le fasses. Va à ma boîte aux lettres. L'exploit que tu viens d'accomplir n'est rien par rapport à celui que tu réaliseras là-bas.

Philippe relut l'ensemble, observa l'emballage, feuilleta le recueil. Aussi incroyable que cela fût, il avait deviné un prénom mentionné dans un vers particulier d'une des pages des *Fleurs du mal*. Et la personne qui s'adressait à lui l'en savait capable. *D'incroyables facultés intellectuelles...*

S'agissait-il de divination ? De transmission de pensée ? Cette Escremieu avait en tout cas visé juste au sujet de sa personnalité. Elle semblait le connaître intimement, alors que lui ignorait tout d'elle... C'était déroutant. Si elle était en difficulté, pourquoi faire appel à lui ?

Il n'aimait pas le fait que la lettre fût tapée à la machine ni le ton des dernières lignes – ça sentait le traquenard et il n'avait aucune envie de s'embarquer dans ce genre d'histoire –, mais il ne risquait pas grand-chose à aller jeter un œil. Il fallait qu'il perce le secret de sa prouesse.

Le livre et les courriers rangés dans la poche intérieure de son blouson, il reprit les transports en commun. Ligne 5. *Delphine*. Le prénom revenait en boucle, l'attirait comme le chant d'une sirène.

> *Delphine la couvait avec des yeux ardents,*
> *Comme un animal fort qui surveille une proie,*
> *Après l'avoir d'abord marquée avec les dents.*

Il faillit rater l'arrêt à Bastille, rejoignit la ligne 1, quitta le métro à la station Saint-Paul. Le quartier du Marais se trouvait à moins d'une demi-heure de chez lui, mais il ne s'y rendait jamais. Pas tellement l'endroit où devait traîner un homme seul, surtout à la tombée de la nuit. Pourtant, depuis l'installation de la communauté gay, le coin craignait beaucoup moins que dix ans auparavant. Bars et restaurants remplaçaient désormais les magasins de gros et les bouges insalubres.

Philippe longea les façades grises, le nez dans le col de son blouson. Il marchait vite, mais il n'était plus certain de vouloir aller jusqu'au bout. Trop tard.

Rue des Rosiers. Il trouva le 26 *bis* et le pavé numérique pour composer le code. Il vérifia l'absence de passants alentour, tapa 267954A et entendit le déclic.

À l'intérieur, il appuya sur le minuteur de l'éclairage. Pas de gardien d'immeuble en vue. En face, l'escalier, ses marches recouvertes d'un tapis rouge. Sur la gauche, plusieurs rangées de boîtes aux lettres en bois. Il repéra celle gravée d'un « DELPHINE ESCREMIEU, N° 13, 3ᵉ ÉTAGE ».

Delphine… Elle s'appelait Delphine, comme dans le poème.

Avant de toucher à quoi que ce soit, il décida de monter et d'aller frapper à sa porte, juste pour vérifier. Personne ne lui ouvrit. De toute façon, il ne s'attendait pas à ce qu'elle soit là.

Il retourna au rez-de-chaussée. Essaya de glisser ses doigts dans la fente de la boîte aux lettres qui l'intéressait sans réussir à en atteindre le contenu. Il hésita, ressortit sa missive pour se donner bonne conscience : *je ne peux pas la récupérer moi-même, mais toi, il est absolument nécessaire que tu le fasses.*

Il força d'un coup sec sur la tirette métallique. Se sentit mal à l'aise et pria pour que personne n'entre à ce moment-là. Dans le compartiment ne gisait qu'une enveloppe, tamponnée trois jours plus tôt dans un bureau de poste du 20e arrondissement.

Qu'est-ce que cela signifiait ? Qu'Escremieu s'était envoyé une lettre à elle-même, dans le seul but de le voir s'en emparer après avoir miraculeusement trouvé son prénom dans un livre ?

Dans l'incompréhension la plus totale, il décacheta l'enveloppe. Elle contenait une photo en noir et blanc.

En ce mardi 10 décembre 1991, à 21 h 24, le destin de Philippe Vasquez, employé ordinaire d'un grand magasin, venait de basculer. Il n'eut alors qu'une seule envie : tout lâcher et fuir en courant.

2

La nuit, le panneau lumineux « BRIGADE CRIMINELLE », au néon bleuté, donnait à l'étroit couloir vide du troisième étage du 36, quai des Orfèvres des allures de vaisseau abandonné et lugubre, d'où pouvaient surgir les fantômes des pires assassins.

Le voyageur imprudent se trompant de porte aurait risqué de tomber sur le « séchoir », le local à l'odeur de viande faisandée où l'on entreposait les vêtements ensanglantés des victimes de meurtre. Impossible en revanche de pénétrer sans la clé dans le « musée des horreurs », comme on disait ici, où la Brigade des stups et du proxénétisme entassait toute sorte de matériel illicite ou sadomasochiste saisi lors d'affaires – pipes à opium, planches hérissées de pointes, appareils de torture, un vélo avec un gode rouge à la place de la selle –, et où la Crim exposait, entre autres, un album photo du Japonais cannibale Sagawa. Un sacré spécimen, celui-là : en 1981, durant trois jours, il avait avalé sept kilos de chair de sa jeune victime dans un appartement de la rue Erlanger et pris trente-neuf photos détaillant chacun de ses actes.

Aujourd'hui, ils en plaisantaient, les gaillards de la PJ, mais derrière les sourires, une moisissure invisible grandissait, se ramifiait, insidieuse, et finissait toujours par fendre les carapaces les plus solides. La plupart des hommes arpentant ce bâtiment étaient des écorchés vifs.

Une lumière brillait encore, trois étages plus bas, dans les archives, au fond de la cour du 36, un endroit sans fenêtre qui sentait l'encre. Durant les trois semaines qui avaient suivi son intégration à la prestigieuse Brigade criminelle, le jeune inspecteur Franck Sharko y avait passé une grande partie de son temps. Il n'avait pas encore eu l'occasion de fouler le pavé, mais l'envie d'en découdre le démangeait. Il était tel un lévrier bloqué dans son box avant une course.

Pour l'heure, il n'était qu'un bleu-bite, numéro 6 et dernier de son groupe d'enquête, un « ripeur » de base collé sur l'« affaire des Disparues du Sud parisien ». Un dossier corsé : entre 1986 et 1989, trois femmes d'une trentaine d'années, Corinne, France et Isabelle, habitant respectivement les 15e, 13e et 12e arrondissements, avaient été enlevées dans le parking souterrain de leur immeuble et retrouvées dans des champs en banlieue, vêtements découpés dans le sens de la longueur, violées, frappées de multiples coups de couteau. Le premier meurtre avait défrayé la chronique : quel être humain avait pu faire une chose pareille ? Au troisième était apparu le terme de « crimes à répétition », comme en Amérique.

On avait montré à Sharko les photos des corps dès son arrivée, et ses équipiers avaient été là, autour de lui, pour voir sa tête et lui annoncer que toute cette crasse allait devenir son quotidien, un poids qu'il porterait partout avec lui, jusqu'au fond des toilettes quand il finirait par cuver un mauvais alcool. C'était le destin de la grande lignée des inspecteurs de la Crim et, s'il devait partir, qu'il le fasse maintenant. Il était resté.

À raison de dix heures par jour à plancher dessus, il connaissait désormais le dossier des Disparues sur le bout des doigts. La dernière boucherie de l'assassin remontait à bientôt trois ans, et depuis, plus rien. Au fil des années, les enquêteurs avaient récolté de nombreux éléments concrets sur le tueur : individu masculin d'environ un mètre quatre-vingts, large d'épaules, cheveux courts et sombres à l'époque du premier passage à l'acte, entre quarante et cinquante ans, empreintes digitales relevées, groupe sanguin rhésus A+ (manque de chance, l'un des plus communs). On connaissait même le motif exact de ses pneus de voiture, imprimé dans la boue à proximité de l'un des corps.

Le légiste avait identifié l'arme. Il s'agissait selon lui d'un couteau à lame courbe, correspondant au modèle de la serpette Opinel numéro 8. Sharko était allé, une semaine plus tôt, en acheter un exemplaire dans une armurerie. Il s'était aussi rendu sur les lieux des crimes, pas plus tard qu'il y avait quinze jours et en pleine nuit, juste pour imaginer les corps nus, violentés, frappés pour l'un d'entre eux de seize coups de lame dans la poitrine. Seize… Au milieu des champs froids, Sharko avait senti la nausée l'envahir.

De ses randonnées nocturnes il n'avait parlé à personne, parce que nul n'allait s'imprégner de quoi que ce soit sur le terrain, en dehors des heures de boulot, si longtemps après les meurtres. À quoi bon ? Et parce qu'un ripeur de base, un jeune gars à peine sorti de l'école des inspecteurs, n'avait pas à perdre son temps avec ce genre de délire. Son job à lui, c'était de prendre place entre ces immeubles de papier, de faire le sale boulot, de décortiquer ces dizaines de milliers de pages, de fiches, de fax venus des quatre coins de la France. Chercher une aiguille dans une botte de foin, sans même avoir la certitude qu'il y ait une aiguille à trouver.

En plus de ses déplacements secrets, Sharko s'était donc farci chaque PV des mille trois cents pages de la procédure. Les inspecteurs de son groupe avaient exploré d'innombrables pistes, s'étaient engouffrés dans la moindre hypothèse. Le voisinage de chaque victime, ses contacts, ses connaissances avaient été soupçonnés, nombre d'individus s'étaient succédé dans les bureaux du 36 pour déposer ou subir un interrogatoire, parfois avec dureté quand manquaient les alibis. Les recherches s'étaient toutes soldées par des échecs.

Chaque meurtre avait remis du charbon dans la machine. Les victimes fréquentant des piscines – quoique différentes –, on s'était orienté vers un maître nageur, puis un habitué de ces endroits, et même un visiteur *lambda*. Le couteau à lame courbe, la minutie dans la découpe des vêtements suggéraient un jardinier ou un horticulteur, alors on avait parcouru les magasins du sud de la capitale, établi des listes, fait du porte-à-porte. Vu la barbarie des viols, on s'était déplacé de greffe en greffe, de prison en prison, pour consulter les fiches de sortie des délinquants sexuels. Même les dossiers des patients des cinq principaux hôpitaux psychiatriques de la région parisienne avaient été passés au crible.

Puisqu'on disposait d'une trace papillaire, des ripeurs s'étaient coltiné, une à une et à l'œil nu, les cent quarante mille fiches décadactylaires enfermées dans des sabots et stockées dans les sous-sols anguleux du SATI[1]. Des jours à se ruiner les yeux. Désormais, ces sillons digitaux étaient informatisés, centralisés, et régulièrement on lançait la bécane dans l'espoir qu'elle déniche une correspondance avec le tueur, en vain.

Des centaines de convocations, de coups de fil, de nuits blanches, des milliers de procès-verbaux, le tout en six exemplaires, et l'homme courait toujours. Leur prédateur avait ciblé trois immeubles sans concierge et nécessitant un code d'entrée, ce qui impliquait un repérage. Il avait frappé à des endroits différents – le sud de la capitale était très vaste – et n'avait, semblait-il, plus versé le sang depuis environ trente mois. Il pouvait être mort, avoir déménagé ou s'être arrêté de tuer. Mais l'enquête continuait. Les gars du 36 n'abandonnaient jamais.

Sharko avait à son actif cinq ans de commissariat à Bruay-la-Buissière et deux en banlieue lilloise. Là, à la section droit commun, il s'était occupé de la petite délinquance, puis avait enquillé sur dix-huit mois à l'école des inspecteurs de Cannes-Écluse. Il était sorti deuxième de sa promo, gratifié des meilleures notes en tir et en sport – il possédait un physique puissant et excellait en course à pied. Mais ses années de police dans le Nord et les cours théoriques, ça ne comptait pas, ici. Jamais il n'avait assisté à une autopsie ni travaillé sur une affaire criminelle d'envergure.

Il repartait de zéro. À juste trente ans, au lieu de l'envoyer dans la rue, on profitait de son regard neuf

---

1. Service des archives et du traitement de l'information.

pour qu'il fouille parmi la monstrueuse masse des télégrammes qui remontaient chaque jour à l'état-major, au deuxième étage du 36, en provenance de toutes les polices de France. L'idée était d'y collecter les agressions sexuelles, les atteintes aux mœurs, les meurtres… En résumé, tout acte qui pourrait, de près comme de loin, avoir un lien avec leur affaire. Si on violait à Marseille ou dans les environs de Nantes, si on tuait à l'arme de poing à Carcassonne, il fallait établir des recoupements, des comparaisons, passer des appels pour s'assurer que l'auteur des faits n'était pas l'homme qu'ils traquaient.

Plus tôt dans la journée, avant de plonger le nez dans les télégrammes qui finissaient tous ici, aux archives, Franck avait décelé une anomalie qui le perturbait dans la « bulle ». La bulle, c'était un ensemble de feuilles jaunes, numérotées, datées, rangées par ordre décroissant et maintenues entre elles par une reliure amovible, sur lesquelles les flics d'un groupe notaient tout ce qui leur passait par la tête lors d'une enquête. De simples sensations, des contrôles à effectuer, ou encore des idées saugrenues qui ne méritaient pas de procès-verbal officiel. Des impressions à la suite de l'interrogatoire d'un témoin, par exemple, ou un détail à considérer lors d'une perquisition. La bulle constituait la mémoire d'une équipe.

Dans celle dédiée aux Disparues, Sharko s'était aperçu qu'il manquait la page 146, sur un paquet qui en comportait 197. Seulement celle-là, au milieu d'événements qui s'étaient déroulés aux alentours de mai 1989, quelques semaines après le troisième et dernier meurtre. Sharko se focalisait sur ce détail sans doute pour rien :

il n'était pas impossible qu'un inspecteur l'eût jetée, embarquée pour une vérification ou fait tomber.

À presque 22 heures, il repoussa le paquet de télégrammes qu'il venait d'explorer. Il en avait isolé deux qui nécessitaient des coups de fil. Probable que ça ne donnerait rien et qu'il reviendrait ici pour poursuivre sa tâche fastidieuse, encore et encore. On était loin de l'image qu'il se faisait du travail d'un flic au sein du service le plus prestigieux de France, mais il ne rechignait pas : un moyen comme un autre d'apporter sa pierre à l'édifice…

Fatigué par le rythme qu'il s'imposait depuis son arrivée, il enfila son blouson d'aviateur, emporta ses papiers, referma la salle et traversa la cour pavée. Le planton discutait avec un individu agité, au niveau de la guérite de l'entrée.

— Que se passe-t-il ? lança Sharko en s'approchant des deux hommes.

— Je dois parler à la police, lança l'inconnu d'une voix tendue.

Le souffle lui manquait. À l'évidence, il avait couru jusqu'ici. Il colla une photo dans les mains de Sharko, comme pour s'en débarrasser. Sur le papier glacé, un plan large en noir et blanc : une femme couchée dans un lit, une couette remontée jusqu'aux épaules, les mains attachées aux montants avec des liens. La tête était enfoncée dans un sac en papier. Sur ce sac, on avait dessiné des yeux et une bouche grossière. Le menton s'écrasait sur la poitrine. À sa gauche trônait un petit meuble, et sur le mur, derrière le lit, de nombreuses photos étaient accrochées, mais il était difficile de voir ce qu'elles représentaient. On aurait dit... des silhouettes d'enfants.

Les iris noirs du jeune inspecteur se plantèrent dans ceux de l'homme.

— C'est quoi, ça ?

— Je n'en sais rien. Je l'ai trouvée dans une boîte aux lettres. Écoutez...

Dans tous ses états, l'individu se livra à une explication à laquelle Sharko ne comprit pas grand-chose. Il pria ensuite le flic de retourner le cliché. Là, une adresse avait été tapée à la machine à écrire : « chemin de l'Étang, Saint-Forget, Yvelines ».

— Je l'oriente vers le groupe d'astreinte, inspecteur ? s'enquit le planton.

Sharko contempla un instant les lueurs qui tremblotaient au cinquième étage. C'était le groupe Santucci qui était de garde. Dire que son chef, Thierry Brossard, et Santucci se détestaient relevait de l'euphémisme. Ces deux-là se livraient une chasse aux plus belles affaires. Le 36 n'était qu'une gigantesque marmite d'ego.

— Rien n'indique qu'il s'agisse d'un crime, répondit-il. C'est peut-être un simple jeu sexuel ou un truc dans le genre. Notez sur le registre l'heure, l'identité et l'adresse de ce monsieur, et ajoutez que l'inspecteur Franck Sharko va procéder à un contrôle d'usage sur la base d'une photo suspecte.

Pendant que les deux hommes réglaient ces formalités dans la guérite, Sharko se dit qu'il était en train de commettre une erreur, d'autant plus que, à sa connaissance, les Yvelines relevaient de la compétence de la PJ de Versailles et non de la leur. Autrement dit, ça n'était pas leurs oignons. Mais l'histoire qu'on venait de lui raconter l'interpellait à un point tel qu'il devait en avoir le cœur net.

Quand Vasquez en eut fini avec l'administratif, Sharko sortit de son blouson un trousseau de clés, parmi lesquelles celle de sa Renault 21 flambant neuve : un rêve qu'il s'était offert pour fêter son affectation au 36.

— Ça ne vous dérange pas de m'accompagner ? Vous allez pouvoir me réexpliquer ça calmement.

Philippe Vasquez aurait aimé refuser, rentrer chez lui et oublier tout ça, mais il perçut dans les prunelles sombres du flic qui le dominait d'une tête un éclat électrique lui interdisant de le contrarier.

3

Les arbres avaient chassé le béton. Quand ils eurent quitté la départementale 906, au sud de Versailles, la végétation de la haute vallée de Chevreuse se resserra sur leur véhicule. Un atlas routier déployé sur les genoux, Philippe Vasquez guida Sharko dans le dédale de routes et de villages perdus, jusqu'à ce qu'ils atteignent enfin Saint-Forget.

Dans l'obscurité, le lieu semblait vidé de ses habitants. Ils trouvèrent facilement la place de l'église, et le policier sortit pour repérer, sur un plan affiché derrière un panneau en Plexiglas, l'adresse qui l'intéressait : « chemin de l'Étang ». À vue d'œil, c'était à environ deux kilomètres, à l'orée des bois.

Au bout de cinq minutes, la R21 se gara à côté d'une Austin Mini, après s'être enfoncée sur une voie de cailloux. Sharko éteignit le moteur, mais pas les phares. Gants en laine enfilés, bonnet noir sur sa coupe en brosse, il demanda à son accompagnateur de ne pas bouger, saisit une Maglite dans la caisse à outils du coffre et défit le fermoir de son holster, juste au cas où.

Il fit le tour de l'Austin, puis s'avança vers l'habitation. Il n'avait jamais rien vu de tel : il s'agissait de deux énormes containers de transport d'au moins trois mètres de haut, agencés en angle droit entre les arbres, en partie décorés de bois, sans la moindre fenêtre. Une volée de marches menait à une porte, en bois elle aussi. Sans voisins, presque invisible. *Intégrée à la forêt*, pensa Franck. Une faible lueur rayonnait par le dessus, comme si la toiture plate était dotée de Velux. La voiture, la lumière : il devait y avoir quelqu'un à l'intérieur.

Il frappa du poing sans obtenir de réponse, s'assura qu'il n'y avait pas d'autre issue. Puis il revint à l'avant des containers et tourna la poignée, sans résultat.

— S'il vous plaît ! C'est la police !

Il se baissa, tenta, à l'aide de sa lampe, d'apercevoir quelque chose par la fente à courrier. Échoua. Que faire ? Où se trouvait la gendarmerie la plus proche ? Les alentours étaient totalement déserts. La femme de la photo était-elle encore attachée à son lit, affamée, déshydratée ? Sharko refusait de perdre du temps.

Il sortit son Manurhin MR 73 du holster. Ça lui fit tout drôle de réaliser ce geste en dehors d'un centre de tir : cette arme pouvait arracher une vie. Il adressa un signe à Vasquez, lui intimant de rester à sa place. Puis il recula d'un pas et, d'une vive impulsion, vint écraser ses quatre-vingts kilos sur la porte. Elle ne céda pas. Il dut s'y prendre à plusieurs reprises pour que, avec un craquement, le bois de l'encadrement explose enfin au niveau de la serrure.

Une chaleur de four l'enveloppa sur-le-champ. Une simple ampoule allumée pendait au plafond.

— Il y a quelqu'un ?

Il avait crié, davantage pour se rassurer. Il ramassa le courrier tombé au sol, juste sous la fente : une facture d'électricité au nom de Delphine Escremieu. Autour de lui, des dizaines de tableaux étaient entreposés, certains sur des chevalets. Des visages déformés, incomplets, des animaux cauchemardesques, étirés comme s'ils avaient fondu. Les pinceaux, les palettes, les tubes de peinture suggéraient l'atelier d'un artiste aux goûts morbides.

Sharko resta sur le qui-vive. L'arme brandie, il chassa d'un coup sec des draps suspendus et découvrit une partie loft, coiffée d'une verrière carrée qui laissait deviner, dans la nuit, les hautes cimes des arbres. Les containers étaient aménagés de façon à créer un lieu de vie cosy. Salon, bibliothèque, coin cuisine. Tout paraissait normal, sauf l'odeur, encore subtile à cet endroit, mais suffisamment caractéristique pour que le flic renforce l'étreinte sur son revolver.

Il passa un gant sur un chauffage électrique : poussé à fond. Une humidité anormale lui trempait le front et lui donnait l'impression d'évoluer dans une jungle. *C'est quoi, ce bordel ?*

En s'avançant vers une porte entrouverte qui permettait d'accéder à l'autre bloc, il perçut des bruissements. Une mouche venait de le frôler. Elle alla se coller contre la verrière. La fameuse mouche à viande bleue aux reflets irisés. De celles qu'on trouve sur les cadavres au moment de la putréfaction.

Sharko sut que la mort l'attendait, là derrière, et qu'elle ne serait pas belle à voir. Impossible de faire demi-tour, la machine était en marche. L'excitation fit place à l'angoisse et il regretta, l'espace d'un instant, sa venue ici, seul, sans collègue et hors juridiction. Un excès de zèle qu'il risquait de payer cher.

Il s'aventura dans le second espace. Couloir, salle de bains… Puis arriva dans la chambre. L'odeur lui agressa les narines, à la limite du supportable. Il enfonça un interrupteur du coude. Son premier choc visuel fut le spectacle de ces fichues mouches, agglutinées par dizaines en taches sombres. Deux radiateurs électriques encadraient le lit, diffusant une aura rougeoyante, et un troisième fonctionnait près de l'entrée. Des casseroles dans lesquelles stagnait de l'eau jonchaient le sol.

Le jeune policier s'approcha, le dos d'une main plaqué sous le nez, l'autre chassant les insectes. Entre la chaleur et l'air moite, il se liquéfiait sous ses vêtements. Des taches rouge-marron, poisseuses, imbibaient la couette au niveau de l'entrecuisse et de la poitrine de la victime. Une fraction de seconde, ses yeux se posèrent sur les clichés en noir et blanc, répartis sur le mur derrière le corps allongé : des dizaines d'enfants nus, garçons et filles.

Du bout des doigts, il décolla le sac en papier du menton du cadavre. Il découvrit son visage et eut un mouvement de recul. Défoncé, tuméfié. Déjà assombri sous l'effet de la putréfaction. Sharko hoqueta lorsqu'une mouche apparut entre les lèvres, butina de sa trompe la pulpe blanche et s'arracha d'un vol lourd dans les airs.

Il partit à reculons, butant contre une casserole, puis l'encadrement de la porte. Le souffle court, il se rua dans le salon où il chercha un téléphone, en vain.

Une fois dehors, il respira avidement l'air pur, puis, livide, courut jusqu'à la Renault 21. Il entendit à peine son passager qui venait aux nouvelles. Il lui fallait trouver une cabine au plus vite.

4

Un flic de la Criminelle répond toujours au téléphone, quelle que soit l'heure. Thierry Brossard, *alias* « Titi », fut tiré de son sommeil à plus de 23 h 30 par sa nouvelle recrue venue du Nord. À l'autre bout de la ligne, la voix était paniquée, aussi lui demanda-t-il de se calmer et de parler clairement.

Quand Franck Sharko lui annonça qu'il avait défoncé une porte et découvert le cadavre d'une femme défigurée et torturée en pleine haute vallée de Chevreuse, Brossard eut l'impression d'être encore dans son cauchemar. Il gueula au point de réveiller sa femme et ses deux fils, tout en s'habillant, le combiné calé dans le creux de l'épaule.

À la suite de la description faite par son numéro 6, Titi déroula les procédures. Appel immédiat à son adjoint, qu'il chargea de réveiller sur-le-champ le reste du groupe et les gars de la Scientifique. Puis il joignit le substitut du procureur de permanence, lui expliquant judicieusement la raison pour laquelle le groupe d'astreinte n'avait pas été averti.

— Un groupe, un autre, c'est du pareil au même, monsieur le substitut. C'est tombé sur mon dernier de groupe qui n'a même pas un mois de boutique. Ce qui compte, c'est de réagir rapidement. Mes effectifs sont au taquet. On vous attend sur place.

Lorsqu'il franchit le seuil de son appartement, le casque de sa moto dans une main, une Thermos de café dans l'autre, il se retourna pour voir si sa femme allait lui souhaiter bon courage. Le salon était vide. Titi soupira. Il aurait pu faire un détour par la chambre afin de lui annoncer qu'il ne reviendrait pas avant la nuit prochaine, mais il ne le fit pas. Pas l'envie… Ni le courage…

Deux heures plus tard, à Saint-Forget, c'était le branle-bas de combat. Une dizaine d'hommes arrachés à leur lit, saisis par le froid hivernal, avaient investi les lieux. Les projecteurs installés par l'équipe de l'Identité judiciaire conféraient à la forêt un air lugubre.

À proximité des véhicules, Brossard bataillait avec le magistrat contacté plus tôt : il avait vu la scène de crime, et il voulait à tout prix cette enquête. Certes, les Yvelines n'étaient pas sous la juridiction du 36, mais la victime présumée habitait le Marais, et c'était une photo apportée au Quai des Orfèvres qui avait permis la découverte du corps.

À peine arrivé, Serge Amandier, le numéro 2 du groupe, avait pris à partie le pauvre Sharko. Proche de la soixantaine, il avait le front large, de petits yeux bleus rapprochés, un nez marqué par une tache de naissance rouge sombre. Le genre de flic à l'ancienne, aigri, gros fumeur, qui picolait pas mal et détestait tout ce qui représentait la nouveauté – que Franck incarnait.

31

L'affaire des Disparues du Sud parisien, c'était la sienne. Son obsession. Son échec. Et il ne supportait pas qu'un petit connard fraîchement débarqué du Nord vienne lui parler d'une enquête à laquelle il n'avait même pas participé.

Il décida de passer ses nerfs sur Philippe Vasquez, l'emmenant au chaud à l'arrière d'un véhicule pour tenter d'y voir plus clair. Appuyé contre un arbre, frigorifié, Franck Sharko observait dans son coin chacun de ces hommes. Une traque allait débuter, et il voulait en être. Pas besoin d'être un fin psychologue pour sentir que ce genre d'opportunité ne se présentait pas tous les jours.

Alors, sans rien demander à personne, il enfila des surchaussures et des gants en latex piochés dans le fourgon de la Scientifique et entra dans l'habitation.

Leur numéro 3, le procédurier Alain Glichard, était accroupi au niveau de la porte, un magnétophone posé devant lui. Les constatations, les plans minutieux des scènes de crime, les synthèses concernant le travail de l'équipe et les retranscriptions en langage juridique – les fameux procès-verbaux –, c'était lui.

On l'appelait « le Glaive », parce que sa coupe au bol et sa moustache en guidon aux reflets argentés brillaient tel le métal froid, mais surtout parce que l'homme était raide comme la justice. Jamais un mot plus haut que l'autre ni de coup de gueule, vie privée inconnue. Des mauvaises langues le disaient accro au Minitel rose – 3615 Ulla. Il leva un œil d'un bleu profond vers Sharko.

— T'avais remarqué ce qui était écrit là ?

Il désigna le battant. Sur la face intérieure, on lisait, en grand et en rouge, « PAGODE ». Les lettres, tracées les unes sous les autres, avaient coulé en larmes épaisses.

— Non, dans la panique, je n'ai pas fait attention. C'est... du sang ?

— De la peinture. Dis-moi, comment tu t'y es pris pour défoncer la porte ?

— J'ai donné des coups d'épaule. C'était du costaud. Puis j'ai entendu un craquement.

— Je vois... Regarde : le gros verrou à molette, là, était enclenché à double tour. Quand tu as forcé, tu as arraché un bout de l'encadrement avec la gâche, ce qui a permis l'ouverture. Quant à la seconde serrure, elle a cédé sous ton poids. La clé d'entrée était posée sur la table dans l'autre pièce. Tu vois venir ma question ?

— Si cette issue, la seule de l'habitation, était doublement verrouillée de l'intérieur, par où l'assassin est-il sorti ?

Alain Glichard s'écarta pour laisser passer le chef de l'IJ, un profil de phasme qui lui signala qu'ils en avaient fini avec les photos et les prélèvements sur le cadavre. Son haleine avait des relents de café froid.

— On a plusieurs types de traces papillaires, ajouta-t-il. Pour le sang, on a relevé une tache isolée sur la poignée de la porte de la chambre qui, avec un peu de chance, appartiendra à l'assassin. Il s'est peut-être blessé en commettant ses atrocités.

Déjà à moitié dehors, il lança à l'intention de Sharko :

— C'est pas pour les mauviettes, là-bas. Ça retourne le cœur. J'ai connu plus tranquille, comme cadeau de bienvenue. Bon courage, inspecteur.

À présent que la voie était libre, les deux hommes s'avancèrent entre les tableaux et les draps suspendus. Glichard portait une grosse sacoche en bandoulière et s'était allégé de son blouson. On n'avait pas coupé les chauffages, car on attendait toujours le médecin légiste, et il importait de laisser la victime « dans son jus ».

— Pour en revenir à ma question, j'ignore par où l'assassin est sorti, reprit Glichard. Pour la serrure, il avait peut-être un double, mais pour l'autre verrou, je ne comprends pas. T'as lu *Le Mystère de la chambre jaune*, de Gaston Leroux ?

— Quand j'étais gamin.

— On est en plein dedans. Il n'y a pas la moindre fenêtre. Au plafond, c'est une plaque de Plexi inamovible, j'ai vérifié en grimpant sur une chaise. Quant au sol... du béton peint, partout, sur la tôle du container. On est dans une boîte hermétique. T'as une théorie ?

— Aucune.

— Pourtant, vu ce que cette femme a subi, ça m'étonnerait fort qu'elle se soit fait ça toute seule. En quinze ans de carrière, c'est la première fois que je suis confronté à un truc pareil. Et ça me plaît pas beaucoup. Dès qu'il y a un soupçon d'intelligence dans la tête d'un criminel, ça complique les choses.

Des claquements de portières, au-dehors. Des gens arrivaient encore, sans doute les pompes funèbres, le légiste ou le reste du groupe. Une fois le corps levé, ils allaient devoir fouiller chaque recoin de l'habitation. Un travail fastidieux qui durerait jusqu'à l'aube.

Dans la chambre, le Glaive repéra les marques de sang sur la poignée. Il posa sa sacoche par terre, en

34

sortit des sacs en papier, des enveloppes kraft, de la cire rouge, un ruban gradué et un appareil photo reflex.

Sharko essaya d'apprivoiser l'odeur en respirant par la bouche, et de garder le contrôle, cette fois. Il savait l'importance de la scène originelle. L'assassin s'était tenu à cette place, il avait frappé, exprimé ses pulsions, tué entre ces murs. D'une façon ou d'une autre, il avait signé son crime.

— Je n'aime pas avoir quelqu'un dans les pattes, fit Glichard en lui tendant le boîtier du reflex, et encore moins un bleu. Mais, rien que la manière dont t'as doublé Santucci, ça te donne le droit de rester. Enfin, si tu supportes.

— Je supporte.

— Tant mieux, ce n'est pas quelque chose qui s'apprend. Je te laisse t'occuper d'immortaliser tout ça. C'est du trente-six poses, t'es large. L'IJ a déjà bombardé sous tous les angles, mais je préfère posséder ma propre collection. Et avant que j'oublie…

Il gribouilla un papier et le remit à Sharko.

— Réquisition, pour toi. Tu te doutes bien que je dois t'entendre officiellement. Il faut tout mettre au carré, et dans l'ordre. Tu viendras déposer dans mon bureau en fin de matinée.

Franck hocha la tête en silence, empochant la convocation. Puis il observa mieux la chambre. L'absence de fenêtre écrasait les perspectives, rendait l'espace oppressant. Il n'y avait là qu'un lit simple : Escremieu n'amenait personne ici. C'était son cocon, son jardin secret au milieu des bois.

Il sortit alors le cliché de Vasquez, qu'il avait gardé sur lui, l'étudia attentivement et estima la position du tueur lors de la prise de vue : à un mètre du pied du lit. Il avait certainement fait la photo avant la mort, vu que les taches de fluides corporels sur la couette n'y apparaissaient pas. *Il a pris tout son temps. Une façon, peut-être, de faire monter l'excitation. Sa victime était encore vivante et à sa merci. Il l'a immortalisée, puis il est passé à la suite.*

Franck cadra à peu près à l'identique et appuya sur le déclencheur. De son côté, Glichard attaqua son monologue pour l'enregistrement.

— Constatations du mercredi 11 décembre, 4 h 10 du matin, à l'adresse suivante : chemin de l'Étang, Saint-Forget, Yvelines. Lieu : la scène de crime.

Il se déplaça, considéra les détails avec soin et poursuivit :

— Le corps est allongé sur un lit d'un mètre de large, positionné contre le mur du fond d'une chambre d'environ douze mètres carrés. Deux radiateurs électriques, branchés à l'aide de rallonges, encadrent le lit, un autre se trouve près de la porte d'entrée. Ils sont poussés à leur puissance maximale, comme l'ensemble des radiateurs de l'habitation, portatifs et tous identiques. J'estime la température entre vingt-cinq et trente degrés, ce qui a dû accélérer la dégradation du cadavre et favoriser la prolifération des mouches. Au sol sont réparties cinq casseroles d'eau presque vides. À gauche du lit, une table de nuit avec rangement contient une dizaine de bouquins : géographie, histoire, romans... Près d'une petite lampe et d'un livre est posée une montre à aiguilles pour femme. Celle-ci est arrêtée et indique une date, le 7, et une heure : petite aiguille sur le 9, grande sur le 17...

Du bout des gants, il prit la montre, tira sur le bouton-poussoir et fit tourner les aiguilles.

— ... Elle est à remontée mécanique. Il faut plus d'un tour de cadran avant que la date change. Elle s'est donc arrêtée à 9 h 17 et non pas 21 h 17, ce samedi 7 décembre.

Il coupa son enregistrement et s'adressa à Sharko :

— De quand datent les courriers ?

— Les deux ont été tamponnés samedi, mais dans des arrondissements différents.

— Ça fait quatre jours... On verra ce que dit le légiste, mais possible que la victime ait été tuée la veille, le vendredi dans la nuit. Elle se couche, ôte sa montre, lit un peu, s'endort tranquillement... et se fait assassiner dans la nuit. Ça me semble être le scénario le plus probable.

Il glissa le bijou dans un sac à scellés et appuya sur le bouton « Record ».

— Je note une nuisette en soie ainsi qu'une culotte au pied avant gauche du lit. La poignée intérieure de la porte de la chambre est souillée par des traces de sang ; ce sont les seules en dehors du lieu du crime. Les mains de la victime sont attachées, avec des cordes en chanvre de petit diamètre, aux barreaux métalliques de la tête de lit. Les bras sont écartés, les nœuds très complexes, peu communs. Des nœuds d'expert, je dirais...

Glichard fit signe à Sharko de s'approcher et de photographier, avant de couper les liens. Les membres morts tombèrent sur le matelas. Il les emballa dans des poches hermétiques pour préserver d'éventuels indices. Puis il gifla une mouche qui alla s'écraser plus loin.

— Le visage de la victime est recouvert d'un sac en papier marron, de ceux qu'on trouve dans certains magasins d'alimentation. Des yeux et une bouche ont été dessinés avec ce qui ressemble à du rouge à lèvres grenat, tube non présent à proximité…

Alors que son collègue détaillait chaque élément et prélevait ses scellés, Sharko s'interrogeait. Le tueur semblait s'être volatilisé ; or, avant de sortir, il avait dû entrer. Comment s'y était-il pris pour que la jeune femme ne l'entende pas ? Était-ce elle qui l'avait invité à l'intérieur ?

Le sac, les coups en plein visage… Sharko savait, d'après ses lectures, que les tueurs agissant de la sorte ne supportaient pas le regard de leur proie. Ce sac comme le dessin grossier étaient un moyen de la déshumaniser. La réduire à moins que rien. La « chosifier ».

Le Glaive décrivit les lésions, au bord de l'écœurement : des mouches avaient pondu dans les narines. Il souligna l'impossibilité de comparer le faciès tuméfié avec la photo – au demeurant trop ancienne et abîmée – du permis de conduire récupéré dans la poche d'un manteau. D'après ce document, Delphine Escremieu avait trente-quatre ans et était née à Plouzané, dans le Finistère. Mais Glichard ne la nomma jamais expressément, préférant parler de « victime », de « cadavre » ou de « corps ».

Il repoussa ensuite la couette souillée. Il détourna les yeux dans un réflexe. Franck s'efforça de ne pas bouger. Dans son dos, le substitut et Titi venaient d'arriver. Ces hommes avaient dû en voir, des horreurs, mais le jeune inspecteur sut que cette scène-là tiendrait une place de choix dans leurs annales.

Alain Glichard se ressaisit, il connaissait l'importance de sa déclaration : elle constituerait le PV fondateur de l'enquête, celui sur lequel toute l'équipe s'appuierait, même des mois ou des années plus tard.

— La victime est entièrement nue, sur le dos, les jambes écartées, comme les bras, mais non attachées. Les seins ont été brûlés de manière très localisée et profonde, ainsi que le sexe. La chair a littéralement fondu dans ces zones alors que le reste du corps est intact. Hémorragies massives à ces endroits. Œufs de mouche de type *Calliphora vomitoria* présents en nombre au cœur des plaies. Signe d'un début de putréfaction évident…

Chaque photo que Sharko prenait s'imprimait dans son esprit. Mais ces coups de scalpel sur la rétine étaient nécessaires. Pour ne pas oublier. Un être humain avait été capable de faire ça à un autre.

Derrière, le substitut fit claquer une de ses mains sur le mur.

— Très bien. Dès que vous aurez fini, vous pourrez rédiger une réquisition pour une autopsie à l'IML de Paris. Je vais me débrouiller avec le parquet de Versailles. On prend l'affaire.

Il tourna les talons, le chef l'accompagna. Glichard remit la couette en place et s'approcha du mur. Franck ne parvenait pas à cloisonner son esprit. Il n'arrêtait pas d'imaginer cette femme, face à lui, vivante, alors qu'on lui brûlait les organes génitaux. Il entendait ses hurlements. Il n'avait qu'une envie : que ce corps martyrisé disparaisse de sa vue, que cette odeur et que les bourdonnements dans ses oreilles cessent.

— Sur la paroi derrière le lit, déclara son collègue en reprenant son exposé, je compte vingt-deux photos en noir et blanc d'enfants, entre six et dix ans environ, nus, qui semblent réparties de façon aléatoire, dans un espace de cinquante centimètres par cinquante. Ces enfants ont une position commune : mains devant le sexe pour le cacher face à l'objectif, menton relevé, ils fixent l'auteur des clichés sans sourire, avec une peur manifeste dans le regard pour certains d'entre eux. L'arrière-plan est identique : un mur bicolore, foncé en bas, plus clair en haut. L'intérieur d'une pièce, à l'évidence.

Il en décolla une avec douceur. Ses gestes délicats avaient quelque chose de déplacé dans cette chambre où la mort s'exposait de la plus odieuse des façons.

— Elles sont scotchées à l'aide de petits morceaux d'adhésif transparent, ajouta-t-il.

Il la retourna et marqua un arrêt. Intrigué, il la tendit à Franck. À l'arrière, une flèche avait été tracée en diagonale à l'encre bleue. Il en décolla une autre, au dos de laquelle figurait une nouvelle direction. Il interrompit son enregistrement et lâcha :

— T'as vu ça ?

Sharko souleva les autres rectangles de papier glacé, sans les arracher de leur support, et observa le bout des flèches. Elles désignaient toutes une direction bien précise. Il posa alors la main sur l'espace libre au cœur de ce puzzle de corps nus.

— Elles pointent vers cet endroit. On dirait qu'il manque une photo, juste là, au centre.

Glichard recula pour considérer le mur dans son ensemble. Le bleu avait raison, la place vide lui sautait désormais à la figure. Au milieu de la ronde de ces enfants dénudés, il en manquait un. Et le tueur voulait le leur signifier.

Sharko fixa une mouche qui courait sur le visage de l'un de ces mômes inconnus. Le Glaive planta ses iris de glace dans les siens.

— Dans quoi on a fourré les pieds ?

5

Le corps fut levé à 5 h 12 par les employés des
pompes funèbres, une fois que le légiste en eut terminé avec ses premières constatations. Un drap bleu
recouvrait le cadavre qu'on fit glisser à l'arrière d'un
fourgon noir. Toutes les personnes présentes regardèrent
en silence le véhicule disparaître dans cette froide nuit
de la toute fin d'automne, en route pour l'IML, quai de
la Rapée. Non seulement cette femme était morte dans
des conditions atroces, mais sa dépouille allait subir
de nouvelles tortures. Delphine Escremieu finirait en
morceaux au fond d'un sac de morgue.

Les fouilles de l'habitation, quoique longues et
minutieuses, ne leur apprirent rien de fondamental.
Cet endroit était un lieu où la victime peignait ses
étranges motifs, sans téléphone, sans paperasse hormis
des factures d'électricité. Elle n'avait pu achever son
tableau en cours. Les pinceaux trempaient encore
dans des bouteilles de white-spirit coupées en deux.
D'après leurs observations, elle, ou l'assassin, avait
écrit « PAGODE » en utilisant un tube d'acrylique posé
à l'écart des autres.

Serge Amandier, assisté de deux brigadiers arrivés en renfort, se chargea, tôt dans la matinée, d'aller frapper aux portes des habitants du village. Dans le même temps, une autre partie de l'équipe se rendit à l'appartement parisien de la victime pour une perquisition. Enfin, un appel au service des cartes grises de la préfecture de police de Paris confirma que l'Austin Mini garée devant les containers et immatriculée 75 appartenait à Delphine Escremieu.

Quant à Sharko, il relata officiellement les événements de la veille pendant plus de deux heures au cinquième étage du 36. En tant que procédurier, Alain Glichard disposait d'un bureau pour lui tout seul sous les combles. Un vrai luxe.

Franck signa sa déclaration et sortit de là en début d'après-midi, tandis que Philippe Vasquez passait à son tour à la moulinette. L'inspecteur était fatigué et sous tension. Sa nuit blanche et sa découverte abominable, après les heures d'archives de la veille, se faisaient sentir. Il avait fait à peine trois pas dans le couloir que Sylvio Santucci lui tombait dessus. Le Corse n'était pas une montagne – Sharko le dominait de quelques centimètres –, mais ses vingt-deux ans de PJ, sa barbe grisonnante coupée au carré et sa cicatrice sous l'œil droit forçaient le respect. Il écrasa son index sur la poitrine du jeune flic.

— Petit enfoiré de mes deux. Tu te crois malin, hein ?

— Écoutez, tout est allé très vite. C'était juste une véri…

— Voler l'affaire du groupe d'astreinte… Je te préviens, on va te pourrir. On va te faire bouffer du papier carbone jusqu'à ce que tu recraches tout noir comme les mineurs de ta saloperie de région. Ici, tu vas apprendre l'humilité.

Franck soutint son regard, sans bouger ni desserrer les lèvres. Le chef de groupe l'éjecta sur le côté et poursuivit son chemin. Quand le jeune policier réajusta sa chemise pour se redonner une contenance, il se rendit compte que ses doigts tremblaient légèrement. Son « exploit » avait déjà fait le tour des bureaux. À cause de lui, les gars de Santucci passaient pour des branquignoles.

Il n'eut pas l'occasion de se poser dans son bureau, le 514, un espace de trente mètres carrés, muni d'un coin salon, où il cohabitait avec son équipe – sauf Glichard, donc. Titi, téléphone dans une main, lui tendit une enveloppe marron de l'autre.

— Là-dedans, je t'ai mis les photos des mômes à poil. Romuald et Florence viennent d'obtenir l'adresse des parents dans le répertoire de la victime à l'appartement du Marais. Attends Flo en bas, elle passe te chercher. Vous allez les avertir de nos découvertes. T'observes et t'en prends de la graine. Ensuite, à 18 heures, reconnaissance du corps, s'ils en sont capables. Dans tous les cas, à 20 heures, tu te farcis l'autopsie avec le Glaive. C'est pas drôle, mais ça va te déboucher les tuyaux, faut que t'y passes. Et si t'es encore debout à la fin de cette journée qui sera sans doute l'une des plus longues de toute ta vie, on pourra dire que t'auras été baptisé. Je te laisserai sur l'enquête.

Son chef lui fit signe de sortir d'un geste nonchalant et retourna à sa conversation. Franck récupéra son blouson avant de dévaler l'escalier. Il n'avait même pas pensé à prendre quelque chose à manger au passage.

Dix minutes plus tard, Florence Ferriaux, la numéro 5 du groupe, l'embarquait dans une 205 de fonction. Toute menue, cheveux bruns en queue-de-cheval, elle avait la malchance d'être mignonne. En tant que première et seule femme de la Brigade criminelle depuis sa création, il n'existait pas un jour sans qu'elle ait à supporter les sifflets et les remarques pour la plupart salaces. Mais Ferriaux avait la dent dure et mordait, d'où son surnom : « Pitbull ».

— Il n'y a rien de pire que ce qu'on va faire maintenant, annonça-t-elle. Pour ces parents, le monde va s'écrouler. Plus rien n'aura de sens, désormais. Faut avoir les nerfs solides pour assister à leur détresse, ce n'est pas un cadeau que te fait Titi. Ça va aller ?

Sharko fixa la route, se contentant de hocher la tête. Il avait failli cracher ses tripes en voyant le corps, mais eux ? Leur propre fille ?

— T'as pas le choix, de toute façon, c'est le job, poursuivit-elle, et il n'y a pas d'école pour ça. Au fait, j'ai vu que le Glaive t'avait à la bonne, c'est bien. Il est parfois bizarre, on sait jamais trop ce qu'il pense ou ce qu'il fait de sa vie – en dehors du boulot et du Minitel rose, je veux dire –, mais vaut mieux pas l'avoir comme ennemi. Et puis, c'est un bon.

Elle observa son passager à la dérobée.

— Presque un mois que t'es là, et je ne sais même pas si t'as une femme, des gosses. On ne s'est pas parlé beaucoup, tous les deux.

— J'ai une fiancée. Elle s'appelle Suzanne.

— Suzanne… Et elle est où, Suzanne ? Elle fait quoi ?

— Elle travaille dans un laboratoire d'analyses médicales, du côté de Lille. Elle habite encore dans le Nord pour le moment. Elle n'est pas sûre d'aimer Paris, alors… on laisse passer un peu de temps.

— Un conseil : qu'elle reste là-bas. Cette ville va vous bouffer. Regarde, moi, j'ai même pas trente-cinq berges et je suis déjà en plein divorce. Fait chier… Enfin, je dis que c'est Paris, mais notre boulot à la con n'y est pas pour rien non plus. D'ailleurs, pourquoi t'es flic, toi ? Et surtout, pourquoi la Crim ?

— J'aime bien enquêter.

— Tu veux me faire croire que c'est parce que t'« aimes bien enquêter » que t'es prêt à te farcir des morts à longueur de journée ? C'est un peu léger, non, comme argument !

— C'est pourtant la vérité. J'aime bien enquêter. Derrière chaque meurtre, il y a un homme ou une femme qui a franchi une frontière. C'est ça qui m'intéresse. Le pourquoi…

Elle haussa les épaules.

— Des conneries.

Sharko, intrigué par le cynisme de sa collègue, lui aurait bien retourné sa question, mais autre chose le taraudait depuis un bout de temps.

— C'est quoi, son problème, à Serge Amandier ? J'ai l'impression qu'il n'apprécie pas grand monde.

Elle hésita à répondre.

— Tu le gardes pour toi, tu n'abordes jamais le sujet, OK ?

— Compte sur moi.

— Serge n'a pas toujours été comme ça. C'était un flic tenace, qui a levé de belles enquêtes. On le surnommait

« l'Épagneul », parce que c'était un excellent chasseur, et parce que ces chiens-là ont toujours une tache marron au milieu de la gueule.

— Subtil…

— Si tu cherches la finesse, fallait faire danseur étoile. Bref, Serge avait la main bien lourde avec les suspects, ça claquait sur les joues, crois-moi. Pas très réglo, mais efficace. En même temps, c'était un gros nounours, un gars vraiment attachant. Avant l'affaire des Disparues, il était notre chef de groupe à tous, y compris celui de Titi. Il avait un côté paternel avec nous.

Sharko hocha la tête, comme pour l'inciter à poursuivre.

— Mais cette affaire, cette traque l'a obsédé au point de faire exploser son couple. Il y sacrifiait ses nuits, ses week-ends, il dormait au bureau… Aujourd'hui, il picole alors qu'il ne buvait même pas une bière, avant, et il ne voit presque plus ses enfants. Il ne montera plus jamais en grade. Il est grillé.

Elle plaça le deux-tons magnétique sur le toit quand elle vit que la circulation se densifiait.

— Et c'est pas tout… Serge a un demi-frère beaucoup plus jeune : même mère, mais père différent. Il y a de ça un peu plus de deux ans, le frangin a été tabassé et balancé dans le canal de l'Ourcq, du côté de Pantin. Un témoin a vu la scène, il a appelé la police. L'ambulance a pu le ranimer à coups d'électrochocs, mais le cerveau avait trinqué à cause du manque d'oxygène. Même s'il a toute sa tête, le frère est aveugle d'un œil et toute la partie gauche de son corps est paralysée. Le personnel du centre spécialisé où il se trouve doit le nourrir à la petite cuillère…

47

— C'est moche. On a retrouvé ceux qui ont fait ça ?

— C'est la PJ de Bobigny qui s'est chargée du dossier, ils n'ont jamais identifié les coupables. Ils étaient trois ou quatre, d'après le témoin. Tout ça pour un vol de portefeuille... Putain de monde pourri.

Franck la sentait à fleur de peau.

— Serge est nostalgique, ajouta-t-elle. Du temps de ses grandes enquêtes et des méthodes à l'ancienne. Ça peut lui arriver d'en faire qu'à sa tête. D'outrepasser les règles. Je te préviens, ne le laisse pas t'embobiner ou t'entraîner dans ses délires. Il n'a plus grand-chose à perdre. Toi, par contre, beaucoup.

Elle se tut, et Sharko préféra en faire autant. Il n'avait encore rien vécu ni partagé avec ses équipiers. Il aurait bien des occasions d'approfondir tout ça, inutile de précipiter les choses.

Ils atteignirent leur destination une demi-heure plus tard. Catherine et André Escremieu vivaient à une dizaine de kilomètres à l'ouest de Paris, à Chatou, dans une belle maison individuelle en brique. Enveloppe en main, Florence prit une profonde inspiration juste avant que la porte ne s'ouvre sur le visage d'une femme.

— Madame Escremieu..., commença la flic.

Son coéquipier resta bien droit, silencieux, mais les hurlements de la mère lui déchirèrent le cœur. Un jour, il aurait des enfants, lui aussi. Et il vivrait pour eux. Lorsque Catherine tambourina contre sa poitrine avec ses poings, criant de toutes ses forces que tout cela était impossible, que sa fille ne pouvait pas être morte, il ne l'en empêcha pas. Il la serra même contre lui. C'était le moins qu'il pût faire pour elle.

6

C'était la demeure d'un couple de sexagénaires ayant réussi leur vie. Sac de golf dans un coin, belle décoration, trophées de chasse, objets d'art… Les larges baies vitrées, orientées plein sud, donnaient sur un saule pleureur qui découpait les rayons bas du soleil d'hiver en une pluie de diamants.

Désormais, pourtant, même la lumière la plus vive, les ors les plus purs ne pourraient dissiper les ténèbres qui, à jamais, emprisonneraient les deux habitants de ce pavillon. Il n'existait pas de recette, pas de formule magique pour les soustraire à leur souffrance. C'est ce que Florence essaya de leur expliquer, avec ses mots.

La femme vacilla au moment où l'inspectrice énonça les circonstances de la découverte du corps, sans entrer dans les détails. Son mari la soutint jusqu'à leur chambre où Catherine Escremieu se recroquevilla sur le lit.

André aussi pleurait par à-coups, comme si un interrupteur s'ouvrait et se fermait dans sa tête. Les épaules affaissées, il semblait désorienté dans sa propre maison, et ce fut Florence qui le guida jusqu'au canapé. C'était un homme qui prenait soin de lui, cheveux coiffés vers l'arrière, teint couleur miel, chemise blanche au col déboutonné. Il demanda si Delphine avait souffert, si son calvaire avait été long. Il insista. Alors Florence lui répondit avec franchise.

— Je veux que vous retrouviez celui qui a fait ça, lâcha-t-il dans un élan où la colère se mêlait au désespoir. Vous allez le retrouver et le faire payer jusqu'à la fin de ses jours.

Sharko s'était installé à droite de sa collègue, un carnet entre les mains. Il était chargé de prendre des notes.

— Nous sommes en train de récolter des informations dans l'appartement parisien de votre fille. Tout ce que vous pourrez nous dire à son sujet nous sera utile. Vous acceptez qu'on vous pose quelques questions ?

Il acquiesça.

— Tout d'abord, même s'il y a peu de doutes, les photos de ses papiers d'identité ne nous ont pas suffi pour l'identifier formellement. Nous aurions besoin de savoir si elle portait des signes distinctifs sur le corps : tache de naissance, grain de beauté, tatouage…

Un silence plana un instant dans la pièce. Les pupilles rétrécies de l'homme se perdaient dans les flammes de la cheminée.

— Non, non. Enfin… je ne sais pas. Il va falloir que je vienne reconnaître ma fille à la morgue, je présume ? Je sais à peu près comment tout cela fonctionne, j'ai fait ma carrière à l'hôpital.

— Ce serait bien, mais il faut que je vous dise que le corps est très abîmé. Ça faisait plusieurs jours que…

— Je tiendrai le coup.

— Très bien. Delphine était-elle votre unique enfant ?

— Oui.

— Votre femme et vous étiez proches d'elle, j'imagine.

— Nous l'avons été. Nous ne la côtoyions plus beaucoup, ces dernières années…

— Pour quelle raison ?

— De vieilles histoires, où les ego sont trop gros pour que les choses s'arrangent… Nous avions tout fait pour elle, son avenir…

Le silence, encore, hachait ses confidences. Florence s'adapta à son rythme, l'incitant à parler avec de petits mouvements de la tête.

— Elle n'aimait pas la médecine, mais elle aurait pu devenir avocate comme ma femme. Elle en avait les capacités… Pourtant, elle a lâché la faculté pour le dessin et la peinture. Pour une vie difficile, une vie de bohème. Pendant cette période, elle allait mal et refusait qu'on l'aide financièrement… Elle peignait dans la rue, vendait ses tableaux à droite, à gauche, dormait on ne sait où… Et puis elle a fini par s'en sortir. Aujourd'hui, elle expose, elle a sa petite notoriété, ça marche bien pour elle…

Il fixait ses mains qui pendaient entre ses jambes. Sans doute venait-il de s'apercevoir qu'il avait parlé au présent. On entendait les reniflements de la mère dans la chambre au bout du couloir.

— Quand l'avez-vous vue pour la dernière fois ?

— Avant l'été, je crois. On se réunissait de temps en temps, deux, trois fois par an. Plus par politesse qu'autre chose. En dehors de ça, elle n'appelait pas, nous non plus. Delphine n'a jamais été très douée pour les relations humaines. C'était une originale, profondément solitaire. Mon Dieu…

Il se mura de nouveau dans le silence. Sharko savait ce qui allait se passer : ces parents culpabiliseraient, se reprocheraient leur absence, le fait de ne pas avoir su la protéger.

— Nous avons vu que votre fille était née dans le Finistère, déclara Florence pour relancer le dialogue.

— En effet. Il y a longtemps, nous vivions du côté de Brest. À cette époque, j'ai eu une proposition pour exercer à l'hôpital Cochin. J'ai accepté. Ma femme a trouvé une belle place dans un cabinet d'avocats d'affaires dans le 16e. Ça fait plus de vingt ans qu'on habite en Île-de-France.

Florence laissait passer un peu de temps entre chaque question.

— Nous avons également remarqué que Delphine ne portait pas d'alliance. Mais avait-elle un petit ami ?

— Je n'en sais rien. De toute façon, si c'était le cas, elle ne nous en aurait pas parlé. Je vous l'ai dit, nous avions très peu de rapports.

— Pas d'enfants ?

— Non.

— Philippe Vasquez, ça vous évoque quelque chose ?

— Absolument pas. Qui est-ce ?

Florence lui expliqua : la lettre, *Les Fleurs du mal*, le prénom deviné. Il ne comprit pas plus qu'eux. La flic embraya sur l'habitation de Saint-Forget. André Escremieu lui raconta que c'était l'endroit où Delphine créait, qu'elle s'y isolait de longues semaines avant d'affronter les expositions, les vernissages, les sollicitations diverses. D'après le père, elle connaissait beaucoup de monde.

— Nous avons vu quelques peintures, intervint Sharko. Très sombres, tourmentées. Elle avait des goûts… spéciaux.

Franck n'aima pas le regard que l'homme lui adressa, plein de condescendance.

— Vous portez un cuir d'aviateur avec une chemise blanche toute chiffonnée et un pantalon de flanelle. Ce n'est pas à cause de cet évident mauvais goût que vous allez vous faire tuer. Qu'est-ce que vous insinuez ? Que ma fille est responsable de ce qui lui est arrivé ?

— On se calme, tempéra Florence, reprenant le contrôle de la discussion. Si nous voulons arrêter l'assassin de Delphine, il nous faut établir qui elle était, qui elle voyait, et avoir accès à tous ses jardins secrets. Le criminel savait où la trouver. Il a pénétré dans son logement de la forêt sans effraction, et en est ressorti d'une façon encore plus mystérieuse. Il savait qu'il ne serait pas dérangé et il n'a pas agi dans la précipitation. Il lui a fait du mal, vous saisissez ? Ça n'a peut-être aucun rapport avec les goûts de votre fille, mais peut-être que ça en a un. Alors ne vous emballez pas quand mon collègue vous pose une question un peu… dérangeante.

André Escremieu présenta ses excuses à Sharko d'un hochement de tête. Et se radoucit aussitôt.

— C'était sa manière de peindre, c'est tout, répondit-il.

L'inspectrice lui demanda :

— Je suppose que vous ignorez si votre fille avait l'impression d'être suivie, si elle semblait inquiète, ou si elle avait peur ?

Il haussa les épaules, impuissant.

— Aucune idée non plus concernant quelqu'un qui aurait pu lui vouloir du mal ?

— Non.

— Est-ce que le mot « pagode » renvoie à quelque chose de particulier pour vous ?

— Non, je ne vois pas. Je suis désolé…

Florence le jugea assez solide pour creuser un peu plus. Tout ce qu'elle gratterait avant que le Glaive ne les entende officiellement au 36, lui et sa femme, pourrait leur être utile. Elle s'empara de l'enveloppe marron et l'ouvrit.

— Nous avons été intrigués par une série de vingt-deux photos en noir et blanc, accrochées au-dessus de son lit. On présume qu'elles ont été laissées là par l'assassin, comme s'il cherchait à nous faire passer un message, ou nous donner un indice, on ne sait pas encore. Elles représentent des enfants nus, qui se cachent le sexe…

Les fins sourcils gris d'Escremieu marquèrent son étonnement.

— Des enfants nus ?

— Oui. Et visiblement, il manque un cliché, précisa-t-elle en lui tendant le paquet. Ce ne sont ici que des copies, mais est-ce qu'un de ces visages vous est connu ?

Le père prit le temps de tout regarder, puis secoua la tête de dépit avant de rendre l'enveloppe à son interlocutrice.

— Rien. Rien du tout. C'est ignoble, ma fille n'a rien à voir avec des histoires pareilles. Qu'est-ce que tout cela signifie ?

Florence posa encore quelques questions, après quoi les policiers finirent par se lever. Ils donnèrent rendez-vous à leurs hôtes d'ici deux heures, devant l'IML, et expliquèrent ce qui allait se passer : ils ne pourraient pas récupérer le corps de leur enfant avant au moins une semaine, ils seraient reçus au 36 dans les jours à venir… Un parcours aussi classique que sinistre, comme si leur malheur n'était pas déjà assez grand. Le prix à payer pour espérer, un jour, accéder à la vérité.

7

— Donne-moi un prénom masculin, demanda Franck. Là, maintenant. Sans réfléchir.

Florence fumait une Gitane, assise sur les marches de l'une des entrées publiques du mastodonte de brique rouge, 2, place Mazas, dans le 12e arrondissement. De là où elle se trouvait, elle apercevait les phares des voitures sur le pont d'Austerlitz, et les ombres noires des péniches le long de la Seine. Quant à Sharko, il tentait de garder son esprit occupé pour ne pas songer à l'autopsie qui l'attendait entre ces murs.

— François. Comme notre cher président.

Franck lui tendit son carnet. Dessus, il avait inscrit une dizaine de prénoms, dont Patrick, Philippe, Jean, Pascal, Michel. Elle leva un œil interrogateur vers son coéquipier.

— Je n'ai pas trop la tête à jouer aux devinettes.

— J'ai noté des prénoms parmi les plus répandus. Pourtant, aucun d'entre eux ne correspond à ta réponse. Alors imagine si j'en écris un seul, moins commun qui plus est, comme Victor. C'est quoi, la probabilité pour que tu répondes Victor ?

Elle haussa les épaules.

— Quasi nulle, à l'évidence.

— Exactement. Et c'est pareil avec Delphine. Malgré ça, je rédige deux lettres tapées à la machine, je joins un exemplaire tout neuf des *Fleurs du mal* – le livre n'a jamais été feuilleté, ça se voit –, je colle deux timbres et je vais poster l'enveloppe samedi dernier. Ça me prend du temps, de l'énergie, ça me coûte de l'argent. Mais je suis sûr que ma cible, Philippe Vasquez, va penser au prénom écrit au vers 14 de la page 122 du livre, prénom qui est aussi celui de notre victime.

— Ne dis pas ça. Tu ne peux pas en être sûr.

— Et pourtant, c'est précisément ce qui s'est produit. Il a pensé « Delphine », il a ouvert le livre selon les instructions, lu le vers correspondant. Et *bam* ! Delphine.

— Tu vois bien que c'est débile. Vasquez nous baratine. Ça ne peut pas s'être passé comme il l'a décrit, il se fout de nous.

Elle fixa le bout rougeoyant de sa cigarette.

— On a déjà eu le cas d'une femme qui empoisonnait son fils pour qu'on le soigne à l'hôpital et ainsi attirer l'attention sur elle, expliqua-t-elle. Münchhausen quelque chose, ça s'appelle. Les médecins ont mis des semaines avant de comprendre qu'elle tuait son propre môme à petit feu. Le pire, c'est qu'elle l'aimait par-dessus tout. Alors ce Vasquez, peut-être qu'il nous fait une sorte de Münchhausen un peu plus trash…

— Je crois qu'il est sincère, j'ai vu dans quel état il était en arrivant au poste de garde.

— Entre ce que tu crois et ce qui est vrai, tu sais… Tu vas en voir de toutes les couleurs, dans ce métier.

Et apprendre à ne pas faire confiance aveuglément. Ta confiance, elle se mérite.

Franck acquiesça brièvement. Mais il resta sur ses convictions.

— Tout ça ne peut pas relever du pur hasard. Le tueur savait que cette révélation enclencherait tout le reste, il était sûr de son coup. S'il n'était pas tombé sur le bon prénom, Vasquez ne se serait vraisemblablement pas rendu dans le Marais et nous n'aurions pas découvert le corps. Enfin, pas aussi vite, tout au moins. Cette suite d'événements était inscrite dans un plan très élaboré pour nous mener jusqu'au cadavre.

Florence se releva et écrasa son mégot du talon de ses Dr. Martens couleur rouille.

— Alors, c'est quoi, ta théorie ? Et ne me parle pas d'hypnose ou de ce genre de conneries. On ne peut pas forcer quelqu'un à penser à quelque chose d'aussi aléatoire qu'un prénom mentionné à telle page d'un bouquin de poèmes !

— Quand j'étais gosse, mon père était fou de PMU et jouait au tiercé tous les dimanches.

— Sharko, je n'ai…

— Écoute-moi. On n'avait pas beaucoup de sous, mais le tiercé, c'était son dada, sans mauvais jeu de mots.

— Si, c'est mauvais.

— Une fois par an, il m'emmenait dans un hippodrome du côté de Lille. C'était notre grande sortie. Au cours d'une de ces journées, il m'a raconté l'histoire d'un des jockeys qui aurait dû prendre le départ d'une course à laquelle nous assistions, mais qui était mort quinze jours auparavant.

— Sharko…

— Laisse-moi terminer, juste une minute. Ce jockey a eu l'accident le plus bête qui soit. Il se promenait en ville. Suite à un gros coup de vent, une barre d'échafaudage de plus de vingt kilos lui est tombée sur le crâne et l'a tué. Quand les ambulanciers ont fouillé ses poches pour obtenir son identité, ils ont découvert un morceau de papier, sur lequel était écrit : « Je vais mourir aujourd'hui, le 3 juin 1971, d'un accident. Dites à ma femme et mon fils que je les aime. » C'était la date exacte de sa mort. Le 3 juin 1971.

Florence médita quelques secondes.

— C'est impossible.

— Ce qui te pousse à dire que c'est impossible, c'est que tu vois uniquement la condition finale – le papier au fond de la poche avec la bonne date – et non la condition initiale – le jockey rédigeant son mot. Ce matin-là, quand il écrivait son message, il ne pouvait pas savoir qu'il allait mourir. L'accident était imprévisible : le coup de vent, la barre qui se décroche…

— Je ne comprends toujours pas.

— Pourtant, l'explication est toute simple. Il n'y a rien de plus rationnel.

— Accouche, bordel !

Le sourire de Franck, qui s'amusait de l'impatience de sa coéquipière, s'effaça soudainement. Du menton, il indiqua la passerelle. Les parents de la victime arrivaient. Ils se tenaient par la main et marchaient d'un pas lourd, comme si une force les empêchait d'avancer. Florence défia Sharko d'un œil noir puis alla à leur rencontre. Ensemble, ils entrèrent dans l'Institut médico-légal, où le calme contrastait avec les bruits de la ville. L'odeur de la mort leur colla à la peau. La mère gardait la tête baissée et n'arrêtait pas d'essuyer le bout de son nez avec un mouchoir.

Accompagnés d'un employé mortuaire, ils se rendirent dans un box séparé d'une petite pièce toute blanche par une vitre d'environ un mètre sur deux. De l'autre côté reposait un brancard à roulettes, éclairé par la lumière crue d'un néon.

À la simple vue du tissu vert qui recouvrait la silhouette de sa fille, Catherine Escremieu explosa en sanglots. Son mari la serra contre lui. Franck trouvait le procédé immonde, les lieux tellement impersonnels. Il rageait de se tenir là, inutile, alors que l'auteur de cette abomination circulait librement, quelque part.

L'employé mortuaire alla se positionner au niveau du brancard et attendit les ordres. Florence s'assura que les parents étaient prêts, puis fit un signe à l'employé, qui leva le drap et le replia sur les épaules. Les gars des pompes funèbres avaient essayé d'arranger la face meurtrie du mieux possible, sans la maquiller ni toucher à la structure osseuse, puisque l'autopsie n'avait pas encore eu lieu.

La mère se mit à trembler, s'approcha de la vitre jusqu'à ce que son front vienne la heurter, alors que l'expression du mari se transforma, se figeant de stupeur, comme si, d'un coup, il faisait face à une situation sans aucune logique. Et, tandis que sa femme pleurait et riait en même temps, il lâcha d'une voix blanche :

— Ce n'est pas Delphine. Ce n'est pas notre fille.

8

Le jockey en question était superstitieux, et persuadé qu'il finirait par mourir d'une chute de cheval ou d'un quelconque accident. Chaque matin, il rédigeait discrètement cette simple phrase avec la date du jour, annonçant son décès et signifiant son amour pour ses proches. Et chaque soir, au lieu de détruire ce mot qu'il sortait de sa poche, il le rangeait dans une boîte dissimulée au fond d'un tiroir de son bureau, en signe de victoire sur la mort. Après sa disparition, sa femme découvrit plus de huit cents papiers empilés avec minutie. Tel était son secret. Son tour impossible.

Assis sur un banc, emmitouflé dans son blouson et attendant le Glaive pour l'autopsie, Sharko pensait encore à cette vieille histoire. À la manière du jockey, l'assassin les avait tous leurrés. Personne n'avait douté de l'identité de la victime. Parce qu'on était chez elle, dans son lit. Parce que la voiture devant l'habitation était la sienne. Parce que, en général, on ne cherchait pas à réfuter l'évidence.

Toutefois, les parents avaient été formels : le cadavre allongé sur le brancard n'était pas celui de leur fille.

Certes, la taille, la couleur des cheveux, la corpulence pouvaient prêter à confusion, mais en dehors de ça, l'anonyme couchée là n'avait rien à voir avec Delphine.

La joie relative des Escremieu avait vite laissé place à une nouvelle forme de détresse. Où se trouvait leur enfant ? Son véhicule garé près d'un endroit où elle ne se trouvait pas, dans ce contexte, faisait songer au pire. Et, avant qu'ils ne quittent l'IML, la mère s'était persuadée qu'il lui était arrivé quelque chose de grave.

Bien sûr, loin d'elle l'idée que Delphine puisse être responsable d'un tel crime. Pourtant, l'hypothèse méritait qu'on s'y penche. Delphine Escremieu avait-elle tué sauvagement avant de disparaître et de le faire savoir ? Si oui, qu'est-ce qui avait pu la pousser à commettre pareille atrocité ?

Franck alla aux toilettes s'asperger le visage d'eau fraîche. Plus de trente-six heures qu'il n'avait pas fermé l'œil. Les gars racontaient que c'était leur lot quand on découvrait un cadavre de nuit : un long tunnel sans fin. Le jeune inspecteur le sentait, les nerfs le maintenaient debout, mais il ne supporterait pas un tour d'horloge supplémentaire sans dormir.

Le Glaive débarqua quand il sortit, même cravate que plus tôt et coupe au bol impeccable. Sa moustache décochait des reflets argentés sous les néons.

— Toute la brigade est en ébullition, je t'explique même pas. Une morte, une disparue, cette histoire de poème entre les deux…

Il lorgna en direction de Sharko, qui ne disait rien. Les deux hommes s'enfoncèrent dans le labyrinthe de couloirs. Glichard connaissait le chemin par cœur : un procédurier n'échappait jamais à une autopsie.

— Je sais que c'est ta première, souligna-t-il. Je me rappelle encore la mienne, j'avais à peu près ton âge. Un noyé, que c'était. Il n'y a rien de pire... Et d'un, ils puent à t'arracher le nez. Et de deux, on ne peut pas relever leurs empreintes à cause de la peau plissée. Il faut déganter chaque doigt, comme un capuchon de stylo, et mettre ça sur un dé à coudre. C'est...

— S'il te plaît...

Le Glaive sourit. Il lui tendit une mignonnette pleine de liquide ambré.

— Bois ça, c'est du calva, réserve personnelle. Mets-en aussi dans tes narines, comme des gouttes pour le rhume. Après l'examen, Titi veut que tu rentres chez toi et que tu pionces.

Sharko ne se fit pas prier et s'empara de la petite bouteille.

— Ça sent l'essence.

— Rassure-toi, ce n'est pas le calva, c'est ma moustache. Je l'imprègne toujours d'essence avant de venir ici. D'autres foutent de l'eau de Cologne. Chacun sa méthode. L'odeur des gaz intestinaux, ça peut vraiment te faire tomber dans les vapes. C'est déjà arrivé à des collègues, même des solides. T'apprendras tout ça, avec le temps. T'as pas mangé, j'espère ?

— J'ai l'estomac vide depuis hier.

— Parfait. Ah, autre chose. Le passage le plus difficile, c'est quand le légiste rabaisse la peau du visage. Essaie de survivre à ça, dis-toi qu'elle est morte, que c'est dans un souci de justice et de recherche de la vérité qu'on agit.

Franck avait la gorge trop nouée pour parler. Il avala son alcool cul sec et en déposa dans ses narines.

Le légiste, Stanislas Van de Veld, ainsi qu'un assistant les attendaient en salle numéro 3. Le médecin portait un pantalon de treillis sous son tablier blanc et était chaussé d'espèces de sabots en plastique bleu. Sharko remarqua une mouche au sol. Elle tournoyait sur le dos dans un bourdonnement d'ailes. Sans s'en apercevoir, Van de Veld l'écrasa en s'approchant de la victime.

— On a nettoyé le corps et viré un maximum d'œufs. On a aussi réalisé les étapes préliminaires. Pesée, mesurée, rasée.

Le jeune inspecteur enfonça ses poings dans les poches de son blouson, et les serra fort avant d'oser un regard vers la dépouille. Elle reposait sur une table en métal, bordée de deux rigoles en légère pente. Son crâne avait en effet été rasé, et sa face gonflée était tournée vers le plafond. La couleur de sa peau oscillait entre le vert, le rouge et le noir. Elle suggérait une fleur fanée, arrachée prématurément à la vie. *Les Fleurs du mal*, songea Franck.

— Empreintes digitales relevées, continua le légiste en les invitant à avancer. J'ai fait le tour des signes particuliers. Les radiographies n'ont rien révélé de notable : ni prothèse ni fractures. Les coups au visage n'ont rien cassé. Dents soignées. Les différents échantillons sont sur la paillasse. Cadavre X, à ce que j'ai compris ?

— Pour l'instant, répliqua Glichard.

— L'heure du décès est très difficile à estimer. On verra ce que donne le taux de potassium dans l'humeur vitrée, mais ce ne sera pas une donnée fiable si la mort remonte à plus de quatre jours, ce qui semble être le cas. On dispose de modèles de refroidissement des corps qu'il est hasardeux d'appliquer ici, à cause de la couette, de la forte chaleur qui régnait dans la chambre, mais surtout, de l'humidité.

— Les casseroles d'eau disposées au sol, c'est ça ?

— Exactement. L'humidité et la chaleur favorisent la prolifération des bactéries, donc accélèrent la décomposition. Des mouches se développent et amplifient encore le processus. Il est évident que votre assassin était au courant de ça. Il a cherché à falsifier les signes thanatologiques, et il y est arrivé.

— T'as quand même une approximation ?

— La putréfaction a commencé à s'installer, la tache verte abdominale en est la preuve. Mais cette jeune femme aurait très bien pu être tuée jeudi comme dimanche. Désolé de ne pas être plus précis.

Glichard réfléchit à voix haute :

— L'enveloppe qui contenait la photo de la scène de crime a été oblitérée le samedi matin. Ça nous donne une date butoir : la nuit de vendredi. Donc, on serait sur jeudi ou vendredi.

— C'est un peu large, mais c'est mieux que rien.

Il prit des notes dans son carnet. Sharko se sentait flottant, comme si son sang avait quitté ses veines.

— Présence d'éruptions cutanées sévères sur les membres et le cou, poursuivit le légiste. En forme de plaques d'environ deux centimètres de large. Peut-être une réaction violente de l'organisme à un produit, une drogue, en tout cas ce n'est pas lié à la décomposition. À voir avec la toxico.

Il mesura ensuite les plaies au niveau de chaque sein, effectua de profondes crevées, tailla dans la chair avec la lame de son scalpel.

— Brûlures de troisième degré, destruction totale du derme, de l'épiderme et de la graisse hypodermique. Nécroses cutanées, sans carbonisation…

Après plusieurs minutes à débiter des termes techniques, il passa aux organes génitaux, observa la gravité des lésions, la couleur des tissus, plantant son nez entre les cuisses de la victime. Sharko se demanda comment on pouvait supporter ça.

— Elle était vivante quand on lui a infligé ce supplice. La périphérie des plaies est gorgée, aspect ecchymotique, coagulation *in situ*. Les saignements ont été abondants. Quant à une éventuelle pénétration, l'anapath pourra mieux nous renseigner. Parce que franchement, je n'y vois rien…

— De quelle manière elle a pu être brûlée ainsi ? demanda Glichard.

— Un petit chalumeau de bricolage ou de cuisine, de ceux qui servent à caraméliser, par exemple, aurait très bien pu faire l'affaire. Il fallait une flamme forte et directive, qui puisse être orientée vers le bas. Pas une bougie, quoi.

Aidé de son assistant, le médecin retourna le cadavre et notifia l'absence de pénétration anale. Sharko écoutait sans broncher. L'assassin avait ravagé toute trace de féminité, y compris son visage. Lui avait-il calciné le sexe pour effacer les marques d'un viol ? Ou s'agissait-il de haine à l'état pur ? De sadisme ?

Le corps fut replacé sur le dos. Le bruit flasque des chairs molles sur l'acier sortit le jeune inspecteur de ses pensées.

— Autre chose qui pourrait vous intéresser, annonça le légiste en soulevant la main droite de la victime.

Les poignets étaient attachés aux montants du lit avec ce qu'on appelle un « nœud d'évadé », ou « nœud de brigand ». J'ai vérifié dans un bouquin qui traîne dans mon bureau. Un brin serre les boucles, alors que le second défait instantanément l'ensemble. Il suffit de tirer en douceur, et ça marche. Ce genre de nœud est surtout utilisé en escalade, pour lier des cordes entre elles et les délier rapidement en cas de besoin.

Le Glaive nota l'information, et la souligna d'un triple trait.

— Quelle perversité ! lâcha-t-il. La victime pouvait donc se libérer…

— Probablement. Mais je n'ai constaté aucune marque de défense. Hormis sur la figure, elle n'a d'ecchymose nulle part. Vu ce qu'elle a subi, vu les coups et la douleur, elle aurait dû forcer sur ses entraves à s'arracher la peau, se débattre comme un diable. Or, là, il n'y a rien. Ses pieds n'étaient visiblement même pas ligotés. À mon avis, elle était droguée, incapable de bouger. Ça expliquerait que le tueur ait pu agir avec autant de précision sans laisser de trace. En tout cas, une chose est sûre : cette pauvre fille a subi un interminable calvaire.

Il adressa un signe à son assistant, et déclencha le magnétophone.

— Allez, on y va.

Droit comme un i, Sharko essaya de penser à quelque chose d'agréable lorsque le légiste opéra le dégagement de l'encéphale, armé de sa scie sternale qui projetait de la poussière d'os. Il pratiqua l'ablation du scalp, décalotta la boîte crânienne puis replia la peau du visage jusqu'au menton, dévoilant le masque facial. Si cette vision était insupportable, pour Sharko, c'étaient les bruits qui lui retournaient l'estomac. Alors que le médecin auscultait le cerveau entre ses gants souillés, le flic se demanda combien de temps il tiendrait.

Et il eut sa réponse quand Van de Veld attaqua son incision mento-pubienne, en partant des deux clavicules, et écarta les pans de chair tels des rideaux qu'on ouvre. Le bloc cœur-poumons apparut, et des odeurs abominables, que les vapeurs de calvados ne parvenaient pas à chasser, envahirent la pièce.

Le teint cireux, Franck s'excusa et sortit. Il se perdit dans les couloirs, plein de rage, de colère, avec l'envie de fracasser toutes ces portes devant lui. Quel humain était préparé à voir un semblable se faire désosser comme une vulgaire voiture dans une casse ? Il s'était attendu à ce que ce soit difficile, mais pas à ce point-là.

Le Glaive le rejoignit à l'accueil une heure et demie plus tard, les traits tirés et l'œil brillant. Il était près de 22 heures.

— Je suis désolé si…, fit Sharko.

D'un geste, Glichard le coupa et l'invita à l'accompagner à l'extérieur. Là, il lui tendit une cigarette ainsi qu'un briquet Zippo en argent.

— Je ne fume pas, lança Franck pour décliner.

— Allume-la-moi, juste. C'est pour éviter que ma moustache prenne feu, avec l'essence.

Franck s'exécuta. Le goût du tabac libéra une étrange sensation dans sa gorge. Son coéquipier savoura ensuite une bouffée, les yeux mi-clos.

— Elle est morte de ses hémorragies, dit-il. Pas de strangulation, de fracture au crâne, rien. Ce salopard l'a sans doute droguée, il l'a cramée aux endroits les plus sensibles et l'a laissée se vider de son sang.

Il souffla de la fumée sur son costume pour atténuer les odeurs de mort, et marcha jusqu'au parking.

— Ce que t'as vu là-dedans ce soir, c'est la vérité crue, Sharko. Pas de fard, pas de maquillage. C'est la mise à nu du monde dans lequel on vit. Tout cela existe bel et bien, et nous, on est en première ligne.

Au-dessus d'eux, la silhouette d'une rame de métro disparaissait dans la courbe des rails. Derrière, les lumières d'une péniche amarrée au quai dansaient à la surface de la Seine. *Cette ville ne dort jamais*, pensa Franck.

— T'as raison de regarder, déclara Glichard en fixant à son tour le fleuve et la gare d'Austerlitz sur l'autre rive. Ils sont tous là, quelque part. Ceux qui violent et tuent déambulent dans les mêmes rues que nous, bien intégrés à la population. Ils sortent leurs poubelles, saluent leurs voisins. Certains ont des femmes, des gosses, faut s'y faire… Dis-toi toujours qu'il n'est pas impossible que tu les croises en te baladant ou en allant chercher ton pain. Et tout ça n'ira pas en s'arrangeant.

Il soupira. L'espace d'un instant, Sharko vit la lassitude alourdir son visage.

— Rentre chez toi, va te coucher. Peu probable que t'arrives à dormir, mais essaie quand même. Tu ne tiendras pas, sinon.

— Comment vous faites, vous tous, pour supporter tout ça ?

— On ne le supporte pas, on vit avec. Au fil de ta carrière, tu verras des mecs exploser en plein vol. Tu en feras peut-être même partie. C'est comme ça, on a un métier qui fait vieillir plus vite que les autres. À demain.

Ils se serrèrent la main. Avant que Franck atteigne sa voiture, Glichard l'interpella une dernière fois.

— Ça n'aurait pas été logique que tu restes jusqu'au bout. Crois-moi, ça nous rassure tous de savoir que t'es un type normal. On ne veut pas de psychopathes, dans le service. On en a déjà assez à traquer.

9

Le réveil avait été difficile. Non pas parce que Franck dormait du sommeil du juste à ce moment-là. Mais au contraire parce que son cerveau avait été incapable de se synchroniser avec le rythme lent et paisible de la nuit. Ses pensées avaient bondi d'un détail sordide à l'autre. Même l'image de cette stupide mouche agonisant sur le dos aux pieds de Van de Veld lui était revenue.

Le pas traînant, il se fit couler un café dans la cuisine. Il était à peine 7 heures, pourtant la rue de Meaux vibrait déjà de vie deux étages plus bas. Avec son salaire d'inspecteur, Franck avait pu se permettre de louer quelque chose en plein Paris, dans le 19e. Et le quartier populaire où il s'était installé lui plaisait. Il espérait juste que Suzanne finirait par l'apprécier aussi. Tout comme cet appartement qui n'était pas grand, mais ensoleillé, et dont le parquet à chevrons apportait une touche chaleureuse aux pièces.

Franck s'était procuré un fax, posé dans le salon près du téléphone et du Minitel. Il ne l'utilisait que pour envoyer des messages à sa fiancée ou en recevoir.

Souvent, avant de se coucher et plutôt que de l'appeler, il lui rédigeait quelques mots doux.

Une feuille était sortie de la gueule de l'appareil durant la nuit. Franck la parcourut le sourire aux lèvres.

Toi aussi tu me manques, Suzanne.

Il la rangea à côté de la serpette Opinel numéro 8 et de photocopies. Il s'agissait de clichés des Disparues du Sud parisien. Des corps nus, lacérés, qu'il observa, encore, immobile, avant de refermer le tiroir.

Il mit trente minutes pour rejoindre le long bâtiment du quai des Orfèvres en voiture. Quelle fierté il avait éprouvée quand, un mois plus tôt, on lui avait remis son arme de service, une paire de menottes, un plan de Paris et sa carte d'inspecteur, barrée de son ruban tricolore ! Lui, un petit gars échappé d'une ville du bassin minier et issu de générations de mineurs, marchait dans les pas des grands flics…

Sharko se dépêcha de grimper les cinq étages. Titi voulait tous les voir à 8 heures tapantes pour faire un point. Mais il perdit vite son entrain lorsque la plupart de ceux qu'il croisa l'ignorèrent. Santucci avait répandu son venin. Le jeune inspecteur se sentit mal à l'aise, c'était comme entrer dans une maison où l'on n'était pas le bienvenu. Et ça pouvait vite devenir insupportable.

Des volutes de fumée s'élevaient de leur coin salon, au fond du bureau 514, un endroit convivial ou de déprime, selon les jours. Il était tapissé d'affiches de films cultes – *Les Tontons flingueurs*, *À bout de souffle*, *Garde à vue…* –, flanqué d'une banquette en mousse, de trois fauteuils hors d'âge et d'une table basse où traînaient encore des verres sales et une bouteille de vin vide.

Là, on buvait, on mangeait, on dormait parfois. Le Ricard et la menthe attendaient dans le frigo, où Florence piochait en ce moment même une brique de jus d'orange. L'équipe avait installé son propre sapin de Noël, une babiole synthétique ornée d'une guirlande lumineuse et de boules bon marché. Ça fichait plus le blues qu'autre chose.

Serge Amandier grillait une clope sous un Velux entrouvert ; il adressa à peine un regard à Sharko. Puis il y avait Romuald Fayolle, trente-huit ans, leur numéro 4. Assis sur la banquette à griffonner des figures mathématiques sur les pages d'un carnet. On le surnommait « Einstein » parce que, à la suite d'une perquisition musclée qui lui avait valu une commotion cérébrale, il s'était mis à faire des calculs de tête d'une complexité extrême. En contrepartie, il souffrait de temps en temps de migraines capables d'assommer un bœuf.

Titi arriva, une pochette jaune ainsi qu'un gros paquet de feuilles en main. Il posa l'ensemble sur la table, salua tout le monde, s'attarda face à sa dernière recrue :

— Le Glaive m'a raconté pour hier soir. T'as gagné ton ticket pour l'enquête, c'est bien. Et te bile pas pour toute la crasse qu'est en train de nous faire Santucci, c'est un mauvais cap à passer. On va la lever, cette affaire, et lui clouer le bec, à ce connard.

Ce disant, il lui colla une tape sur l'épaule, puis alla remplir sa tasse à la cafetière.

— Je viens de discuter avec le substitut. Il exige d'avoir des billes avant d'ouvrir une nouvelle procédure pour disparition inquiétante sur la personne de Delphine

73

Escremieu. On doit vite faire la lumière sur son implication éventuelle dans le meurtre de notre cadavre X. Le Glaive prépare un TG onze points. Sharko, le TG, ça te parle ?

— Télégramme ?

Serge Amandier applaudit ironiquement en se vautrant dans un fauteuil.

— Comme quoi, on n'apprend pas que des conneries, à l'école des inspecteurs.

— C'est ça, répliqua Titi en ignorant son adjoint. Le TG reprend la description physique précise du cadavre X et les circonstances de la découverte. Bientôt, l'état-major le balancera dans tous les commissariats et gendarmeries de France, jusqu'au fin fond des campagnes. Parfois ça coïncide avec un dossier en cours. En tout cas, ça nous donne des chances. Enfin, pour ceux qui liront le télex. Tu comprendras rapidement que dans l'Administration, même chez nous, il y en a certains qu'il ne faut pas trop bousculer.

Sur ces mots, le chef du groupe alla chercher le tableau sur pieds, y accrocha une feuille blanche.

— Bon. Des copies de toutes les photos – autopsie, scène de crime... – vont bientôt arriver du labo. Vous aurez chacun votre jeu. La Brigade de protection des mineurs va jeter un œil aux clichés des mômes et essayer de croiser ça avec leurs affaires, notamment de pédophilie. Pour le moment, nous, on se focalise sur notre victime anonyme et Escremieu.

Il s'empara d'un marqueur noir.

— Serge, t'attaques ? Le voisinage à Saint-Forget ?

Amandier tira un vieux carnet de sa poche.

— On va continuer à ratisser le coin. Les premiers voisins se situent à plusieurs centaines de mètres de nos deux containers. Sans surprise, ils n'ont rien vu, rien entendu de particulier aux alentours. Mais selon les Verdier – des retraités des environs qui se baladent souvent dans les bois –, la voiture de Delphine Escremieu est là depuis un bout de temps, au moins trois semaines. Les commerçants avaient l'habitude de croiser la jeune femme presque tous les matins. Et là, aucun ne l'a aperçue ces derniers temps. Il y a un tas de produits périmés dans son frigo. Autrement dit, son véhicule était là, mais pas elle…

— Et personne ne s'est posé de questions ?

— Si, mais c'est toujours le même baratin : pas au point d'appeler la police, bla bla bla… Sinon, il ressort que Delphine était discrète, peu bavarde, mais polie. Ils ne l'ont jamais vue accompagnée et n'en savent pas beaucoup plus, hormis qu'elle était une artiste et venait régulièrement dans cette espèce de résidence secondaire pour peindre et se promener dans la forêt. C'est tout ce que j'ai pour le moment.

Titi inscrivit quelques mots clés au tableau puis se tourna vers Romuald Fayolle. Einstein portait une fine cravate noire. Ses rouflaquettes, noires elles aussi, étaient taillées au cordeau et lui donnaient une allure à la Belmondo dans ses meilleurs films de flic.

— La perquise dans le Marais ?

— Appartement avec une chambre, simple, fonctionnel et en ordre, répondit Einstein. Pas de trace d'un éventuel colocataire. On a rapporté une caisse de paperasse. À l'intérieur, il y a surtout un répertoire avec cent six contacts, dont les deux tiers sont des hommes. Pour quarante et un d'entre eux, on n'a que l'identité et un numéro de téléphone. Pour les autres, on a la fonction en plus : directeur de musée, sculpteur, agent, éditeur…

Un soupir général balaya la pièce. Cent six contacts, c'était beaucoup. Tous savaient ce que ça signifiait : autant de suspects potentiels à retrouver et à convoquer. Fayolle désigna ensuite un calendrier mural, sur lequel des zones avaient été surlignées et annotées.

— Il était dans sa cuisine. Escremieu partageait son temps entre le Marais et Saint-Forget. Elle y a indiqué très précisément les périodes où elle se rendait dans les Yvelines. Si on se fie à son planning, elle y était depuis le 15 novembre et comptait revenir à Paris juste avant les fêtes, le 22 décembre. Sa voisine de palier, Mme Curvilier, a confirmé la date de son départ.

— OK, approuva Titi. C'est cohérent avec ce que nous a dit Serge. Elle part à Saint-Forget pour s'isoler, mais disparaît, laissant tout en plan : sa voiture, ses peintures. Un des tableaux était d'ailleurs en cours de réalisation.

— Autre truc intéressant : un locataire du quatrième étage, un certain M. Valin, a surpris un homme, hier matin, en train de rôder dans les couloirs. Le type traînait au niveau du troisième, devant la porte d'Escremieu. Il devait être aux alentours de 7 h 30, une heure avant qu'on arrive pour la perquise. Il raconte que l'individu en question l'a bousculé et a fichu le camp quand il a compris qu'il était repéré. Valin devrait déposer dans la matinée.

— Il a pu le décrire ?

— Tout s'est passé très vite. Râblé, plutôt massif, blouson genre Bombers de couleur grise et bonnet noir.

Pas un habitant de l'immeuble, Valin en est certain. Et ce n'était pas Philippe Vasquez, vu la description.

Titi écrivit « homme au Bombers », puis resta un moment immobile. Toutes les hypothèses se valaient, à ce stade : Delphine Escremieu se cachait-elle ? Était-elle morte ou en danger ? Il traça un trait vertical, et marqua dans la partie droite « tueur ».

— Penchons-nous sur le tueur. Supposition : Delphine Escremieu est l'assassin. Qu'est-ce qui pourrait appuyer cette théorie ?

— Franchement, pas grand-chose, répliqua Florence du tac au tac. L'histoire de la toile inachevée, déjà, la contredit. Et puis quoi ? Elle tue une femme dans sa propre maison en lui brûlant le sexe et les seins ? Ensuite elle nous envoie là-bas pour qu'on découvre le corps et qu'on se lance à sa poursuite ? Je n'y crois pas.

— Tu ne sais pas de quoi sont capables les femmes, lâcha Amandier en s'arrachant de son fauteuil et se dirigeant vers la cafetière.

— Je suis plutôt bien placée pour le savoir, figure-toi.

— Elle a pété un câble et elle va se mettre à dézinguer tous ceux qui lui ont fait du mal. Ça ne serait pas la première fois qu'on verrait ça, une folie meurtrière.

— Si c'était le cas, il n'y aurait pas eu les lettres ni cette mise en scène complexe, intervint Franck. Ce n'était pas un acte pulsionnel, mais largement mûri et organisé depuis des semaines.

Amandier eut un rire sournois.

— T'as lu ça dans un de tes fichus bouquins ?

— En partie, oui, mais surtout, c'est logique. Tout a été préparé, contrôlé. Chez la plupart des criminels, on tue au plus vite, on s'enfuit, le plus souvent dans la panique. J'ai failli vomir mes tripes quand je suis tombé sur la dépouille, mais notre tueur, lui, est resté. Il a même pris tout son temps. Il a couvert la tête de sa victime avec un sac pour instaurer une distance.

— Conneries…, lâcha Amandier.

— Conneries ou pas, il a quand même dessiné des yeux et une bouche sur ce sac en papier. Pourquoi ? Un regard l'effraierait-il davantage que des chairs brûlées ? C'est peut-être quelqu'un d'introverti, qui a honte, ou qui a des problèmes d'ordre sexuel.

— Ben voyons…

— J'ai jeté un œil au poème de Baudelaire, « Femmes damnées », celui qui parle de Delphine et de sa compagne, Hippolyte, continua Sharko sans se démonter. C'est une histoire entre deux amantes. Je suis loin d'être un spécialiste, mais on peut envisager que le choix de ce poème ait un sens pour le tueur. Ou que Delphine ait une orientation sexuelle particulière ?

— Gouine, tu veux dire ?

— Possible.

Florence siffla entre ses dents. Sharko intercepta une œillade furtive entre Amandier et Titi, et il ne sut qu'en penser. Leur chef de groupe recadra finalement la discussion :

— Peut-être, peut-être pas. On verra plus tard. Tu sais, les poèmes ou les bouquins, ça ne met pas des criminels derrière les barreaux… Revenons sur du concret pour le moment. Les échantillons de sang, dont celui prélevé sur la poignée de porte de la chambre, ont été envoyés au labo de Nantes. Faut pas être pressé, on aura un retour sur le groupe sanguin au mieux au début de la semaine prochaine.

— Escremieu est B+, précisa Einstein. Sa carte de donneur était dans ses papiers.

— Le Glaive m'a fait un topo sur les nœuds particuliers utilisés pour entraver la victime, continua Titi. Selon toute vraisemblance, le tueur a des connaissances sur le sujet, tout comme sur les processus liés à la décomposition d'un corps. (Il ajouta « Biologie, chimie, médecine, connaissances anatomie » sur le tableau.) Faudra vérifier si Delphine Escremieu touche sa bille dans ces domaines-là. D'autre part, la photo que Vasquez a trouvée n'est pas le genre qu'on apporte au labo du coin pour développement. (« Club photo ? Laboratoire personnel ? ») Et le recueil de Baudelaire semble indiquer que le meurtrier est cultivé. (« Instruit ».) Quelqu'un a une idée de la raison pour laquelle on a écrit « Pagode » sur la porte ? C'est un lieu de culte pour les bouddhistes, une espèce de tour carrée, mais vous voyez le rapport ?

Ils secouèrent la tête. Titi inscrivit le mot, suivi d'un point d'interrogation, et poursuivit :

— Autre chose, on ne sait toujours pas comment, bordel, il a pu sortir de l'habitation. On a inspecté chaque centimètre de ces containers, du sol au plafond.

— Il a emprunté la porte d'entrée, déclara Einstein. C'est l'unique possibilité. Il faut demander à un serrurier d'inspecter cette porte et son système de fermeture.

— OK. Serge retourne là-bas, il va s'en charger.

Amandier nota l'information avec calme. Titi remplit la colonne d'autres éléments pertinents soumis par son équipe. Notamment le fait que le tueur était au courant des habitudes d'Escremieu et détenait le code de son immeuble. Il n'oublia pas les remarques de Sharko concernant l'orientation sexuelle, qu'il griffonna dans un coin, puis considéra le tableau dans son ensemble.

— Reste l'énigme Philippe Vasquez. J'ai eu le contre-appel du fichier central : ce type n'a pas d'antécédents judiciaires. Einstein, tu récupères son carnet d'adresses, t'essaies de cerner le bonhomme en interrogeant ses voisins et ses collègues. D'une manière ou d'une autre, il est impliqué, on ne le lâche pas. Je vais faire partir les lettres à la Scientifique, ils pourront peut-être en déduire le genre de machine à écrire qui a été utilisée, dénicher une empreinte digitale ou des traces de salive sur les timbres.

Titi balaya son équipe d'un regard assuré.

— Je veux tout savoir sur Delphine Escremieu. Environnement, fréquentations, routines, plans cul, et si elle était en relation avec des gamins d'une dizaine d'années. On me lance une requête auprès de France Télécom pour ses communications. Flo, tu t'occupes de ça et du répertoire de la demoiselle. Tu convoques tout de suite les premiers contacts pour qu'on les entende. Je rappelle, pour les alibis, date estimée du décès de notre cadavre X : jeudi ou vendredi dernier. On s'intéresse à tous ceux qui ne pourront pas justifier de leur emploi du temps sur ces deux jours et qui ont une profession ou une passion en lien avec ce qui est listé sur ce tableau.

Il se dirigea vers la petite table, reprit son paquet de feuilles et le colla dans les mains de Sharko. Il s'agissait de tracts imprimés en noir et blanc, avec le portrait de Delphine Escremieu, un avis de disparition et un numéro de téléphone.

— La photo a été trouvée chez elle, elle date d'il y a trois ans, c'est la plus récente qu'on ait. Porte-à-porte pour toi. Commence par son immeuble du Marais. Frappe chez tout le monde, repasse le lendemain et le surlendemain si certains ne répondent pas, parce que c'est souvent le cas. Tu me diras quand ils ont vu Escremieu pour la dernière fois, s'ils ont remarqué un changement dans ses habitudes, ou une personne qui rôdait dans les parages, enfin bref, tout. T'élargiras après aux rues annexes, aux commerces, bars, restos à proximité… Tu fais ça au moins jusqu'au week-end. Profites-en pour t'acheter le bouquin de Baudelaire, et lis-le. Tu nous feras un résumé, et si ça parle de pagode, tu nous fais signe…

Sharko ne parvint pas à savoir s'il se moquait de lui. Mais le chef de groupe enchaînait déjà :

— Traîne dans le coin du Marais, ouvre les yeux et les oreilles, et avec un peu de bol t'auras un tuyau sur l'homme au Bombers. Il est peut-être du quartier et, s'il a été dérangé, possible qu'il revienne. Fais aussi un crochet par le commissariat du 4e, tu leur files une pile de tracts. Ils ne jouent pas toujours le jeu, mais bon… Tout ce qu'on te dira sur Escremieu peut se révéler important. Tu consignes tout, tes trajets, les établissements visités, et tu feras un compte rendu précis par écrit. On ne doit pas rater une rue ou le moindre bar. Si tu juges que quelqu'un a quelque chose à balancer, tu convoques.

— Ne nous ramène pas toute la ville non plus, grogna Serge.

Le jeune inspecteur lui adressa un sourire. Il avait pris ça pour un trait d'humour, mais c'était mal connaître

Amandier, qui alluma une nouvelle cigarette. Titi pointa ensuite la pochette remplie de feuillets jaunes.

— On démarre une bulle. Sharko, tu connais maintenant, tu sais comment ça fonctionne. Évite de rédiger un roman ou de noter le dernier film de boules que t'es allé voir. Tu mets de côté les archives et l'affaire des Disparues. Jusqu'à Noël, on mange Escremieu, on vit Escremieu, on rêve Escremieu. Et ce samedi, tous sur le pont. On verra pour dimanche, mais attendez-vous à le passer ici aussi. Des questions ?

— Je suis en vacances à partir du 20 au soir, fit Einstein, jusqu'au 26. On descend chez les parents de ma femme dans le Sud. Tu te doutes bien de ce qui va arriver si je fais sauter…

— Faut préserver ta femme. Garde tes congés, on fera notre bouffe de Noël tous ensemble dès qu'on pourra. Les autres ?

Personne ne répondit. Sharko leva le bras.

— Juste un détail sur le dossier des Disparues, tant que j'y pense. Il y a deux jours, j'ai remarqué qu'il manquait la page 146 de la bulle. Sur la 145, datée du 17 mai 1989, trois semaines après le dernier meurtre, Florence, tu suggères de vérifier tout ce qui a trait aux ascenseurs des immeubles des victimes, car ils permettaient tous d'accéder aux parkings, à condition d'en posséder la clé…

Florence réfléchit quelques secondes.

— C'est loin, tout ça… Mais maintenant que tu le dis, ça me revient. On essayait d'établir des liens entre les trois femmes. Elles vivaient dans des secteurs très différents, ne se fréquentaient pas. Les immeubles n'avaient pas de gardien, mais il fallait un code pour y entrer. Code que notre homme détenait peut-être. À ça s'ajoute l'idée selon laquelle les tueurs frappent en général dans des endroits qui leur sont familiers. Je me suis alors dit qu'il pouvait exister un rapport avec un employé d'une société de maintenance qui se serait occupé de chacun de ces ascenseurs. Mais ça n'a rien donné.

Sharko acquiesça.

— Sur la 147, datée du 3 juin, c'est toi, Einstein, qui évoques la piste de stands de tir.

Romuald Fayolle haussa les épaules.

— Je ne m'en souviens pas… À un moment, j'ai dû me dire que l'assassin avait un flingue. Ces femmes, il les avait contraintes à monter dans sa voiture. Mais il avait son couteau, ça pouvait suffire. Je n'ai pas creusé, c'était une idée stupide… Tu sais, faut pas prendre la bulle pour une bible. On écrit tout et n'importe quoi, là-dedans, surtout quand on a l'impression d'avoir exploré toutes les pistes.

Franck hocha la tête. Lorsqu'il vit l'énervement poindre dans les yeux de Serge Amandier, il était trop tard, il avait déjà demandé :

— Une idée concernant la 146 ?

— Une idée, ouais, bien sûr, parce que tu crois qu'on se rappelle tout ce qui est marqué ? lâcha le numéro 2 en soufflant un nuage de fumée. Il manque une page, et alors ? Ça va changer quelque chose ? Savoir si cette putain de page est tombée du paquet ou a été balancée à la poubelle va te permettre d'attraper le fumier qui a massacré trois pauvres femmes ? C'est ça, que tu crois ? Les Disparues, c'est cinq ans d'enquête, bordel !

Dont trois de planques et de nuits blanches ! Alors, des feuilles dans des pochettes...

Il méprisa Sharko du regard, se dirigea vers son bureau et s'empara de son blouson avant de partir, claquant avec rage la porte derrière lui.

— Ça lui passera, dit Titi. C'est toujours sensible, de remettre en question ce qu'il a fait, ou de supposer qu'on aurait pu rater un truc alors qu'il dirigeait l'enquête.

— N'empêche qu'une feuille s'est volatilisée...

— Ne te bloque pas sur des détails pareils, Sharko, sinon, tu t'en sortiras jamais.

Après cette ultime recommandation, le chef de groupe claqua dans ses mains, comme pour couper court au débat et relancer l'équipe dans une bonne dynamique.

— Allez, on s'active, on a du pain sur la planche. En espérant que la pêche aux infos sera bonne...

10

Vendredi. Deuxième jour à arpenter le bitume, à distribuer des tracts, à les glisser sous les portes et dans les boîtes aux lettres d'une partie du Marais. Recommencer, encore et encore. La veille, Franck en avait déposé une centaine au commissariat d'arrondissement, à un kilomètre de là. Le chef de poste les avait rangés dans un coin en promettant d'en parler à ses hommes.

Les habitants du 26 *bis* présents au moment où Sharko passa pour la seconde fois ne lui apprirent rien d'essentiel : femme discrète qui ne faisait jamais de vagues, souvent absente sur de longues périodes, pas de comportement suspect. Il lui arrivait de recevoir du monde, mais personne ne sut affirmer s'il s'agissait d'amis, de proches ou de relations de travail. Elle possédait un vélo de ville bleu ciel toujours garé dans l'arrière-cour, ainsi qu'une place dans un parking privé à trois cents mètres de là, rue Barbette, dont la barrière s'ouvrait avec un badge magnétique. Le jeune inspecteur ne trouva pas de gardien ou de personnel de maintenance, juste un numéro de téléphone à appeler en cas d'urgence. Il nota tout cela dans son carnet.

Il se mit à tomber de timides flocons quand il sillonnait les environs. Le quartier lui plaisait, une sorte de village aux rues serrées, décorées aux couleurs de Noël en plein cœur de Paris. Franck interpellait les passants, leur montrait le portrait de Delphine, entrait dans les commerces et discutait avec les employés. Parfois, il laissait quelques tracts.

Escremieu fréquentait une boutique de sous-vêtements de luxe. Elle déjeunait régulièrement, seule, dans un restaurant libanais, à l'angle des rues du Roi-de-Sicile et Ferdinand-Duval, à cinq minutes à pied de chez elle. La plupart du temps, elle lisait ou dessinait en mangeant. Elle se procurait du chocolat et du café en grains dans une épicerie fine à deux pas du restaurant, au moins trois fois par mois. Dans une librairie dans laquelle elle avait également ses habitudes, Sharko avait acheté la veille *Les Fleurs du mal*. En définitive, la jeune femme semblait mener une vie paisible d'artiste et ne manquait pas d'argent, comme l'indiquaient ses achats plutôt haut de gamme.

En fin d'après-midi, Franck termina ses investigations par un bar à vins, le NoMen, à deux cents mètres du 26 *bis*. Vu les mitraillettes dans les regards, il comprit que l'endroit portait bien son nom et était exclusivement réservé aux femmes. La patronne, une tige blonde à la poitrine plate, identifia Delphine sur la photo. La peintre côtoyait l'établissement le jeudi soir, du moins lorsqu'elle séjournait à Paris.

— Elle était… gouine ? demanda Sharko.

— Lesbienne, c'est mieux. Peut-être même bi, mais je ne veux pas m'avancer. En tout cas, les femmes, c'était sûr. Votre avis de recherche, là… Vous pensez qu'il lui est arrivé quelque chose de grave ?

— On ne sait pas. Vous la connaissiez à quel point ?

— Salutations d'usage, échanges polis. On parlait parfois de la pluie et du beau temps, mais juste deux, trois mots, comme ça.

— Quand l'avez-vous vue pour la dernière fois ?

— Difficile à dire. Un mois, dans ces eaux-là.

— Elle venait seule ?

— Le jeudi, c'est soirée célibataires. Donc oui, elle venait seule. Et avant que vous me posiez la question, j'ignore complètement si elle repartait accompagnée ou non. Il y a du monde, beaucoup de clientes qui viennent du Tout-Paris. Ici, elles n'ont pas besoin de se cacher. Ma serveuse en sait certainement davantage, mais elle ne travaille pas avant demain soir, 19 heures.

Franck lui adressa une convocation pour une déposition officielle, ce qui ne l'enchanta guère.

— Vous êtes pénible, avec ça. Je bosse, moi.

— Moi aussi.

Il sortit et jeta un œil à sa montre : déjà 18 heures. Il poursuivrait son porte-à-porte le lendemain.

Il avait de nombreux kilomètres dans les talons, pourtant il entreprit de rentrer au 36 à pied : il n'en était plus à vingt minutes de marche près, et la neige ne le dérangeait pas, au contraire. Elle lui rappelait que les fêtes approchaient, et qu'il serait temps de réfléchir à un cadeau pour sa fiancée.

Il regagna rapidement la rive droite de la Seine pour ne pas se perdre et suivit les quais au-dessus de la voie Georges-Pompidou. Il s'interrogeait… Le père de Delphine avait déclaré qu'il ne connaissait pas l'orientation sexuelle de sa fille. Sans doute avait-elle gardé sa différence pour elle, vu ses relations dégradées avec sa famille. Mais depuis quand aimait-elle les femmes ? Une aventure ou un lien affectif l'unissait-il à la victime de Saint-Forget ? Étaient-elles amantes ?

Il en était là de ses réflexions lorsqu'il atteignit le 36. Un panneau « PAVÉS GLISSANTS » trônait dans la cour. Le jeune inspecteur grimpa les marches de l'escalier C deux à deux et passa devant le filet antisuicide « Nathalie Ménigon », installé depuis que la militante d'Action directe avait essayé d'enjamber la rambarde et de sauter dans le vide. Sharko avait entendu dire que, certains soirs de pots où l'alcool chauffait les têtes, des flics s'en servaient comme trampoline.

Trois hommes et deux femmes patientaient sur des bancs dans le « bocal », une salle du troisième étage, à proximité du grand sapin de Noël installé par l'amicale. Parmi eux, les parents Escremieu. D'autres personnes étaient en audition avec le Glaive. Les convocations tombaient les unes après les autres, le rouleau compresseur avançait et tous ceux qui, de près comme de loin, avaient côtoyé Delphine, allaient y passer.

Franck eut à peine le temps de secouer son blouson que Titi le renvoya sur le terrain : le commissariat du 4ᵉ venait d'appeler. Delphine Escremieu avait, semblait-il, déposé une main courante en novembre.

Quand Sharko évoqua l'homosexualité de la jeune femme, son chef ajouta l'information sur le tableau et la souligna, sous les yeux de Florence qui avait l'oreille collée à son téléphone.

Après quoi il reprit donc la route, se disant qu'il aurait pu éviter un aller-retour inutile si on les avait équipés de ces appareils dont on parlait à la télé, les Bi-Bop. Des engins révolutionnaires qui, d'après ce qu'on disait, fonctionnaient un peu à la façon de cabines téléphoniques portatives.

Fatigué par cette interminable journée, il se présenta à l'accueil du commissariat où il était passé la veille. Un brigadier-chef du nom de Nicolas Courtin l'invita dans son bureau.

— J'ai vu son visage sur les tracts dans l'après-midi et ça a fait tilt, expliqua Courtin en ouvrant un classeur. Toujours pas de nouvelles ?

— Non.

— Je suis allé récupérer les mains courantes du mois dernier. C'est moi qui avais pris la déposition. Voilà, c'est là. Le 12 novembre.

Le 12… D'après son calendrier, Delphine avait prévu de partir à Saint-Forget le 15.

— De quoi s'agissait-il ? s'enquit Franck en survolant les feuillets manuscrits et quasi illisibles.

— Un drôle de truc. Elle m'a raconté qu'elle était suivie depuis plusieurs semaines. Quand je lui ai demandé si elle avait vu quelqu'un, elle a répondu que c'était juste une impression. Du genre une silhouette dans son sillage, mais qui disparaissait quand elle se retournait. Vous voyez le délire ?

Sharko resta dubitatif, se contentant de hocher la tête.

— Ce qui l'a décidée à se pointer ici, c'est qu'elle était persuadée que cette ombre avait pénétré chez elle. Elle prétendait que des objets avaient été déplacés…

— « Prétendait » ?

Nicolas Courtin parut gêné.

— Elle habite au troisième, ses fenêtres étaient verrouillées, et sa porte d'entrée également. En plus, son immeuble dispose d'un digicode. J'ai envoyé deux hommes qui ont tout inspecté avec soin et n'ont relevé aucune trace d'effraction. Rien n'avait été volé. Personne n'avait rien vu, rien entendu.

— D'où la main courante au lieu de la plainte ? Vous ne vouliez pas vous embarrasser d'une procédure judiciaire, j'imagine.

— Cette femme avait l'air un peu… lunaire, se justifia son interlocuteur. Et puis on n'avait rien. Qu'est-ce que vous auriez voulu qu'on fasse ? On lui a dit de revenir si ça se reproduisait.

— Je crains qu'elle ne revienne jamais, malheureusement.

Courtin baissa le regard, impressionné par les deux pierres froides et noires plantées sur lui.

— Il me faut une copie de ce document, exigea Franck en désignant la main courante qu'il posa sur le bureau.

Le brigadier-chef, qui n'en menait pas large, s'exécuta. Cinq minutes plus tard, Sharko retrouvait la ville, la tête farcie d'interrogations. Comment l'assassin avait-il réussi à entrer chez elle sans la moindre effraction ? Et pourquoi ? Pour fouiller ? La surveiller ?

Il pensait, comme Florence, que Delphine Escremieu n'y était pour rien dans la mort de leur inconnue. L'ombre qu'elle craignait existait bel et bien. Elle s'était immiscée dans la vie de la peintre, invisible, silencieuse, telle une brume. Et l'avait sans doute suivie jusqu'à Saint-Forget.

Où elle avait frappé.

11

— Suzanne ! Bon Dieu, je suis désolé…

Alors qu'il était de retour au 36 pour faire part de ses découvertes, Sharko avait appris par Titi que sa fiancée l'attendait à son appartement. Heureusement, elle avait un double des clés. Aussi, à plus de 21 heures, elle était en train de feuilleter le recueil de Baudelaire. Le jeune inspecteur vint se serrer contre elle.

— C'est ma faute, répliqua-t-elle. J'aurais dû prévenir que je débarquais, mais je voulais que ce soit une surprise.

Elle l'embrassa amoureusement, l'attrapant par les pans de son blouson, et plongea ses yeux bleus dans les siens.

— T'as l'air fatigué.

— Ça va.

— Ton chef a dit que tu travaillais sur une grosse affaire de meurtre. Mais toi, tu m'as juste parlé de ces histoires d'archives…

Sharko passa sa main dans les longs cheveux brun clair de sa fiancée, si fins qu'on eût dit des fils de soie. Ils sentaient bon la vanille. Suzanne, c'était la vie, le soleil au cœur de la nuit. Et elle ne pouvait imaginer le bien que sa présence lui faisait.

— Rien de très intéressant. On en discutera plus tard, d'accord ?

Au milieu du salon, il entreprit de lui déboutonner son chemisier. Ses hormones bouillonnaient déjà, après quinze jours d'abstinence. Elle lui enserra les poignets.

— Oh oh, deux minutes, inspecteur Franck Sharko. T'es un chaud lapin, toi. On a quelque chose à fêter, avant.

— Quelque chose à fêter ?

Elle alla chercher une bouteille de champagne et deux verres dans la cuisine. Franck ne se lassait pas de la contempler. Alors qu'elle remplissait les coupes, il ôta ses chaussures et se massa les mollets avec une grimace. Sa journée avait été fructueuse, mais il était heureux d'être enfin chez lui.

— T'expliques ? demanda-t-il lorsqu'ils trinquèrent.

— J'ai eu un entretien en début d'après-midi dans un laboratoire d'analyses médicales à même pas un kilomètre d'ici, à côté du parc des Buttes-Chaumont.

— Cet après-midi ? Ici, à Paris ? Et tu…

— Moi aussi, je sais tenir ma langue, l'interrompit-elle, amusée.

— Et… ?

— La semaine prochaine, je donne ma démission, et dans un mois et demi, je viens m'installer avec toi. Enfin, si ta proposition tient toujours.

Franck n'en croyait pas ses oreilles. Il avait conscience du sacrifice que cela représentait pour Suzanne, de quitter le Nord, son emploi, et de s'éloigner de ses parents.

— Bien sûr, que ça tient toujours ! Plutôt deux fois qu'une.

Il oublia la fatigue et apprécia la bonne nouvelle. Ensemble, ils burent leur coupe de champagne. Puis Suzanne s'empara des *Fleurs du mal*.

— Tu lis des poèmes en cachette, maintenant ? Fini, les trucs de criminologie et de meurtres horribles ?

— Non, c'est juste pour cette fameuse affaire en cours. Faut que j'y jette un œil, pour savoir de quoi ça parle... Pas sûr d'en saisir toutes les nuances, mais bon...

Suzanne reprit le livre.

— On l'a étudié au lycée. Je t'en touche deux mots, si tu veux ?

Sharko porta son verre à ses lèvres en acquiesçant.

— C'était noir, ça m'a laissé une impression glaçante, commença la jeune femme. Des années après, je me souviens encore de quelques textes comme « Une charogne »... « Le Squelette laboureur »... « La Fontaine de sang »... Rien de très gai.

Elle pointa un quatrain du poème « Les Phares ».

— Tiens, écoute ça :

Goya, cauchemar plein de choses inconnues,
De fœtus qu'on fait cuire au milieu des sabbats,
De vieilles au miroir et d'enfants toutes nues,
Pour tenter les démons ajustant bien leurs bas ;

— Sympa, commenta Sharko.

— Je n'aurais pas aimé dîner en tête à tête avec lui, oui. Mais c'est à l'image de son œuvre, une sorte de descente aux enfers qui retrace l'itinéraire de Baudelaire, entre ses angoisses profondes, le vice, la débauche, les paradis artificiels. Il voyait le monde comme un véritable cauchemar…

— Il n'avait peut-être pas tort à 100 %. Et le titre ? *Les Fleurs du mal* ? Pourquoi ?

— Pour montrer qu'on peut toujours extraire la beauté du mal, même si c'est un acte extrêmement compliqué.

Extraire la beauté du mal… Sharko était un peu dépassé par le concept, surtout quand il se rappelait la scène de crime. Les images ressurgirent. Il était temps de changer de sujet.

— Bon, on ne parle plus de ça, s'il te plaît.

Il posa le recueil sur le côté. Ils se resservirent de l'alcool, se mirent à rire aux éclats au bout de dix minutes, se fichant de faire un peu trop de bruit. Qui porterait plainte contre un flic du 36 ?

Franck emmena Suzanne jusqu'au lit et ils firent l'amour. Deux jeunes enlacés, ayant l'avenir devant eux, plein de promesses, avec mariage et enfants. « Le plus loin possible ensemble », répétait Suzanne en haletant, les doigts agrippés au dos de son homme qui l'étreignait.

Plus tard, quand leurs cœurs se furent apaisés, le jeune homme se serra contre le petit corps chaud de sa moitié. Les yeux ouverts dans l'obscurité.

— J'aurais tellement voulu rester avec toi, murmura-t-il. Mais il va falloir que j'aille travailler demain.

— Pas de congés, et maintenant, plus de week-end ?

— C'est le début d'une enquête très compliquée, les premiers jours sont extrêmement importants. Ça ne sera pas toujours comme ça. Mais j'ai gagné ma place au sein de l'équipe. À présent, je dois assurer.

Franck ne l'entendit même pas soupirer ni se plaindre.

— J'ai signé avec un flic, pour le meilleur et pour le pire... Mon train repart dimanche soir. Ça nous laisse quand même un peu de temps. Sur quoi vous êtes, au juste ?

Franck hésita à répondre.

— Une femme s'est fait tuer. Un crime atroce...

Il se tourna sur le dos, le visage vers le plafond. Il apprécia le silence de Suzanne. Elle lui accordait le temps dont il avait besoin, ne le bousculait pas, respectueuse de son territoire intérieur.

— Comme dans l'affaire des Disparues ? finit-elle par demander avec douceur.

— Pire encore. Enfin non, pas pire... C'est difficile de comparer, les deux affaires sont abominables. Pour les victimes du Sud parisien, je dirais qu'on est face à un prédateur : il enlève les filles, les viole et les tue sauvagement. Il ne s'attarde pas sur les scènes de crime, il n'arrange pas les corps, il les abandonne comme de vulgaires torchons. Là, c'est différent, c'est plus élaboré, pervers. Celui qui a fait endurer un supplice pareil à cette femme n'est pas comme toi et moi, chérie. Il y a quelque chose de... de profondément animal dans ses actes, et en même temps de très réfléchi...

Les Fleurs du mal...

— Ce monstre traîne dehors. Il cherche peut-être encore à commettre une horreur. Il faut qu'on le retrouve le plus vite possible.

La jeune femme frissonna.

— Tu n'auras jamais de belles histoires à me raconter, toi...

— Si elles n'existent pas, j'essaierai d'en imaginer.

— J'ai vu les photos dans le tiroir, à côté de mes fax… Ces corps dénudés, mutilés… Pourquoi tu les as rapportées ici ? Chez toi ? Chez nous ?

— Tu n'aurais pas dû les voir.

— Pourquoi, Franck ?

Sharko ne bougea plus, ses yeux scrutant l'obscurité.

— Pour ne pas les oublier…

— Tu ne les connais pas. Tu ne pourras pas faire entrer tous les malheurs du monde dans notre foyer.

— Elles, c'est particulier…

— Pourquoi ?

Il garda le silence.

— Je plaque tout pour toi. Alors promets-moi que tu resteras prudent, que tu ne te mettras jamais en danger. Je ne veux pas qu'un jour quelqu'un vienne sonner à cette porte en me disant que je ne reverrai plus l'homme de ma vie.

Franck ne répondit rien. Elle se pencha vers la veilleuse, alluma et vint se coller à lui, ses lèvres à dix centimètres des siennes.

— Promets-le-moi.

Sharko savait que c'était une promesse impossible à tenir. Chaque année, le 1er novembre, les inspecteurs de l'amicale de la Criminelle passaient leur journée à fleurir les tombes des dizaines de collègues morts en service. Cimetières de Malakoff, de Bagneux, de la Villette, de Montrouge, du Montparnasse…

— Je te le promets.

12

On était samedi, la plupart des flics du 36 étaient chez eux, en famille. Les rares présents dans les locaux travaillaient sur des dossiers brûlants ou s'abîmaient à combler un retard administratif. Çà et là, dans les couloirs silencieux, on entendait les chants mécaniques des machines à écrire.

Le groupe de Titi était quant à lui au complet. Florence continuait à passer des coups de fil, inlassablement, pour tenter de joindre les connaissances de Delphine Escremieu. Elle cochait ceux qui ne répondaient pas et qu'il faudrait aller chercher à leur domicile, ceux qui décrochaient mais qui n'étaient pas les bonnes personnes à cause d'un changement d'adresse…

Le Glaive, Titi et Amandier s'occupaient, eux, d'auditionner les gens convoqués, d'établir leur lien précis avec Delphine, de vérifier leur alibi, de pousser certains d'entre eux dans leurs retranchements quand ils le jugeaient nécessaire.

Sharko, de son côté, tapa d'une traite le bilan de ses premiers jours de porte-à-porte. Puis, en milieu de matinée, il téléphona aux commissariats émetteurs des deux télégrammes qui avaient retenu son attention au sujet de l'affaire des Disparues du Sud parisien. Il posa quelques questions qui lui démontrèrent qu'il faisait fausse route. Retour à la case départ.

Il observa la pochette de la bulle, sur sa gauche. Elle traînait sur son bureau, une simple table en bois située en plein courant d'air, à proximité du fax et du Minitel. On lui avait refourgué la pire place, mais c'était la coutume : ceux du fond, bien au chaud, au calme et près des fenêtres, étaient les plus anciens.

Franck descendit aux archives, remit les télégrammes dans leur boîte et s'accorda une nouvelle heure de fouille dans toute cette paperasse. Malgré les ordres de Titi, il voulait garder le contact avec l'affaire des Disparues.

Il profita de la pause du midi pour jeter un œil discret dans leur armoire métallique du 514 où s'alignaient les dossiers et diverses bulles d'enquêtes précédentes. Le jeune inspecteur en compulsa quelques-unes, ne s'intéressant qu'aux numéros de page. Jamais il ne manquait une seule feuille. Chaque membre du groupe prenait visiblement soin de ses notes et évitait qu'elles ne se perdent. En outre, il ne voyait pas bien comment un feuillet avait pu se détacher et glisser tout seul, sans qu'on ouvre les anneaux.

Mais pourquoi l'auteur de la page 146 n'en avait-il pas parlé aux autres à l'époque ? Personne ne semblait s'en être étonné... Sharko faisait sans doute une fixation pour rien. Pourtant ça l'obsédait, et il n'arrivait pas à chasser cette histoire de sa tête, un peu comme la mouche tournant sur son dos.

Plus tard, Einstein arriva à son tour, alla s'installer à sa place et lui fit signe de venir.

— Amène-toi. Je crois que je tiens quelque chose.

Il avait étalé devant lui et autour de sa machine à écrire les trente-six clichés de la scène de crime.

— Je suis en train d'essayer de piger l'implication de Vasquez, et toute la mécanique qui l'a amené jusqu'ici. Les lettres, le prénom deviné…

— T'as une idée pour le prénom ?

— Pas la moindre pour le moment, mais j'y réfléchis. En attendant, je me suis penché en détail sur la photo qu'il a dénichée dans la boîte aux lettres…

Einstein désigna une des trente-six photos prises à Saint-Forget et demanda à Sharko de lui en parler.

— C'est la première de la série. Je me suis positionné à l'identique du tueur lorsqu'il a lui-même immortalisé sa victime.

Einstein acquiesça et lui tendit celle trouvée par Vasquez.

— Regarde. Si on fait abstraction des traces de fluides liées aux hémorragies, tu ne vois aucune différence entre ton cliché *post mortem* et celui du tueur *ante mortem* ?

Sharko fronça les sourcils et observa. Le lit, le sac sur la tête…

— Le livre, posé à côté de la lampe, sur la table de chevet. Il n'était pas là avant le meurtre.

— Exactement. C'est *Le Horla et autres contes fantastiques*, de Maupassant. Qu'est-ce que tu penses de ça ?

— Il l'aurait volontairement abandonné sur la scène de crime ?

— Oui. Et ensuite, *pschitt !* il disparaît comme le Horla.

Sharko sentit le feu monter en lui.

— *Les Fleurs du mal…* Et maintenant *Le Horla…* Le mal, encore… J'ai de vieux souvenirs de cette lecture. Le Horla, c'est un monstre imaginaire qui pompe, jour après jour, nuit après nuit, l'énergie vitale de sa victime jusqu'à la rendre folle. Delphine était traquée par une ombre. Une ombre qui est entrée chez elle sans la moindre trace d'effraction. Une ombre qui a déplacé des objets, à l'identique du Horla qui buvait les verres de lait pendant le sommeil de sa proie…

Einstein lui tapa sur l'épaule.

— Ton ombre voulait qu'on remarque ce détail. Je crois bien que ce salopard aime la littérature et les intrigues. Ça m'arrangerait bien que t'ailles faire un tour à Saint-Forget et que tu rapportes le bouquin ici.

13

Sharko gagna Saint-Forget au début de l'après-midi. Les routes n'étaient pas verglacées mais brillaient, les toitures des maisons étaient coiffées d'une fine pellicule de neige. Des gens discutaient dehors du côté de la place de l'église, emmitouflés dans leurs écharpes. La mort sordide de Delphine Escremieu allait transformer la vie du village. On n'irait plus se promener dans les rues ou la nature avoisinante avec la tranquillité d'antan. Franck savait ce que c'était, quand la monstruosité frappait les petites communautés. Il l'avait déjà vécu de plein fouet par le passé. L'horreur à l'état pur…

Il se rendit compte que ses mains tremblaient sur son volant. Même vingt ans après, rien n'avait changé. *Brigitte*… Il se ressaisit et s'enfonça sur le chemin de l'Étang. Le sol était immaculé, d'un blanc cristallin. La voiture d'Escremieu n'avait pas bougé, dans l'attente d'un remorquage à la fourrière.

Des scellés barraient la porte d'entrée. Le serrurier avait réparé le chambranle à la va-vite et installé un nouveau système de fermeture. Cette fois, Sharko disposait de la clé. Il décolla les bandes jaune et noir avec soin, entra et alluma les lumières.

Désormais, il faisait aussi froid dedans que dehors. L'inspecteur observa le mot peint sur la porte, « PAGODE », puis il s'arrêta un instant devant le tableau que personne n'achèverait probablement jamais : un animal hybride, entre la licorne et le loup, aux tons sombres, aux contours tourmentés. Il imagina la jeune femme dans cet espace, libre et inspirée. S'y était-elle réfugiée aussi parce qu'elle se sentait en danger à Paris ?

La gorge serrée, Sharko alla dans la chambre. L'odeur de putréfaction imprégnait les murs, les meubles, le matelas. Des dizaines de cadavres de mouches gisaient toujours par terre, et il eut l'impression d'en voir une bouger. Bientôt, une entreprise spécialisée viendrait nettoyer l'endroit, cependant, ça ne changerait rien à l'image de cette habitation qui persisterait dans l'esprit des gens : un lieu d'abomination.

Le livre se trouvait là, sur la table de nuit, tandis que la montre ainsi que les sous-vêtements avaient été embarqués par le Glaive. La couverture de l'ouvrage glaçait le sang : un homme en chapeau haut de forme, sa main dépourvue de chair, contemplait son double dans le miroir. Mais la tête de ce double n'était qu'un brouillard dans lequel on devinait un visage fantomatique, malfaisant : le Horla.

Il s'empara de l'ouvrage. Il n'était pas gros, à peine deux cents pages. Il le feuilleta et ne décela rien de particulier. Alors il recommença, page après page, en cherchant des mots soulignés, un morceau de papier collé à l'intérieur, n'importe quoi… En vain.

Fallait-il lire le texte pour comprendre les intentions du tueur ? Dans le fond, ce n'était qu'un recueil de nouvelles écrites il y avait fort longtemps. Peut-être n'y avait-il rien à trouver, si ce n'était la référence au mal, au Horla et à sa capacité à apparaître et disparaître à sa guise, à pénétrer dans les maisons sans jamais être vu. Un parasite qui, à travers des attaques psychologiques régulières, entraînait sa proie dans la terreur et la dépendance.

Sharko refusait d'abandonner, une intuition tenace l'électrisait. Cette scène de crime ne se résumait pas au lit sur lequel le massacre avait été perpétré, elle avait été pensée, construite comme la pièce maîtresse d'un plan plus élaboré.

Il jeta un œil sous le lit, puis vers la dizaine d'ouvrages rangés dans le caisson de la table de chevet. Il s'agissait de romans aux dos colorés. *Les Hauts de Hurle-Vent*, *Anna Karénine*, *Madame Bovary*... Des histoires d'amour où les auteurs faisaient la part belle aux femmes. Soudain, Sharko se figea en apercevant un livre qui semblait détonner : *L'Homme invisible*, de H. G. Wells.

Le Horla, *L'Homme invisible*... L'ombre... Franck tira le bouquin à lui. Les similitudes entre cette couverture et celle du recueil de nouvelles lui sautèrent aux yeux : encore une fois cet homme sans visage, ce chapeau – ici un chapeau melon – qui paraissait suspendu dans le vide...

Il le parcourut à toute vitesse et tomba sur une enveloppe blanche. *Bingo !* Il alla récupérer des gants en latex côté atelier. L'ouvrit. Dedans, une feuille pliée en deux, et une autre pliée en quatre, sur laquelle était écrit : « À lire en second ». Le texte avait été tapé à la machine.

Vous voilà sur la bonne voie, et je suis heureux d'avoir des adversaires à la hauteur. Vous, votre groupe, vous vous posez un tas de questions. Par exemple, vous vous demandez comment j'ai réussi à faire deviner le prénom de celle qui vous intéresse tant. Mais un secret doit se mériter, et il vous reste un bout de chemin à parcourir.

J'ignore quand vous découvrirez cette lettre, mais j'espère que vous n'avez pas trop tardé. Le temps de Delphine est compté, voyez-vous ? Disons qu'elle est dans une situation inconfortable depuis… un certain moment, et qu'elle ne pourra pas survivre indéfiniment ainsi.

Maintenant, j'aimerais que vous pensiez à un prénom féminin. Le premier qui vous passe par la tête. Puis que vous dépliiez l'autre feuille.

Franck ne sentait plus l'odeur de putréfaction, absorbé qu'il était par sa trouvaille. Delphine pouvait-elle être vivante ? Une excitation dangereuse l'envahit. Le tueur les invitait à se perdre dans un labyrinthe qu'il avait tracé pour eux.

Il s'empara de la seconde feuille. L'observa. On ne voyait rien à travers. Pas d'indication, pas de surimpression. *Ce n'est pas possible*, se dit-il, *ça ne peut pas fonctionner*. Il pensa tout d'abord à Suzanne, puis refusa de l'impliquer dans cette histoire, de quelque manière que ce fût. Lui vint alors en tête le prénom « France », celui d'une des trois Disparues du Sud parisien. Sharko songea que rien ne l'empêchait de changer de prénom autant de fois qu'il le souhaitait. De ce fait, comment la prédiction pouvait-elle se réaliser ?

Il déplia et lut :

Vous avez raison, inspecteur, ça ne peut pas marcher à tous les coups. Pas avec vous, des êtres bien trop cartésiens qui ne croient pas en ces choses-là, les choses de l'esprit. Mais je suis bien décidé à vous faire changer d'avis.

Je me mets à votre place. Sans doute cherchez-vous une signification à ce mot que j'ai laissé pour vous. « Pagode ». Je vais vous donner un conseil : ne vous fatiguez pas. Vous ne comprendrez jamais sans posséder l'autre partie, l'autre mot magique qui le complète. Comme ceux qui ont accès à l'autre mot ne peuvent pas non plus comprendre sans posséder cette fameuse « Pagode ». Astucieux, n'est-ce pas ?

Je vous souhaite de former la paire, car à travers elle vous atteindrez celle qui vous ouvrira la porte de l'ultime secret. Ne vous découragez pas. Si vous êtes ici, avec cette lettre dans la main, cela implique que vous avez toutes les pièces en votre possession pour sauver Delphine. Elle vous attend dans un endroit sordide et humide, abandonné, quelque part. À vous de mettre un nom sur ce « quelque part ». Si elle meurt, seule et dans le froid, ce sera uniquement à cause de votre incompétence.

Trouvez Delphine, poursuivez le chemin qui, je l'espère pour vous, vous mènera jusqu'à moi. Je vous y accueillerai avec ma plus grande illusion...

14

La nuit s'était installée depuis longtemps sur la capitale. Un ciel sans étoiles, chargé de nuages noirs et menaçants. Il était plus de 19 heures. Assis à son bureau, seul, Franck Sharko terminait de lire en diagonale les livres que l'assassin avait mis sur leur chemin. Ça l'ennuyait de perdre ainsi son temps avec des poèmes ou de vieilles histoires alors qu'une femme agonisait peut-être, mais Titi lui avait ordonné de le faire. *Vous avez toutes les pièces en votre possession pour sauver Delphine.* Leur homme parlait-il de ces classiques de la littérature ?

— Alors ?

Le chef de groupe venait d'entrer d'un pas vif. Les avancées de son numéro 6 l'avaient mis dans un état de nervosité, le poussant à arpenter les couloirs, une cigarette aux lèvres, entre deux auditions. Sharko savait Titi marié, père de deux enfants, mais à le voir si impliqué dans son travail, il se demanda s'il avait réellement une vie de famille.

— Pas grand-chose, répliqua Franck.

Il répéta les mots de Suzanne au sujet des *Fleurs du mal*. Puis fit un bref résumé de ses autres lectures.

— Je ne vois pas comment ces ouvrages peuvent nous aider à retrouver Delphine. Il est question de personnages doués de pouvoirs, ou basculant dans la folie. L'homme invisible était un type rejeté, détesté à cause de sa différence.

— Rien de neuf sur cette histoire de pagode ?

— Je n'en sais rien. Je ne comprends pas ce que ça vient faire là. Il n'y a pas de rapport avec les bouquins. Je n'ai aucune idée de ce qu'il veut qu'on fasse pour réunir la fameuse paire.

Franck poussa un soupir. Son regard tomba sur les photos des enfants nus.

— Que donnent les auditions, de votre côté ? Est-ce qu'Escremieu côtoyait des gamins ?

— Rien ne l'indique. On a interrogé une dizaine de personnes, on continue à chercher. On n'arrive pas encore à cerner les zones d'ombre de Delphine. Elle a l'air clean. On poursuit…

— Des profils suspects ?

— Deux ou trois alibis à vérifier, mais ça ne nous mènera nulle part. Visiblement, elle n'avait parlé de son impression d'être suivie à personne. Il ressort de ces premiers retours qu'elle était renfermée, plutôt timide, et passionnée, limite obsédée, par sa peinture. Le directeur de la galerie où elle exposait, rue Beaubourg, explique que ses tableaux sombres représentaient un mélange d'univers fantastiques, de rêves et de peurs primaires, comme celles du noir ou des araignées. Delphine était peu encline à se livrer sur sa vie privée. Jamais elle n'évoquait son homosexualité, même si celle-ci ne faisait aucun doute pour certaines de ses connaissances… Ses parents, eux, n'étaient pas au courant. Jusqu'à présent, les nanas qu'on a pu rencontrer ne sont que des relations de travail.

Sharko rassembla les clichés étalés devant lui, ainsi que les copies des lettres.

— Au fait, fit Titi, j'ai du nouveau côté Scientifique. L'anapath, d'abord, est formel : notre cadavre X n'a pas été violé.

Le jeune inspecteur intégra l'information. Le meurtre se résumait donc à du pur sadisme. La victime avait été à sa merci, pourtant le tueur avait résisté à la tentation de la pénétrer, ce qui confirmait son intuition : il avait instauré une distance entre elle et lui.

— Quant aux timbres des lettres, ils étaient bourrés de salive. L'IJ a délégué ça au labo de Nantes. Et la section documents a bien bossé aussi. Ils ont établi que la police de caractères sur les courriers est de type Élite 7, fabriquée par Olivetti. Il y a sept marques de machines à écrire compatibles avec ce genre de ruban. Tu vas dire que ça nous fait une belle jambe, mais c'est à garder en tête.

Titi alla chercher une pile de papier carbone dans un tiroir fermé à clé.

— Chez nous, ça avance également. Flo a finalement réussi à contacter toutes les femmes du carnet d'adresses d'Escremieu, par conséquent notre cadavre n'en fait pas partie. Toujours inconnue au bataillon, donc. Le télégramme envoyé par le Glaive n'a rien donné non plus pour le moment.

Il regarda le sol, pensif, puis revint à l'assaut.

— Il faut qu'on retrouve Delphine, Sharko. J'ai fait du forcing pour récupérer ce dossier, le substitut me harcèle et j'ai le taulier qui exige des résultats. Avec l'affaire des Disparues en vrac, on ne peut pas se planter une deuxième fois. Ça ferait trop plaisir à Santucci.

Il s'empara des livres posés devant son subordonné et les jeta par terre.

— Laisse tomber ça, on perd notre temps. Retourne au bar à gouines du Marais. Mets-toi devant l'établissement, pose des questions à celles qui entrent et sortent de là. On est samedi soir, il y aura du monde. Est-ce qu'une cliente régulière manque à l'appel ? Est-ce qu'Escremieu avait une relation ? Est-ce qu'elle branchait des nanas là-bas ?

Sharko acquiesça. Il avait de toute façon prévu d'y repasser pour interroger la serveuse du NoMen, même si Suzanne l'attendait à l'appartement.

— Et je te demanderai d'être présent demain, ajouta Titi. S'il y a une chose de bien que j'aimerais faire dans ma vie, c'est de ramener une victime en vie à ses parents. On voit jamais de sourires, dans notre boulot. À la longue, ça plombe.

Titi avait raison. Franck ne s'imaginait pas se promener ce dimanche avec Suzanne, alors qu'une jeune femme avait besoin de leur aide, quelque part, dans un lieu froid, sinistre, « un lieu abandonné ». Que ressentirait-il, s'il n'avait pas tout fait, pas tout donné pour la sauver, et qu'il lui arrivait malheur ?

Il décrocha son téléphone et confirma à sa fiancée qu'il allait rentrer tard. Il enfila vite son blouson, prit ses tracts et se mit en route.

15

Les artères du quartier se saturaient doucement de noctambules et de fêtards, la musique bourdonnait dans les bars, les restaurants affichaient complet. Sa présence dans le NoMen mit Sharko mal à l'aise. Un éléphant dans un magasin de porcelaine. Les femmes, apprêtées, séduisantes, le fixaient du regard avec hostilité. Franck repéra la serveuse avec qui il souhaitait s'entretenir et l'entraîna devant l'établissement. Elle se souvenait de Delphine, de sa présence régulière aux soirées célibataires, et affirma qu'il lui arrivait de repartir accompagnée d'autres femmes, de temps en temps.

— Qui ça ?

— Je ne sais pas. Enfin, j'ai un ou deux visages en tête, mais de là à vous donner leur nom... Je suis serveuse, pas patronne d'agence matrimoniale.

— Ces femmes, une chance qu'elles soient là ce soir ?

— Pas vu. Le samedi, ce n'est pas la même clientèle. Désolée, je ne peux pas vous aider davantage. Revenez un jeudi.

Un jeudi… D'ici là, il serait certainement trop tard. Franck lui posa encore quelques questions et lui notifia qu'elle devrait venir témoigner au 36 dans les meilleurs délais. Peut-être que se retrouver enfermée dans un bureau, face au Glaive, lui rafraîchirait la mémoire.

Puis il passa de table en table. Quelques clientes avaient déjà aperçu Escremieu, sans plus. D'autres ne savaient pas qui elle était ou répondaient par la négative pour fuir les ennuis. Personne, en tout cas, n'avait rien remarqué de suspect ni constaté d'autres disparitions inquiétantes.

Il décida malgré tout de ne pas rentrer tout de suite, ç'aurait été mal faire le boulot, et il voulait aller au bout de sa tâche. Il patienta dehors, interrogeant celles qui arrivaient. Il se donnait jusqu'à 22 h 30. Encore une bonne heure avant de rejoindre Suzanne. Il angoissait déjà à l'idée de lui annoncer qu'il ne serait pas avec elle le lendemain, mais elle comprendrait.

Soudain, son attention fut attirée par une silhouette ramassée qui traversait la voie, dix mètres sur sa gauche, au niveau de la rue des Rosiers. L'homme de petite taille, bonnet enfoncé sur le crâne, marchait vite, les mains dans les poches de son gros blouson. Franck ne parvint pas à discerner la couleur exacte du vêtement, mais il était sombre, gris ou noir. L'homme au Bombers ?

Le flic se mit à courir et bifurqua dans la rue où habitait Delphine. Il resta sur le trottoir opposé à celui de sa cible et rasa les façades dans la pénombre. Heureusement, car l'inconnu paraissait méfiant et se retournait sans cesse.

Sharko sentit la tension monter d'un cran quand l'individu s'arrêta devant le 26 *bis* et attendit qu'un groupe de passants s'éloigne. En deux secondes, il composa le code et disparut à l'intérieur.

Le moment d'hésitation où le flic se demanda comment réagir ne dura pas. Hors de question de louper le coche. Il se dirigea à grandes enjambées vers la porte fermée, défit le fermoir de son holster et glissa la main sur la crosse glacée de son MR 73. Il composa le code qu'il avait noté sur son carnet, prit une inspiration, poussa et jaillit dans le couloir.

Personne. Le bruit de la minuterie, sur sa gauche. Le moindre son lui paraissait cristallin. Les sens ainsi en alerte, il grimpa les marches. La sueur rendait ses doigts moites. Les mots de Suzanne résonnaient dans sa tête. Il trahissait, déjà, sa promesse.

Il allait arriver au troisième quand il entendit des pas. Il se pencha par-dessus la rampe : le suspect dévalait les marches à toute allure. Il avait dû se douter de quelque chose et se cacher dans le couloir de l'étage inférieur.

— Police ! Arrêtez-vous !

Franck s'élança derrière lui sans réfléchir et, dans le feu de l'action, il manqua de tomber la tête la première. Il se rattrapa de justesse, et vingt secondes plus tard il était en bas, alors que la porte se refermait.

Dehors, il repéra l'homme qui fonçait toujours. Il le talonna, l'arme au creux de son poing droit, hurlant des « Reculez ! » pour écarter les passants.

Rue des Écouffes. Ses pavés glissants. Sharko gagnait du terrain, souffle court mais régulier. Il était plus rapide que son adversaire, qui se tortillait désormais à chaque foulée, comme si son cœur allait exploser.

Quand il se trouva à portée, Sharko se jeta sur lui et lui enserra la gorge avant de l'écraser de tout son poids. Un genou plaqué dans le dos de l'individu, il exerça une vive torsion dans les épaules de ce dernier pour le menotter, la joue droite contre le sol.

— J'ai rien… fait…, grogna l'individu entre deux inspirations.

Sharko le tira par les bras et le redressa sans ménagement. Il l'adossa à la façade d'un immeuble en respirant à pleins poumons.

L'inconnu avait la quarantaine, les joues bouffies et creusées de petits cratères. Le flic rangea son arme. Puis il fouilla dans la poche intérieure du Bombers. En sortit un portefeuille.

— Marc Lampin. Domicilié rue Custine, dans le 18e. Pourquoi tu galopais comme ça ?

L'homme dévoila une rangée de dents grises. Son haleine empestait l'alcool et il paraissait bien inoffensif, désormais.

— Vous n'allez pas me croire.

— Dis toujours.

— C'est à cause d'un bouquin de Baudelaire. *Les Fleurs du mal.*

16

Marc Lampin se trouvait entre les mains du Glaive. Le reste de l'équipe était réuni dans le 514, dans un certain état d'excitation après le coup de filet de Sharko. Titi l'avait complimenté pour son sang-froid et son intervention sans bavure. Serge Amandier, lui, avait apporté deux pizzas et un litre de vin rouge, qu'il avait posés sur la table basse. Franck ne s'attendait pas à des félicitations de sa part, mais il lui parut tout de même moins arrogant que d'ordinaire, et le fait qu'il paie sa tournée ressemblait à un premier signe de trêve.

Une photocopie de la lettre récupérée dans la poche de l'homme au Bombers circulait.

— J'ai vérifié, c'est rigoureusement la même que celle envoyée à Vasquez, au mot près hormis le prénom, expliqua Sharko. « Mon cher Marc, tu as des points faibles, que tu t'appliques à compenser chaque fois que tu en as l'occasion. » Et ainsi de suite. Même police de caractères, même mise en pages, même procédé. Lui aussi a reçu *Les Fleurs du mal* dans la même édition : Flammarion 1991, 278 pages, à 10 francs. La page à lire était la même, la 122. Quatorzième vers.

— Ç'a été posté où ? demanda Amandier en distribuant les parts de pizza dans des assiettes en carton.

— Dans le 3ᵉ arrondissement, samedi dernier en fin de matinée. À ce que m'a raconté Lampin en route, il n'a ouvert le paquet que mercredi. Il est chauffeur de train et il rentrait d'un déplacement en Lorraine.

— Pourquoi il s'est tiré quand il t'a vu ?

— Il dit qu'il a eu peur, qu'il ne voulait pas être impliqué dans quelque chose de tordu. Quand il a deviné le bon prénom, ça l'a tellement perturbé qu'il a voulu comprendre. Il est donc immédiatement allé au 26 *bis*. C'est là que Romuald et Florence l'ont manqué de peu. Il n'a logiquement rien trouvé sur place, puisque Vasquez était déjà passé la veille. Alors il est revenu hier soir et aujourd'hui. Là, il était soi-disant prêt à prévenir la police.

— Évidemment, ironisa Florence en se servant. Et il connaît Vasquez ?

— Il dit que non. Reste à vérifier si la réciproque est vraie.

La numéro 5 proposa une assiette à Sharko, qui l'accepta, ainsi qu'un verre de vin. Après la montée d'adrénaline, il éprouvait le besoin de se détendre. Titi s'approcha du plan de la capitale qui occupait tout un pan de mur.

— C'est dingue, ce truc. L'enveloppe contenant la photo de la scène de crime a été postée samedi dans le 20ᵉ à... quelle heure déjà ?

— Selon le cachet, 11 h 15, répondit Einstein.

Titi désigna l'arrondissement en question de son index. Puis il le fit glisser vers la gauche, en direction de l'ouest.

— Celle reçue par Vasquez a été oblitérée dans le 11ᵉ, à…

— 11 h 20. Mais ça ne signifie pas que notre tueur l'a déposée à cette heure-là. Il a pu utiliser les boîtes extérieures. Dans ce cas, les heures figurant sur le cachet ne correspondent pas aux heures de dépôt.

— Exact, mais ce qui est certain, c'est que c'était le même samedi. Tout comme celle de Lampin oblitérée dans le 3ᵉ. L'assassin s'est déplacé dans trois arrondissements limitrophes. Qu'est-ce qui l'empêchait de poster au même endroit tous ses courriers ?

Il se passa les mains dans les cheveux, les tirant vers l'arrière.

— Qu'est-ce que c'est que ce merdier, encore ?

Ils mangèrent en silence, plongés dans leurs réflexions. Entre deux bouchées, Titi accrocha une nouvelle feuille sur le tableau. Sharko observa ses coéquipiers, installés comme pour assister à un match de foot entre copains. Il sentit le lien entre eux, la force de leur groupe. Ils ne se contentaient pas de travailler ensemble : ils *vivaient* ensemble.

— Il faut qu'on pige comment ça fonctionne. En attendant de trouver le lien entre Vasquez et Lampin, on doit comprendre ce délire de bouquin et de divination. Vos hypothèses ? lança leur chef, la pointe de son marqueur déjà posée sur le papier.

Florence se lécha les doigts et s'empara d'une des photocopies.

— J'ai moi aussi lu cette lettre, en faisant comme si elle m'était adressée. Ce qui est dit dedans, ça me parle également. Les points faibles qu'on cherche à compenser, le besoin d'être aimé et admiré… C'est une description qui, parce qu'elle est générale et floue, s'applique précisément à un grand nombre de personnalités, qu'on soit homme ou femme, d'ailleurs. C'est le même procédé que pour l'horoscope, ou la voyance. Genre : « Je sens une tension, peut-être un conflit qui pourrait vous éloigner ou avoir créé une rupture avec un proche ou un ami… » Le type de phrase qui marche pour tout le monde.

Titi se racla la gorge. Sharko, quant à lui, se rappela le mot découvert dans le livre de H. G. Wells. Un mot qui aurait finalement été efficace avec n'importe quel inspecteur.

— Florence a raison, il a tenté de les impliquer émotionnellement, intervint-il. Les timbres de collection, le recueil emballé comme un cadeau, avec son petit ruban, ces courriers qui semblent personnalisés… C'était un moyen de les mettre en valeur, de créer un lien avec eux pour qu'ils se sentent concernés. Imaginez ce qui s'est passé dans leur tête quand ils ont de surcroît deviné le prénom espéré. Ils étaient ferrés et obligés d'aller au 26 *bis* pour connaître le dénouement de cette histoire.

Titi décolla son marqueur du papier, incapable de noter quoi que ce soit. Il réfléchit à son tour.

— Admettons. Mais pourquoi le tueur n'a-t-il pas joint directement la photo de la scène de crime dans ses premiers plis ? Et pourquoi deux hommes pour une seule enveloppe dans la boîte aux lettres de Delphine Escremieu ?

— Parce qu'il ne voulait qu'un élu. Premier arrivé, premier servi… D'une certaine manière, le second était automatiquement hors jeu.

Amandier s'offrit un nouveau verre et planta ses yeux dans ceux de Sharko.

— Pas con. Mais tu m'expliques l'intérêt de choisir deux destinataires, dans ce cas-là ? Pourquoi pas juste Vasquez, ou l'autre tâcheron ?

— Je suis d'accord, c'est pas logique. Et ça ne résout en rien la prédiction du prénom, ajouta Florence. Une personne qui devine, ça tient du miracle. Mais deux, c'est… Enfin, je sais que ça s'est produit, mais ce n'est pas possible.

Elle n'avait pas tort. La pièce principale, la condition initiale qui rendait l'exploit rationnel, comme pour l'anecdote du jockey, leur manquait pour le moment. Titi alla s'affaler dans un fauteuil et défit sa cravate. Il leva son verre de vin devant lui, en direction du tableau.

— C'est une belle affaire, les gars. C'est une sacrée belle affaire.

Alors qu'ils discutaient, Sharko sentit ses yeux le brûler. Cette journée interminable, ses nuits courtes, la tension nerveuse permanente s'accumulaient. Sa chemise sentait la sueur, le parfum, les anchois, le tabac, et il n'avait désormais qu'une hâte : se doucher et se plonger sous les draps avec Suzanne. Il jeta un œil discret à sa montre : plus de 23 h 15. Et sa fiancée qui l'attendait…

D'un coup, Einstein se décolla de la banquette, claquant des doigts. Il se mit à aller et venir au milieu du bureau, et s'immobilisa quelques secondes. Titi se redressa, les sourcils froncés.

— Romuald ? Ça va ?

Einstein se précipita vers le tableau.

— Je crois que j'ai pigé. Bordel, je le crois, ouais. Et si c'est ça, notre tueur est le mec le plus tordu auquel j'ai jamais eu affaire.

17

Einstein s'empara du marqueur.

— Il faut comparer ce problème à la pêche à la nasse. C'est une question de probabilités.

Il fit le dessin rapide d'une cage grillagée et y ajouta des poissons. Ses coéquipiers l'observèrent comme une bête curieuse.

— La nasse est un piège passif : on l'installe au fond de l'eau et on attend. Il n'y a pas d'appâts. Une fois que les animaux entrent par un entonnoir, ils ne peuvent plus en sortir. Le résultat est donc uniquement basé sur des probabilités : plus le coin où on pose la nasse est peuplé, plus la possibilité de prendre au piège des individus sera grande.

Il écrasa la pointe du feutre sur deux poissons à l'intérieur de la nasse.

— Je vous présente MM. Vasquez et Lampin.

Sharko eut un déclic, et la vérité lui apparut aussi clairement qu'à son collègue. C'était comme pour le jockey et son papier dans la poche : quand on apprenait le truc, c'était évident.

— Il ne s'est pas adressé qu'à ces deux hommes, mais à d'autres ! Beaucoup d'autres !

Einstein acquiesça avec conviction.

— C'est exactement ça, Shark. Un nombre suffisant pour que, parmi ceux qui ont reçu le livre, au moins deux tombent sur le prénom Delphine par pur hasard.

Florence ôta l'élastique de sa queue-de-cheval et le passa autour de son poignet. Ses longs cheveux se répandirent sur ses épaules. Amandier siffla entre ses dents avec un sourire, elle lui balança une boulette de papier au visage avant de se tourner vers Einstein.

— C'est du délire. Tu sais combien il y a de prénoms féminins ?

— Un paquet, oui, mais réfléchissons encore, proposa Romuald. On est plus enclins à penser à des prénoms de notre génération ou de celle de nos parents, parce que ce sont ces gens-là qui constituent la plus grande partie de notre cercle de connaissances. Ces prénoms sont ceux qu'on entend depuis notre enfance. Ils sont gravés dans notre inconscient. Lampin et Vasquez ont à peu près notre âge. Spontanément, Delphine leur viendra davantage à l'esprit que… Gertrude, ou des prénoms tout récents comme… Anaïs.

Il leva le doigt.

— Vous avez vu, d'ailleurs, les quelques secondes qu'il m'a fallu pour trouver Gertrude et Anaïs ? J'ai dû fouiner dans ma mémoire. Or, la lettre précise bien qu'il faut être spontané.

Amandier posa les talons de ses chaussures sur la table basse et s'alluma une cigarette.

— Delphine, ce n'est pas un prénom aussi répandu que ça.

— Mais il l'est quand même pas mal, et c'est justement pour cette raison que ça a fonctionné ! Imagine le flot de personnes qui auraient débarqué au 26 *bis* si le prénom à deviner avait été Marie ou Sylvie. Delphine n'est certes pas le plus commun, mais il doit se situer dans le top 50. Qui, de près comme de loin, a déjà connu une Delphine, ici ?

Tous acquiescèrent.

— Vous voyez ? Si on envoie suffisamment de plis, un destinataire y pensera à coup sûr, c'est juste une question de probabilités. Et les probabilités ne mentent pas.

Einstein engloutit son vin, tandis que Titi s'approchait du tableau avec l'impression d'avoir le cerveau en ébullition.

— On parle de combien, là ? Des centaines de courriers ?

— À mon avis, avec trois ou quatre cents sur un échantillon bien ciblé, tu ne dois pas être trop éloigné de la vérité. Il a dû voir large pour s'assurer que ça marcherait. Donc, disons même cinq cents.

— Cinq cents… Cinq cents livres à 10 francs pièce, en plus des timbres. Ça fait un paquet de fric.

— Ça explique aussi pourquoi il a multiplié les bureaux de poste. Il a réparti les envois pour éviter d'attirer l'attention. Étant donné la quantité, je parie qu'il est allé dans d'autres arrondissements. Et sans aucun doute, vu comme il est méticuleux, il a dû faire pareil pour les bouquins : achetés dans toutes les librairies de Paris et de sa banlieue, pour ne pas se faire remarquer.

Les regards se croisèrent en silence. Chacun imaginait la minutie, l'ampleur de la tâche : taper chaque lettre personnalisée à la machine, se procurer les livres, les emballer avec du papier cadeau et des rubans... Détenait-il déjà Delphine, alors qu'il s'attelait à ce fastidieux travail ? Combien de journées, de semaines avait-il fallu pour tout planifier ?

Sharko visualisait l'homme enfermé dans une pièce, entouré de tous ses exemplaires des *Fleurs du mal*, ses enveloppes, ses timbres... Tel un artisan du macabre.

— Pourquoi il a fait ça, ce taré ? lança finalement Amandier dans un nuage de fumée.

— Pour se foutre de notre gueule, répliqua Titi du tac au tac. C'est comme son histoire de paire avec « Pagode ». Il est joueur, il veut nous mener par le bout du nez.

— Ça coûte cher, le foutage de gueule.

— On dirait que l'argent n'est pas un problème pour lui. Il voulait sûrement nous faire perdre du temps et nous voir nous enliser. Si Shark n'était pas tombé sur Lampin, on aurait pu chercher des mois, on n'aurait jamais compris. C'est une remarquable supercherie. Et la preuve d'un degré de... méticulosité inédit.

Il lorgna le dessin d'Einstein, observa les deux poissons emprisonnés dans la nasse.

— Rien n'indique qu'il existe un lien entre Lampin et Vasquez, reprit-il. Ils ont pu être choisis au hasard dans l'annuaire ou dans n'importe quelle putain de liste qu'on dégotte sur le Minitel. Comment savoir ? Peut-être que Vasquez dit la vérité, et qu'il n'a jamais eu le moindre lien avec Escremieu. Hasard ou pas, nous, va falloir qu'on creuse, et ça va nous manger du temps, des ressources, de l'énergie...

Il s'orienta vers un plan de Paris et sa grande couronne, cette fois. Une immense toile d'araignée, un réseau infini de routes, d'immeubles, de caves, de parkings, de forêts, de champs. Combien de lieux abandonnés, d'endroits sordides où il avait pu enfermer sa proie ? À ce moment-là, il se sentit tout petit.

— Qu'est-ce qu'il a fait de toi, Delphine ? Et surtout, pourquoi ?

18

Il était agréable de rouler dans Paris tôt le dimanche. Sharko avait l'impression que les interminables boulevards d'ordinaire saturés lui appartenaient. Il pouvait observer les lumières des décorations de Noël ainsi que celles des feux tricolores se réfléchir sur la chaussée humide. Les trottoirs étaient déserts et, en abaissant la vitre du véhicule, il toucha du doigt ce qui n'existait que ce jour-là de la semaine : le silence.

Ce même silence régnait dans l'habitacle. Suzanne scrutait à la fois son propre reflet sur la vitre et les façades des magasins fermés qui défilaient rue La Fayette. Paris n'avait rien à voir avec Lille. La capitale se résumait, pour elle, à une fourmilière où elle craignait de ne pas trouver sa place. Trop de monde, trop de bruit, trop d'informations. Trop de tout. Mais elle avait franchi le pas et espérait avoir pris la bonne décision. Elle s'accrochait à Franck.

Sharko se gara boulevard de Denain, face à la gare du Nord. Suzanne avait finalement opté pour le premier train du matin au lieu de passer la journée seule. Il coupa le contact et se tourna vers elle.

— Encore une fois, je…

— Tu dois me croire quand je te dis quelque chose, l'interrompit-elle, une main déjà sur la poignée de la portière. Si je te dis que ça va, c'est que ça va. Je ne t'en veux pas et je comprends parfaitement la situation. On se voit dans moins de dix jours, de toute façon. Tout ce que j'espère, c'est que vous allez sauver cette pauvre femme.

Elle enfouit son nez dans son châle et alla ouvrir le coffre. Sharko se précipita et en sortit lui-même la valise.

— J'ai un service à te demander, avant que tu partes.

Il récupéra une pochette à élastiques qui traînait sur la banquette arrière.

— Tu bosses toujours avec le labo de police scientifique de Lille ?

— On est en relation, oui. On analyse certains de leurs prélèvements.

— J'aimerais que tu fasses passer ça en off à l'équipe de la section « traces et documents ». À Pierrick Martois, plus précisément. C'est le seul que je connaisse et je sais que c'est un gars discret. Il fera ça pour moi sans poser de questions. Je vais le prévenir, bien sûr.

— Et qu'est-ce que c'est ?

Franck lui montra une feuille qu'il avait protégée avec un film transparent.

— C'est l'affaire dont je t'ai parlé, celle qui m'a cloué les premières semaines aux archives.

Elle poussa un soupir.

— Les Disparues… Évidemment…

— Oui. Cette page est la numéro 145 de ce qu'on appelle la bulle, une sorte de mise à plat des pensées de chacun. Ces pages se trouvent dans un gros classeur, afin de pouvoir les extraire facilement sans embarquer l'ensemble. Tu vois, il est par exemple ici question de compagnies d'ascenseurs à vérifier...

Elle jeta un œil.

— Lorsque tu as quelque chose à noter, tu ouvres donc ce gros dossier, et tu écris à la suite des autres sur une page vierge, en la numérotant. Dans cette bulle, il manque la 146. Elle a certainement été perdue par inadvertance, mais... j'ai besoin d'évacuer un doute et de savoir ce qui figurait dessus. Il faudrait que Pierrick cherche les traces de surimpressions. On utilise tous un Bic, c'est une pointe qui laisse toujours des marques sur les pages du dessous. Donc, possible que ce qui était inscrit sur la page disparue apparaisse sur celle-ci. Tu peux faire ça pour moi ?

Les traits de Suzanne exprimèrent une franche inquiétude.

— Tu n'as pas le droit de sortir ce genre de document sur une affaire en cours, je présume.

— Ce ne sont pas des PV, juste des réflexions. Mais c'est vrai, il vaut mieux que ça ne s'ébruite pas. T'imagines bien les problèmes si ça revenait aux oreilles de mon groupe.

— Pas de risque que quelqu'un découvre l'absence de cette page ?

— Aucun. Je peux compter sur toi ?

— Oui, je le ferai. Mais tu devrais lâcher un peu de lest quand tu n'es pas au travail. Ces disparues t'obsèdent, Franck, je le vois bien...

Elle ne dit rien de plus, mais elle redoutait l'emprise de cette enquête non résolue sur son fiancé. Souvent, il s'acharnait sur des détails dont tout le monde se fichait, et ça le perturbait. La nuit précédente, il avait mal dormi, n'avait pas arrêté de se retourner dans le lit et s'était levé à plusieurs reprises.

Il l'accompagna jusqu'aux quais. Une lumière laiteuse filtrait à travers les immenses verrières grisâtres, très haut au-dessus des voies. Quelques pigeons fatigués erraient en quête de miettes de pain, un homme las nettoyait le sol au jet d'eau. Il n'existait rien de plus triste qu'une gare, tôt un dimanche matin.

— Tu sais qu'ils m'appellent tous Shark, maintenant, au boulot ? fit-il pour combler le silence, seulement rompu par le bruit de leurs pas. On a tous un surnom. Titi, Pitbull... Shark, ce sera le mien. Qu'est-ce que t'en penses ?

— Tout ça m'a l'air très animalier...

Sharko lui sourit, ils s'embrassèrent avec passion. Son cœur de requin tendre se serra quand le train s'éloigna, et que les beaux yeux bleus de celle qu'il aimait finirent par disparaître derrière la vitre.

À ce moment-là, il se dit qu'être flic, c'était surtout être seul.

19

Toutes les administrations et les laboratoires étant fermés, il ne fallait pas s'attendre à voir tomber des résultats ce jour-là. Une lenteur face à laquelle les flics se sentaient impuissants...

Aussi, Sharko passa la matinée à compléter son rapport, à relire les courriers et les premiers PV rédigés par le Glaive – scène de crime, auditions –, à observer les photos, une à une, ainsi que les notes de Titi sur le tableau.

« Si vous êtes ici, avec cette lettre dans la main, cela implique que vous avez toutes les pièces en votre possession pour sauver Delphine », avait écrit l'assassin. Quelles pièces ? Comment trouver la bonne route dans le labyrinthe qui s'ouvrait devant eux ? « Poursuivez le chemin qui, je l'espère pour vous, vous mènera jusqu'à moi. Je vous y accueillerai avec ma plus grande illusion... » Leur homme était de ceux qui narguaient les forces de l'ordre, leur lançaient des défis, à l'instar d'Unabomber et de ses colis piégés, ou du tueur du Zodiaque qui envoyait des lettres codées

aux journalistes. Avait-il un message à faire passer ?
Un besoin de reconnaissance ?

Aux alentours de midi, le Glaive et Titi en finirent avec Vasquez et Lampin. Ceux-ci avaient joué le jeu et accepté de revenir pour une nouvelle audition, même un dimanche, munis de leurs carnets d'adresses respectifs et d'une photo d'identité récente.

Ils avaient d'abord été pris à part, puis réunis dans le bureau d'Alain Glichard pendant plusieurs heures. Ils ne se connaissaient pas, vivaient dans des arrondissements différents, l'un était célibataire, l'autre père et divorcé. Le mot « Pagode » ne leur évoquait rien. À première vue, ils n'avaient pas de relations communes, mais il allait falloir creuser, essayer de découvrir le lien, aussi ténu soit-il, entre leurs deux existences : l'ami d'un ami, une relation de travail, un établissement qu'ils fréquentaient ou avaient fréquenté... Point noir : l'un comme l'autre se trouvaient dans l'annuaire, on ne pouvait donc exclure une sélection aléatoire.

L'après-midi, Franck et Florence parcoururent la capitale et sa banlieue en voiture pour convoquer les contacts masculins d'Escremieu qui ne répondaient pas au téléphone ou ne rappelaient pas à la suite des messages laissés sur leur répondeur. Quand les portes demeuraient closes, ils laissaient un avis de passage.

Pour chaque personne entendue sur laquelle subsistait le moindre doute, Titi avait réclamé au fichier central une vérification d'antécédents judiciaires. Rien ne clignotait en rouge pour le moment. Quant aux photos des enfants, côté Brigade de protection des mineurs, elles ne faisaient écho à aucune affaire de pédophilie. Les frêles corps nus dressés devant un mur restaient inconnus.

Le lendemain, comme tous les lundis matin, les chefs des dix groupes de la police criminelle se réunirent pour évoquer tous les dossiers en cours. L'enquête de Saint-Forget arriva vite au cœur de la dicussion, et les esprits s'échauffèrent entre les nombreux partisans de Santucci et ceux de Titi, qu'on accusait d'avoir grillé la priorité à l'équipe d'astreinte. Les flics étaient rancuniers et intransigeants quant aux règles et aux traditions du 36.

— Ces vieilles rivalités, c'est de la connerie ! s'emporta Titi. La police doit évoluer avec son temps, vous ne croyez pas ? On ne roule plus en Citroën C4 et on ne se coiffe plus d'un borsalino.

Des voix et des insultes s'élevèrent. Le patron de la Crim dut menacer de faire tomber des blâmes pour rétablir l'ordre. Furieux, le Corse sortit de la salle en claquant la porte.

Franck se tenait à l'écart de ces jeux d'ego. Il s'était vu confier la mission de visiter les librairies et les bureaux de poste des arrondissements près desquels vivaient Vasquez et Lampin, pour commencer, et de questionner les employés : avaient-ils remarqué un client qui envoyait de grosses quantités de courriers, le samedi 7 décembre ? Avaient-ils noté des comportements suspects ? Quelqu'un s'était-il procuré plusieurs exemplaires des *Fleurs du mal*, édition 1991 ? Il y passa presque deux jours, pour un résultat peu probant. Oui, quelques personnes avaient bien acheté plusieurs exemplaires des *Fleurs du mal*, mais cette édition se vendait énormément, car elle était étudiée à l'école.

De retour au 36 le mardi en milieu d'après-midi, Franck s'enferma dans les toilettes du troisième et ôta ses chaussures avec une grimace : ses chaussettes empestaient, et les ongles de ses petits orteils avaient tellement frotté contre sa peau qu'elle saignait. Tous ces kilomètres parcourus à pied laissaient des traces.

Deux étages plus haut, une seule personne occupait le 514. Titi était assis à son bureau, une main sous le menton, concentré sur la lecture d'un fax à un point tel qu'il n'entendit pas Sharko entrer. Il finit par relever la tête. Avec les jeux d'ombres et la lumière artificielle des néons, le jeune inspecteur observa que les traits de son supérieur étaient tirés. Il avait à peine quarante ans, mais ses cheveux blanchissaient déjà au niveau des tempes.

— Je croyais que c'était le serrurier, dit-il. Il n'était pas derrière toi ?

— Pas vu.

— Il ne devrait plus tarder. *A priori*, il a découvert comment le Méticuleux est sorti de l'habitation de Saint-Forget.

— Le Méticuleux ?

— Je préfère qu'on lui donne un nom, ça le rend plus concret. C'est comme ça qu'on l'appellera, désormais. Le Méticuleux.

Franck trouva que c'était un bon surnom. Son chef lui montra un gros paquet de feuilles qui traînaient sur la table. Encore des tracts.

— Demain, tu continueras la tournée des bureaux de poste et des librairies en élargissant le périmètre et en prenant ces tracts en plus. Lis...

Sharko commençait à en avoir marre, des tracts, mais il se tut et s'exécuta.

Si vous avez reçu une enveloppe anonyme qui conte-nait une lettre vous demandant de deviner un prénom

131

(Delphine) ainsi qu'un exemplaire des Fleurs du mal, *de Baudelaire, merci de contacter au plus vite le numéro de la police indiqué ci-dessous.*

— Tu les déposeras dans les débits de tabac, les boulangeries, les petits commerces, partout. L'information va vite circuler. Vu que les gens ont toujours peur de s'adresser aux flics, probable qu'on ne croule pas sous les appels. Mais avec un peu de bol, quelques individus se manifesteront et nous aideront à comprendre comment le Méticuleux les a sélectionnés.

— Très bien. Mais notre homme risque d'être au courant qu'on a démasqué son stratagème s'il habite l'un de ces quartiers.

— Pas le choix. Côté toxico, ils rament toujours pour déterminer la drogue que notre cadavre X avait dans le sang. Les machines ont bien détecté quelque chose, mais on sort des standards de stupéfiants ou de médocs, alors ils cherchent des produits plus atypiques et ça peut prendre du temps… Côté labo, par contre, ça bouge.

Il s'empara du marqueur.

— On a un allié extra à Nantes, Sylvain Millet, un gros balèze en biologie moléculaire. Me demande pas ce que c'est, mais c'est à lui qu'on envoie tous nos scellés tachés de sang pour définir les groupes et les rhésus. Tu le croiseras bientôt, il passe ici environ une fois par mois afin de former les équipes à faire correctement leurs relevés et gérer les scènes de crime. Tu sais qu'il y a, encore aujourd'hui, des flics qui vont pisser dans les toilettes des victimes ou qui balancent leurs mégots dans les cendriers sur place ?

— Pas facile de faire changer les habitudes, j'ai remarqué. J'ai vu les ordinateurs encore emballés, dans le bureau proche de la cage d'escalier. Personne n'a l'air de s'y intéresser.

— Ouais... Beaucoup de flics pensent par principe que tout était toujours mieux avant, et la simple vue de ces engins les fait gerber. Enfin bref, Millet est un précurseur en France et, depuis peu, il est capable de savoir de façon quasi certaine si des échantillons de sang et de salive, même en toute petite quantité comme sur des timbres, appartiennent à la même personne.

— On en a parlé à l'école des inspecteurs. L'ADN, c'est ça ?

— Exactement. Sa découverte ne date pas d'hier, mais on commence à peine à l'utiliser dans les enquêtes. Un truc qu'on ne peut pas voir, mais qu'on trouve dans tout ce qui est vivant. Millet se jette sur tous les échantillons qu'on lui fournit et les stocke on ne sait pas trop où pour se constituer une collection personnelle. Il pense que, dans une dizaine d'années, on pourra mettre tout ce qu'il a collecté dans un fichier et comparer des ADN comme on le fait déjà pour des empreintes digitales.

— De la science-fiction.

— Tu m'étonnes. Mais bon, tout ça pour dire qu'il est formel : le sang prélevé sur la poignée de porte à Saint-Forget et la salive des timbres appartiennent au même individu. Notre Méticuleux...

Il se leva pour inscrire « Groupe sanguin O+ » sur le tableau.

— Le plus répandu, malheureusement, mais ça reste un bon critère discriminant... De plus, l'ADN confirme qu'il s'agit d'un homme.

Sharko jugeait extraordinaire qu'on puisse déduire le sexe d'une personne à partir d'une tache de sang ou d'une goutte de salive. Il n'avait pas la moindre idée de la façon dont tout cela fonctionnait, mais c'était uniquement grâce à ça qu'ils venaient d'éliminer la moitié de la population.

Alors qu'il en était encore bouche bée, un individu au nez épaté, cigarette calée derrière l'oreille gauche, apparut. Titi posa une feuille blanche sur ses notes et lui serra la main.

— Merci d'être passé. Alors ?

Le serrurier lui tendit tout d'abord quelques calendriers, des blocs-notes et une boîte de stylos à l'effigie de sa société.

— Le traditionnel cadeau de Noël.

— Merci, répliqua Titi en souriant. Les gars vont être contents.

L'homme lui rendit son sourire, puis passa aux choses sérieuses :

— J'ai mis du temps à comprendre. Un truc costaud. Voici le verrou à molette de votre porte d'entrée, qui a l'air des plus classiques, énonça-t-il en le sortant d'un sachet plastique. Je l'ai démonté et remonté pour que vous puissiez tester. Allez-y, tournez la molette comme pour l'ouvrir.

Titi s'exécuta. La large barre en acier – le pêne – se déplaça logiquement vers la gauche. Il fixa le spécialiste sans saisir.

— Et ?

— Et il ne se produit rien de particulier. Normal, quoi. Maintenant, remettez-le dans la position de départ.

Et refaites le même geste en appuyant bien fort sur la molette. Ensuite, attendez une bonne minute…

Titi appliqua les consignes, devant un Sharko intrigué. Lorsqu'il enfonça la molette, il perçut un déclic : quelque chose d'invisible s'enclenchait. Ils patientèrent un bout de temps. Soudain, la barre se décala avec un claquement sec, en position de fermeture.

— C'est très astucieux, expliqua leur interlocuteur. À l'intérieur, il y a un mécanisme à base de ressort ainsi qu'un échappement, comme dans les montres. En gros, vous ouvrez la porte, vous activez le système, vous rabattez la porte derrière vous et *clac*, ça se ferme tout seul une minute après. Ni vu ni connu.

Titi était abasourdi. Il manipula la pièce en métal dans tous les sens.

— À l'inverse, on peut aussi l'utiliser pour provoquer l'ouverture automatique. Il suffit d'appuyer deux fois de suite.

— Ça signifierait que notre assassin a installé lui-même ce verrou si particulier ?

— On dirait. À croire qu'il s'est pointé avec son matériel, qu'il a percé, vissé tranquillement, alors que… Enfin, alors que la femme était déjà morte…

Sharko et son chef échangèrent un regard. Le Méticuleux déployait une énergie plus qu'incroyable pour berner tout le monde. Les centaines de lettres et de livres, et maintenant ce stratagème…

— Il y avait quand même une autre serrure, fit remarquer Titi. La porte était verrouillée, et la clé posée sur la table du salon. Comment il serait entré ?

— On va faire au plus simple et supposer qu'il possédait un double, non ?

Un double… Le Glaive avait déjà formulé l'hypothèse. Simple et cohérente. Le Méticuleux avait pénétré chez Delphine Escremieu, dans le Marais. Avait-il moulé la clé à ce moment-là ?

— Où est-ce qu'on trouve ce genre d'objet ? s'enquit Franck.

— Nulle part. C'est de l'artisanal. Mais il faut du matos, pour faire ça, et une sacrée dose d'ingéniosité. Certaines pièces de précision ne peuvent pas être fabriquées. Elles ont dû être commandées à droite, à gauche. Enfin bref, un truc comme ça, ça ne s'élabore pas d'un claquement de doigts.

L'homme reprit le verrou et le manipula.

— Et il y a une dernière chose que j'aimerais vous montrer. Une inscription cachée, réalisée avec un feutre indélébile.

Une inscription cachée… Sharko retint son souffle, penché au-dessus de l'épaule de Titi. En progressant dans l'enquête et en résolvant une énigme, ils avaient sans doute droit à un nouvel indice.

— On ne peut la voir que lorsqu'on appuie sur la molette et qu'on la manie comme pour ouvrir encore davantage, expliqua le technicien.

Il fit une démonstration. La barrette métallique coulissa au maximum sur la gauche. Il retourna l'ensemble et désigna le mot, écrit verticalement sur la partie qui sortait tout juste de son coffrage métallique.

« D.E. : SACLAY »

D.E., comme Delphine Escremieu.

Et Saclay… Le nom d'une ville de l'Essonne.

20

Mains collées au volant, Titi explosait les limites de vitesse. Le deux-tons en évidence sur le toit, la 405 sérigraphiée fendait les larges avenues de Boulogne-Billancourt à coups de dépassements dangereux et d'accélérations. Une fois le pont de Sèvres franchi, le véhicule s'engagea plein pot sur la nationale 118, en direction de l'Essonne.

Sharko se cramponnait sur la banquette arrière, collé au Glaive et à Florence, qui vérifiait le chargeur de son revolver. Devant, à la place du passager, Amandier restait impassible, la main droite repliée autour de la poignée de maintien.

Une heure plus tôt, Titi avait téléphoné à la gendarmerie de Saclay pour se renseigner sur l'existence d'endroits abandonnés dans les alentours de la ville. Le brigadier de garde avait alors évoqué une ferme située en périphérie, au nord, connue des squatteurs. Elle était accessible en empruntant la départementale 446 et en bifurquant au bon moment, environ un kilomètre avant Saclay, sur une petite route coupant à travers champs.

Pour Thierry Brossard, cela ne faisait pas de doute : c'était là-bas que le Méticuleux voulait qu'ils se rendent. Le chef de groupe avait prévenu le substitut du procureur, et déjà averti le responsable de l'Identité judiciaire de tenir une équipe prête, au cas où. Il fallait envisager le pire.

Personne ne parlait. On écoutait la radio sur le canal de la police. Des voix anonymes perdues dans la nuit, qui lançaient des alertes, demandaient des renforts ou passaient parfois des annonces personnelles. C'était par ces ondes-là que Titi avait appris, dix ans plus tôt, que son premier enfant allait naître. Des centaines de flics avaient été au courant en même temps que lui et avaient saturé la fréquence de messages de sympathie.

C'est tellement loin, tout ça, songea-t-il. La bonne époque, comme Serge aimait le répéter. Il ne se rappelait pas quand les choses avaient commencé à déraper, avec sa femme. Pas d'événement précis, pas de grosse dispute ni de rupture tapageuse. Davantage un cancer qui s'était développé insidieusement dans son couple, après la naissance de leur deuxième enfant.

Sharko était dans sa bulle lui aussi, conscient que leur adversaire ne leur faisait sûrement pas un cadeau en les envoyant sur cette piste. Quelles horreurs allaient-ils encore découvrir ? Avaient-ils la moindre chance de sauver Delphine ?

Sur sa droite, la pollution lumineuse de la capitale se dispersait en un velours orangé. De ce point de vue, Paris dégageait quelque chose de magnétique, presque surnaturel.

Lorsque la circulation se fluidifia, Titi remballa le gyrophare. À présent, seuls les essuie-glaces rythmaient le silence. Le ciel crachait une bruine à la limite de la neige fondue, et le véhicule donnait l'impression de s'enfoncer dans une mer d'encre. Juste quelques lueurs essaimées, ici ou là. Ils progressaient depuis une vingtaine de kilomètres sur la D446, sans savoir précisément où tourner. Titi fit demi-tour devant le panneau annonçant l'entrée dans Saclay.

— On l'a ratée…

Il progressa au ralenti dans l'autre sens, pleins phares. Amandier finit par repérer la voie perpendiculaire, côté passager : seule une balise réfléchissante indiquait son existence.

— Là…

La route était bitumée, mais dans un état déplorable. Le conducteur essaya d'éviter les bosses et les nids-de-poule, roulant au pas. Cinq minutes plus tard, toujours rien. L'étroite route creusait toujours plus la campagne.

— On a dû se gourer, souffla Titi.

— On n'y voit rien, aussi, avec ce temps. Continue quand même, au moins sur trois ou quatre kilomètres. Si on ne trouve pas, on se pointera à la gendarmerie.

Au bout de six cents mètres, une longue silhouette se dessina enfin dans le faisceau des phares, sur leur gauche.

— On dirait une ferme…, murmura le chef de groupe. Je crois qu'on y est…

Un chemin de terre, à peine plus large que leur 405, obliquait dans cette direction. Titi préféra ne pas s'y engager. Il se colla au plus près d'un fossé et coupa le moteur.

— On va continuer à pied.

La tension était palpable, dans l'habitacle. En observant l'expression de ses collègues, à la lueur du plafonnier, l'image d'une meute de loups s'imposa à Sharko : ils vivaient à l'unisson pour de tels instants de chasse. De l'adrénaline pure, en intraveineuse, qui les maintenait en vie.

Le coffre contenait seulement trois lampes Maglite. Titi, Amandier et le Glaive s'en emparèrent et ils se mirent en route, les uns derrière les autres. Rapidement, une épaisse couche de boue s'accrocha à leurs chaussures. Sharko resta en retrait. Le chef de groupe pointa les nombreuses marques de pneus sous leurs pas.

— Elles sont forcément récentes, vu la météo de ces derniers jours. Quelqu'un est venu ici il n'y a pas longtemps… Évitez de marcher dessus.

Située en regard d'un bosquet, la ferme était entourée de panneaux en béton étranglés par du lierre. Une chaîne munie d'un cadenas enserrait les montants d'un vieux portail en fer forgé envahis de mauvaises herbes. Titi éclaira le système de fermeture, essaya de forcer sur le cadenas, en vain.

— Il est trop neuf par rapport au reste. On ne s'est pas plantés, c'est ici que ça se passe.

Il braqua sa lampe vers la demeure à travers les barreaux, dévoilant au loin une façade sombre, des fenêtres fracturées. D'un geste vif, il s'agrippa au lierre trempé, se hissa sur le mur d'enceinte et bascula de l'autre côté. Sharko prêta main-forte à Amandier pour qu'il en fasse autant, ce qui lui valut de récolter des traînées de boue sur son blouson.

Quand tous eurent pénétré dans la propriété, ils se figèrent et écoutèrent. Pas un bruit, pas une lumière, rien qui indiquât une quelconque présence. Ils s'avancèrent dans la cour en U, cernée de dépendances et de l'habitation principale en ruine.

— Serge, Alain et Flo, vous vous occupez de la baraque. Avec Shark, on fait le tour des annexes. Vous criez si vous découvrez quoi que ce soit. Faites gaffe à ne pas glisser ou recevoir une tuile sur la tronche…

Franck emboîta le pas à son chef. Le vent rasant et glacé s'engouffrait dans le moindre interstice et faisait siffler les tôles fatiguées. Leurs semelles écrasaient du verre brisé, des branchages morts, des lambeaux de poutre. Tout était pourri, humide, les murs tagués se fissuraient, quand ils n'étaient pas complètement éventrés.

Titi passa devant un puits équipé d'un treuil, proche du hangar où ils s'engagèrent prudemment. Un tracteur se dressait au beau milieu, dévoré par la rouille et désossé. Des chaînes, des palans à l'agonie pendaient, tandis que, à quelques mètres, des poutres moisies se chevauchaient en un mikado géant. Toute la partie supérieure du bâtiment, réservée autrefois au stockage des ballots de paille, s'était effondrée.

— C'est la police ! répétait Thierry Brossard. Il y a quelqu'un ? Delphine Escremieu ?

Ils n'obtinrent pour toute réponse que le souffle d'un courant d'air, venant s'ajouter à celui de leur respiration. Il fallait fouiller ce chaos, explorer, s'attendre à voir apparaître la mort entre les débris. Faute de lampe, Sharko ne quittait pas son chef, aux aguets. Ils enjambèrent des gravats, jetèrent un œil dans les coins, soulevèrent des planches et de la ferraille, avant de retourner à l'extérieur.

Titi remarqua les lumières de ses hommes balayant les pièces de l'imposante bâtisse et poursuivit son inspection. Sous le crachin désagréable, il scruta les abords d'un silo à grains, éclaira le fond de cuves et de mangeoires pleines d'eau saumâtre, puis il s'orienta vers ce qui semblait être une ancienne porcherie.

Sa porte coulissante avait été tordue et sortie de son rail. Les lucarnes avaient volé en éclats. Et les tuiles avaient été englouties par endroits, comme si une tornade était passée par là.

Franck eut encore plus froid dedans que dehors. Là aussi tout était mort, détruit, dévoré par les éléments. De la poussière voletait dans le rai de leur torche, à mesure qu'ils passaient devant les stalles crasseuses. Des arbustes avaient même crevé le béton de l'allée.

Soudain, Titi s'immobilisa, brandissant son pistolet sous sa lampe.

— T'as entendu ?

Le jeune inspecteur acquiesça. Ça ressemblait à un miaulement, ou au feulement d'une bête piégée. Ça provenait du fond.

— Police ! Montrez-vous !

Le bruit se renouvela. Avec la plus grande prudence, les policiers se mirent à avancer, les index crispés sur les queues de détente de leurs armes. Il y avait quelque chose, là, devant eux. Une silhouette qui se déplia, comme surgie d'outre-tombe.

— Ne bougez pas ! hurla Titi.

La forme fut sourde à la sommation. Elle s'avança au ralenti, épaules tombantes, bras le long du corps, tête penchée en avant comme si elle était trop lourde, et disparut dans une stalle sur la droite. Il n'y eut plus, alors, que le silence.

Sharko et Titi échangèrent un regard pour s'assurer qu'ils n'avaient pas rêvé : quelqu'un venait bien de traverser devant eux, sans leur prêter la moindre attention. Redoublant de prudence, ils progressèrent et entrèrent dans le dernier box.

Pieds nus, la femme était recroquevillée dans un coin, en chien de fusil, sur une couverture. Elle leva la tête vers la source de lumière. Un crâne rasé et luisant. Pas de sourcils. Des yeux bleu clair surplombant des poches noires et creusées. Le front se plissa et les paupières se fermèrent pour échapper au tranchant du faisceau. Elle était vêtue d'une sorte de sac de toile ceinturé à la taille et au torse par de simples cordelettes.

Franck eut du mal à la reconnaître, mais il s'agissait de celle qu'ils recherchaient.

C'était Delphine Escremieu.

21

Titi avait lancé un appel radio d'urgence à l'état-major. Une ambulance en provenance de l'hôpital général d'Orsay, à une dizaine de kilomètres de là, n'allait pas tarder à arriver, ainsi qu'une équipe de l'Identité judiciaire. Le chef de groupe défonça le cadenas du portail à coups de barre de fer, puis, essoufflé, ouvrit les battants en grand afin que les véhicules puissent pénétrer dans la cour. Dans la foulée, il rejoignit le procédurier et Serge Amandier, qui lui envoyaient des signaux lumineux depuis l'arrière de la porcherie. Sharko et Florence, eux, étaient toujours auprès de Delphine, à l'intérieur, munis de la lampe du Glaive.

— Viens voir, c'est pas fini, souffla Amandier. Je crois que ce qu'a vécu cette femme est totalement inhumain.

S'enfonçant dans la boue, ils marchèrent entre le mur d'enceinte et la façade arrière du bâtiment. La bruine avait cessé, mais le vent cinglait et Titi se demanda comment la jeune femme avait pu résister à un tel froid. Combien de temps aurait-il tenu, lui, presque nu, dans cet endroit sordide ?

Serge pointa du doigt une longue et solide caisse en bois. Ainsi qu'un trou profond d'environ un mètre, aux mêmes dimensions que la caisse. Une pelle gisait à côté d'un tas de terre.

— Aucun doute, expliqua Amandier. Elle a été enterrée vivante. Regardez, on l'a enfermée dans ce cercueil de fortune, on a cloué le couvercle, puis on l'a plongée dans le trou. Ensuite, on l'a ensevelie avant de la ressortir je sais pas quand...

Le Glaive vissa un flash sur son reflex et prit des photos. Titi s'accroupit et éclaira les parois du coffrage. Serge, quant à lui, fulminait.

— Si un jour j'ai ce type en ligne de mire, je le tue. Je lui loge une bastos entre les deux yeux sans la moindre hésitation.

Son supérieur resta là, immobile. Il s'imagina cloîtré là-dedans, incapable de bouger. Il entendit les pelletées s'écraser sur le bois, la terre s'infiltrer dans les interstices des planches, alors que les ténèbres engloutissaient la lumière du jour, accompagnées du froid et de la peur de mourir. Pourquoi Delphine n'avait-elle pas gratté les parois, jusqu'à y imprimer la marque de ses ongles ? Avait-elle été droguée ? Au bout de combien d'heures étouffait-on, dans un truc pareil ? Combien de minutes avant de devenir fou ?

Comme son second, il avait la haine, une brûlure qui lui ravageait les entrailles. Face à cette grande caisse, il se sentit impuissant, inutile. Certes, ils avaient retrouvé Delphine, mais parce que le tueur l'avait voulu. C'était lui, le maître du jeu.

Tandis que le Glaive faisait ses constatations, Titi et Amandier retournèrent à l'intérieur de la porcherie.

Florence s'était assise près de la victime. Sharko l'avait emmitouflée dans son blouson et, à présent, il tremblait sous sa chemise et son Damart. La jeune femme était hagarde, le regard inerte, fixé sur le mur devant elle. Le froid lui avait craquelé les lèvres, les os de ses poignets étaient saillants. De larges plaques rougeâtres marbraient la peau de ses mains et de son cou. Franck s'éloigna un instant pour rejoindre ses deux collègues.

— Elle ne parle pas, elle n'a aucune réaction quand on lui pose une question.

— Elle est consciente ?

— Oui, mais c'est comme si elle ne nous entendait pas.

Il les emmena dans la stalle située en face, d'où elle était venue, là où traînaient des emballages de nourriture, des bouteilles d'eau vides, des touffes de cheveux blonds.

— Quelqu'un, ici, la nourrissait, et lui rasait la tête ainsi que les sourcils. Il faudra voir si… enfin, si c'est le cas aussi au niveau du sexe. Je veux dire, est-ce qu'on lui a rasé les parties intimes ? Là encore, j'ai l'impression qu'on l'a privée de ses attributs féminins. Non pas en la brûlant, mais…

Sans terminer sa phrase, Sharko se dirigea vers un recoin où il avait déniché une mallette noire.

— Il y a autre chose…

Dedans, divers godemichets, en caoutchouc, en bois, en métal, de différentes tailles. Un véritable arsenal.

— Je les ai comptés, il y en a quinze.

— L'enfoiré…

Franck referma la mallette.

— Elle n'a pas de traces indiquant qu'elle ait été ligotée, ajouta-t-il. Elle était libre de ses mouvements,

146

d'appeler au secours, aussi. Et pourtant, elle est restée ici, allongée au fond d'une porcherie sinistre...

Titi repensa au rapport du légiste, au fait que leur victime de Saint-Forget ne se soit pas débattue, malgré la douleur.

— Probable qu'elle était droguée jusqu'à l'os.

— Elle présente les mêmes plaques sur la peau que le cadavre X... On a dû lui inoculer le même type de produit.

— Et il n'y a pas que ces trucs sexuels, Shark. On l'a enterrée vivante. Il y a un cercueil et un trou, juste là, de l'autre côté du mur... Qu'est-ce qu'elle a fait pour mériter ça ?

Franck voyait pour la première fois son chef fendre l'armure. Lui qui gardait le contrôle en permanence, il paraissait ébranlé. Sharko aussi accusa le coup pendant que ses coéquipiers rejoignaient Florence. Titi avait raison : qu'est-ce qui justifiait un tel acharnement ? L'espace de quelques secondes, il se dit que tout ceci n'était qu'un cauchemar. Il ouvrit ses paumes devant lui, sentit les pulsations dans ses veines, se concentra sur sa respiration. Non... son cauchemar, c'était la réalité.

Il se retourna. Titi se tenait accroupi devant la victime. Elle secouait la tête, agitait brusquement ses épaules, comme si un insecte invisible la harcelait. Florence ne disait rien, stoïque, mais il était évident qu'elle luttait pour ne pas craquer.

— On va vous sortir d'ici, des gens vont prendre soin de vous, souffla le chef d'une voix rassurante. On va retrouver celui qui vous a fait ça et il croupira en prison jusqu'à la fin de ses jours.

Delphine ne réagit pas, ne le regarda même pas, et Titi se dit qu'elle n'avait pas plus de volonté qu'un morceau de bois. Pourquoi le Méticuleux avait-il pris le risque de la laisser en vie ?

Un bruit de moteur se fit entendre, l'éclat bleuté d'un gyrophare perça l'obscurité. Un médecin arriva, secondé par deux infirmiers qui portaient un brancard. Titi résuma la situation. Quand ils découvrirent la victime dans un tel endroit, les hommes n'en crurent pas leurs yeux.

Florence proposa de les accompagner à l'hôpital. Delphine fut installée sur le brancard et chargée dans le fourgon. Sharko se rendit jusqu'à l'ambulance et attendit qu'on lui rende son blouson. À l'arrière du véhicule, sa coéquipière apprécia la chaleur réconfortante du chauffage. Delphine ne renouerait certainement jamais avec son existence d'avant, mais, au moins, elle était vivante. Et elle pourrait leur raconter ce qui s'était passé. Les aider à traquer le diable.

Alors que le moteur ronronnait, un infirmier déplia une couverture de survie. Le médecin ôta doucement le blouson et glissa le pavillon de son stéthoscope sous la toile qui servait de vêtement à sa patiente. Il sentit une rugosité sur la peau, au-dessus de la poitrine. Des cicatrices ?

— Je vais vous débarrasser de ça.

Sous l'œil de Sharko et de Florence, il s'empara de ciseaux à bout courbé dans un tiroir, coupa les cordelettes et écarta les pans de la toile. Un mot avait été gravé sur le torse squelettique de Delphine Escremieu.

— Qu'est-ce qu'il lui a fait, cet animal ? grogna le médecin.

Sharko s'approcha pour mieux voir. Les lettres paraissaient en relief, incrustées dans la chair par le feu. Vraisemblablement l'œuvre d'une lame chauffée à blanc. Le bourreau avait marqué Delphine telle une bête. Le flic essaya de garder son sang-froid, mais, à l'intérieur, il bouillait.

— Je m'occupe d'informer les collègues. Vous pouvez partir, lança-t-il en récupérant son blouson.

Il se précipita vers les trois hommes de son équipe, qui inspectaient toujours le fond du bâtiment.

— Son rébus continue, haleta-t-il. Ce salopard lui a imprimé le mot « puits » sur le torse.

22

Il y eut le bruit d'une portière qui coulisse, son claquement, et l'ambulance se mit en route. Le gyrophare, très vite, ne devint plus qu'une pulsation dans cette nuit plus profonde ici qu'ailleurs, et la main osseuse des ténèbres se rabattit sur la ferme.

Les quatre flics regagnèrent la cour, s'orientèrent vers le puits en pierre. Titi se pencha, ses cheveux se soulevèrent : l'haleine d'un démon lui soufflait au visage. Il tenta d'éclairer le fond : la roche luisait, et une corde pendait, dans l'obscurité la plus absolue. Elle était reliée au treuil devant lui.

— Vas-y, Shark, tourne la manivelle.

La bruine glacée s'était remise à tomber. Les lèvres sèches de Sharko commençaient à se craqueler, le vent roulait dans la plaine, libre de tout obstacle, et les saisissait jusqu'à la moelle. Il entama la remontée, tandis qu'Amandier venait en renfort, muni de sa lampe. Les grincements du treuil leur perçait les tympans, mais personne ne broncha. Ils finirent par distinguer une anse, puis un seau en métal qui oscillait sur lui-même. Quand il fut suffisamment près, ils remarquèrent quelque chose de blanc à l'intérieur. Un sachet plastique, noué aux extrémités.

Impossible de distinguer son contenu. Une fois le seau posé au sol, Titi hésita : le sachet pouvait renfermer n'importe quoi, y compris quelque chose de dangereux.

— Qu'est-ce qu'on fait ? demanda-t-il.

— On n'attend pas, on l'ouvre, répliqua Amandier. Je peux m'en charger, si t'oses pas.

Titi échangea un regard avec le Glaive, qui acquiesça. Tous voulaient savoir. Il enfila donc ses gants en cuir et saisit délicatement l'objet de toutes les attentions.

— Ça ne pèse rien…

Avec précaution et des gestes presque au ralenti, il défit les nœuds pour révéler l'existence d'une nouvelle enveloppe, toute blanche et épaisse.

— Toujours le même cinéma…

Le chef de groupe la contempla, puis les quatre hommes se réfugièrent dans la porcherie, au sec, pour la décacheter. Elle renfermait un paquet de photos.

— Encore des mômes, jura Titi entre ses dents.

— On dirait les mêmes clichés que ceux qui étaient accrochés au-dessus du lit de la victime de Saint-Forget, fit remarquer le Glaive. Oui, j'ai l'impression que ce sont les mêmes enfants.

— Putain, qu'est-ce que ça veut dire ? grogna Amandier. On a déjà ces photos ! Il se fout vraiment de notre gueule !

Titi était lui aussi déstabilisé. Il retourna les rectangles satinés : aucune flèche cette fois, pas d'indice.

— Il n'a pas fait tout ça juste pour nous narguer. Il y a forcément quelque chose à découvrir. Quelque chose qui doit nous faire avancer…

Il observa de nouveau les frêles silhouettes, alors qu'il entendait le déclic du briquet de son numéro 2, derrière lui. Amandier sortit griller sa cigarette en pestant. Titi, lui, continua à réfléchir, puis soudain entreprit de compter les photos, comme saisi d'une intuition. Après cela, il considéra ses coéquipiers.

— On a ramassé vingt-deux clichés sur le mur à Saint-Forget, c'est bien ça ?

Le Glaive acquiesça.

— Il y en a vingt-trois ici, lâcha-t-il. Un de plus. Vous vous souvenez de tous les visages ?

— Quelques-uns, oui. Tous, je ne sais pas.

Thierry Brossard se dirigea vers une stalle et chassa d'un geste la poussière du muret de séparation. Il positionna sa Maglite de sorte qu'elle en éclaire bien la surface.

— Il faut qu'on trouve le gamin en trop. C'est lui, celui qui manquait au-dessus du lit. C'est lui que nous livre le Méticuleux cette nuit... Serge ! Amène-toi !

Titi étala les photos les unes à côté des autres. Des têtes blondes, brunes, des yeux innocents et apeurés, des corps fragiles, figés sur du papier glacé, exposés entre les murs en ruine d'une porcherie crottée...

Sharko avait basculé dans un autre monde, un univers sans couleur fait de prédateurs et de pervers capables de s'en prendre à des enfants. Où était la lumière ? Où se trouvait l'espoir ? Jamais les paroles d'Amandier, au lendemain de son arrivée, n'avaient sonné aussi juste : « Toute cette crasse va devenir ton quotidien, un poids que tu porteras partout avec toi, jusqu'au fond des chiottes quand tu finiras par cuver un mauvais alcool. »

— Lui, je le reconnais... Lui aussi...

Parfois, un silence planait, parce qu'un doute subsistait. Ils ne voulaient pas se tromper, que leurs pupilles fatiguées, agressées par les faisceaux de leurs lampes, les induisent en erreur. Pourtant, sur les vingt-trois visages, il n'en resta bientôt plus que quatre.

Le Glaive s'empara alors de l'un d'eux, l'observa attentivement. La ressemblance lui parut flagrante.

— Bon sang. Celle-là…

Il la tendit à son chef et vit la surprise s'afficher sur ses traits. Lui aussi, il l'avait identifiée. Titi scruta ses collègues avec un air d'incompréhension, peinant à croire aux mots qui s'apprêtaient à sortir de sa bouche.

— C'était elle, l'enfant manquant. C'était Delphine Escremieu.

23

Quel âge Delphine avait-elle sur la photo ? Huit, neuf ans ? Ça remontait donc à environ vingt-cinq ans. Une enfant nue, contrainte de poser devant un mur. Était-il possible que les parents n'aient pas été au courant ? Sharko se rappelait la mine impassible du père, lorsque Florence lui avait montré les clichés. Sa prétendue ignorance… Ou il était innocent, ou c'était un excellent menteur. Dans ce cas, ça impliquait qu'il avait beaucoup à cacher.

Cette hypothèse trottait encore dans la tête des flics quand ils arrivèrent à Chatou. Titi avait refusé d'attendre le lendemain, préférant intervenir tout de suite, à chaud. En route, avec le Glaive et Serge, ils avaient mis au point une stratégie d'interrogatoire. Ils allaient emmener le couple au 36 – ils en seraient déstabilisés – et profiter des quatre heures maximum d'audition pour les presser comme des citrons. Ils arrivèrent à destination. Le portail était encore ouvert.

— T'observes tout, lança Titi à Sharko lorsqu'il se gara dans l'allée à côté de la voiture d'Escremieu. Leurs attitudes, leurs regards, leurs silences… Tout ça, ça dit des choses.

— D'accord. Mais il est 21 h 05, on a le droit d'… ?

— Tu crois qu'on va poireauter jusqu'à demain parce qu'on dépasse l'heure légale de cinq petites minutes ? T'es plus à l'école, Shark. Recule ta montre si tu veux avoir bonne conscience.

Franck jeta un coup d'œil au Glaive, qui acquiesça. Leur procédurier ne portait pas si bien son titre, en définitive.

Ils sonnèrent. Catherine Escremieu leur ouvrit. Elle était encore habillée, mais son mari, qui vint se poster derrière elle, portait un peignoir. Face à eux, vêtements sales, chaussures boueuses et visages fermés : des oiseaux de mauvais augure.

— Elle est morte, c'est ça ? commença à gémir la mère, les mains sur les lèvres.

— Votre fille est vivante, répliqua Titi. Nous l'avons retrouvée dans une ferme abandonnée, à Saclay…

— Oh, mon Dieu !

Elle se serra contre son mari, qui baissa les paupières de soulagement. Mais il se ressaisit vite, comme gêné de livrer ses émotions à des inconnus.

— Où est-elle ? Comment va-t-elle ?

— Elle a été conduite à l'hôpital général d'Orsay. Aux dernières nouvelles, ses jours ne sont pas en danger.

Catherine Escremieu pleura de joie, ce qui mit Titi mal à l'aise. La suite allait se révéler beaucoup moins réjouissante.

— Je veux la voir, exigea-t-elle. Je veux voir ma fille.

— Vous allez la voir bientôt, oui. Mais auparavant, nous souhaitons vous entendre au Quai des Orfèvres. Tous les deux.

André Escremieu fronça les sourcils.

— Qu'est-ce que c'est que cette histoire ? Vous plaisantez ?

Le Glaive s'avança pour prendre le relais.

— Malheureusement, nous ne sommes pas là pour plaisanter, monsieur. Il y a un certain nombre de points que nous avons besoin d'éclaircir et d'acter dans la procédure. Si tout se passe bien, d'ici quelques heures, vous serez auprès de Delphine.

Le Glaive fit deux pas à l'intérieur, laissant des traces de terre sur le carrelage. Une façon de leur mettre la pression, de leur signifier qu'ils n'avaient pas le choix. Il fixa le père de la victime dans les yeux.

— Allez vous habiller en vitesse. Ensuite, on vous emmène…

— Et si on refuse ? tenta tout de même André Escremieu.

— On vous colle en garde à vue.

24

Titi avait changé de visage. Concentré, traits tendus, il se dressait au côté du Glaive, qui intercalait avec une lenteur agaçante les feuilles de papier carbone nécessaires aux six copies du PV.

Sharko, venu en simple spectateur, songeait qu'il n'aurait pas aimé être à la place d'André Escremieu. Une heure que celui-ci marinait sans qu'on lui explique quoi que ce soit. Il ignorait que les flics n'avaient aucun motif pour les embarquer, son épouse et lui, si abruptement. Un coup de bluff qui, comme dans la plupart des cas, avait fonctionné.

L'homme, vêtu d'un gros pull à col roulé en laine et d'un pantalon en velours côtelé noir, semblait très nerveux. Mais comment ne pas l'être, sous la lumière blafarde des néons, écrasé sur une chaise en Skaï vert collée au radiateur, cerné par trois inspecteurs à cran, au cœur d'un service réputé pour traiter les pires affaires criminelles ?

L'endroit était volontairement exigu afin d'éviter les gestes brusques ou les tentatives de fuite. On avait poussé le chauffage pour générer un certain inconfort et on avait séparé le couple. Catherine Escremieu, en ce moment même, se trouvait donc dans une pièce voisine, face à Serge et Einstein. Une technique éprouvée pour détecter les incohérences, les mensonges.

— Monsieur Escremieu, vous connaissez les lieux puisque vous et votre femme êtes venus, ensemble, pour une audition vendredi dernier, attaqua enfin le Glaive. Votre procès-verbal est ici, signé de votre plume, avec déclaration sur l'honneur. Vous pouvez y jeter un œil, si vous le souhaitez.

— Je sais ce qu'il y a là-dedans, je ne suis pas encore complètement sénile. Finissons-en, et vite.

— Ce n'est pas vous qui décidez de ce qui doit aller vite ou pas, répliqua Titi. C'est la nuit, on est au calme, on a tout notre temps.

— Non, on n'a pas tout notre temps ! Ma fille est à l'hôpital, bon sang ! Il est inadmissible que vous nous reteniez ainsi alors qu'elle a besoin de nous.

Assis sur le coin du bureau, le chef de groupe manipulait une enveloppe qui attira l'attention de son interlocuteur. À sa gauche, en retrait, le Glaive tapait à la machine, imperturbable. En préambule, il avait explicité les raisons de l'audition et indiqué l'heure de leur arrivée au domicile des Escremieu – 20 h 55 –, s'arrangeant quelque peu avec la réalité.

— Vous nous avez expliqué que vos relations avec votre fille n'étaient plus bonnes depuis une époque remontant à ses études. Quel genre de père étiez-vous, avant cette période ? Autoritaire ? Présent ? Complice ? L'emmeniez-vous au parc ? À l'école ?

Leur vis-à-vis se tordit sur sa chaise. Il tenta de garder le silence, mais comprit que la stratégie ne paierait pas : tant qu'il resterait muet, il ne sortirait pas d'ici.

— J'avais beaucoup de travail, mais j'ai toujours su accorder du temps à Delphine. Nous partions en vacances deux fois par an, en famille. C'étaient de bons moments. J'étais autoritaire, oui, comme n'importe quel parent. Mais en quoi… ?

— Vous discutiez avec elle ? Des devoirs, de ses amis, de ses petits copains…

— Ma femme se chargeait de tout ça.

— Vers ses huit, neuf ans, est-elle partie en colonie ? En stage, je ne sais pas, moi, sportif, où elle aurait pu se retrouver loin de la maison pendant plusieurs jours, encadrée par des adultes ?

— C'était il y a longtemps, je ne me souviens plus. Elle pratiquait l'équitation. Alors un stage, oui, ça a dû arriver… Mais comment voulez-vous que je sache précisément… ?

Le Glaive se lécha l'index, et parcourut le PV de la précédente audition.

— Votre épouse se rappellera sans doute. Vous êtes médecin à la retraite… Quand Delphine avait huit, neuf ans, on était milieu des années 1960. Vous aviez… la quarantaine ?

— Dans ces eaux-là.

— Où exerciez-vous ?

— J'ai fait la première moitié de ma carrière à l'hôpital, dans le Finistère.

— Dans le Finistère… C'est vague, ça. Quel hôpital ? Quel service ? Qu'est-ce que vous faisiez, exactement ? Vous torchiez le cul des malades ?

— Non, je ne torchais pas le cul des malades ! De 1952 à 1971, j'ai été chirurgien et chef de service en urologie à l'hôpital Meurin de Brest.

Ce disant, il se retourna parce que Sharko s'agitait dans son dos. Les flics étaient disposés en triangle autour de lui, et les regards qu'ils échangèrent formèrent une sorte de cage invisible de laquelle il n'avait aucun moyen de s'échapper.

— L'urologie... Voilà qui est intéressant. La prostate, les testicules, le vagin, ce genre de trucs ?

— Ce genre de trucs, comme vous dites si vulgairement. Mais la vulgarité, ça vous connaît, apparemment.

Escremieu sursauta quand il entendit une voix grave gronder dans la pièce voisine, suivie du bruit d'une chaise qu'on tire. Il fixa le mur, puis ses yeux revinrent se poser sur le Glaive, nez baissé sur sa machine. Titi se leva, alla s'appuyer contre la cloison, contraint d'incliner la tête à cause de la soupente.

— Il vous arrivait de vous occuper d'enfants ?

— Ça aurait été difficile de faire autrement. Meurin était un établissement pédiatrique.

Le Glaive fut stoppé net dans sa rédaction. André Escremieu se rendit compte qu'il s'était avachi sur sa chaise et se redressa. Il réajusta le col de son pull en laine.

— L'hôpital n'existe plus. Il a fermé en 1974 à cause d'un gros incendie qui a ravagé une partie des sous-sols et brûlé l'ensemble des archives. Il fallait que ça arrive : il était vétuste, plus du tout aux normes ni adapté aux progrès galopants de la médecine. Ça remonte à plus de quinze ans. Tout cela est loin, désormais.

Des archives brûlées, un hôpital fermé : Escremieu tentait-il de leur signifier qu'il n'y avait plus rien à chercher de ce côté ? Titi décida pourtant de battre le fer tant qu'il était chaud :

— Rien n'est jamais trop loin, en matière judiciaire. Ne croyez pas que le temps ou ces histoires de prescription protègent les criminels. Tout ça, c'est du pipeau. Enfin bref, poursuivons. Votre fille a-t-elle été l'un de vos patients ?

— Delphine ? Absolument pas. Elle n'a eu aucun problème de santé. Et même si ça avait été le cas, je ne me serais pas occupé d'elle.

— Bien sûr. Vous l'auriez confiée à un collègue... L'éthique médicale...

Titi récupéra l'enveloppe sur le bureau. Il la manipula de nouveau en silence, de longues secondes, sans l'ouvrir, sans lâcher sa proie des yeux non plus. André Escremieu s'était mis à transpirer.

— Il fait chaud à mourir. On ne peut pas baisser le chauffage ?

— Enlevez votre pull, si vous avez trop chaud. Cette enveloppe contient les photos que ma collègue est venue vous montrer à votre domicile. Vous vous rappelez ?

— Difficile de les oublier.

— Ces mêmes photos que vous avez revues ici, avant de déclarer en ignorer la source, ainsi que la signification. Tout comme votre femme, d'ailleurs.

— C'est le cas. Je vous le répète, tout cela n'a aucun sens. Je suis le père d'une jeune femme qui a été séquestrée. Je l'ai crue morte parce que vous avez débarqué chez moi en me le faisant croire. Et maintenant, vous me traitez en criminel...

Il s'emballait, s'efforçait de reprendre le dessus en haussant la voix. Un moyen de défense que les flics connaissaient par cœur.

— Quoi ? C'est parce que j'ai exercé en urologie pédiatrique que vous me suspectez de… d'avoir un lien avec ces enfants ? Alors c'est ça, pour vous : tous les médecins qui s'approchent de gamins sont des pédophiles ? C'est immonde !

Titi sortit les clichés et en étala quelques-uns devant Escremieu, tel un joueur de poker.

— Où ces mômes ont-ils été photographiés ? Chez vous ? Dans votre bureau de l'hôpital, au cours d'une consultation ? Ou dans une pièce sordide en compagnie d'autres types de votre espèce ?

L'ancien chirurgien détourna la tête pour marquer son exaspération.

— J'ignore qui sont ces gosses, combien de fois il faut que je vous le dise ?

Le flic décrocha le téléphone, composa un numéro : on entendit la sonnerie dans la pièce voisine.

— T'apportes la photo ?

Il raccrocha et sonda sa proie. Qui se décida finalement à enlever son pull, pour le poser à plat sur ses genoux. Quelques secondes plus tard, Einstein entra, remit à son chef ce qu'il venait de lui demander, adressa un regard noir à Escremieu et ressortit. Le père de Delphine observa cet étrange ballet sans un mot. Titi voulait que l'homme sache que sa femme avait vu cette photo avant lui. Il la brandit un peu en hauteur pour que l'interrogé lève les yeux.

— Elle était dans le paquet qu'on a découvert ce soir, à proximité de l'endroit où on a retrouvé votre fille. Vous reconnaissez ?

Escremieu se figea, comme frappé par la surprise et le dégoût à la fois, ce qui troubla les flics : s'il simulait, c'était à la perfection.

162

— Delphine… Mon Dieu, c'est…

Il renonça à parler, s'emparant du papier glacé d'une main tremblante.

— De l'eau… J'aimerais un verre d'eau… s'il vous plaît.

Titi fit signe à Sharko, qui s'exécuta.

— Qui a fait ça ? demanda alors l'homme, la colère déformant sa voix.

Le chef de groupe souffla par le nez, histoire de signifier qu'il commençait à s'impatienter.

— Vous savez, j'ai deux mômes, dont le plus âgé a dix ans, dit Titi. Il m'est absolument impossible de l'imaginer nu devant l'objectif d'un pervers sans que je sois au courant. Un enfant, une petite fille, ça discute avec son père, ou sa mère, pour peu qu'on lui pose des questions. « Alors, Delphine, ta journée, comment ça s'est passé ? » Vous voyez, ce genre de trucs. Et puis, en tant que parents, on sait à qui on confie ses gosses, non ?

Escremieu lui rendit la photo et haussa les épaules.

— Je ne sais pas quoi vous dire. Je suis désolé de ne pas avoir vu ça… Mais jamais, jamais Delphine n'a évoqué quoi que ce soit. Si j'avais su, il est évident que j'aurais agi.

Titi serra les dents : l'ancien chirurgien ne fléchirait pas si facilement. Après la première visite de Sharko et Florence, s'était-il préparé à ce qu'on retrouve ce cliché et à ce qu'on l'interroge à ce sujet ? Il avait eu le temps d'anticiper…

Franck revint et lui tendit son verre d'eau. L'homme but une gorgée avant de poser le gobelet sur le bureau.

— Si vous n'avez rien à voir avec ça, pourquoi le type qu'on traque s'en est-il pris à votre fille ? Pourquoi a-t-il brûlé les organes génitaux d'une autre femme en plaçant ces photos d'enfants au-dessus du lit ?

— Comment voulez-vous que je le sache, bon sang ?

— Pourquoi il aurait fait ça ? Pourquoi il nous aurait livré cette image de votre fille nue, qu'il a laissée vivante, si ce n'était pour nous orienter vers vous, les parents ?

— Ce ne sont que des suppositions.

— Et si on imaginait que c'est à vous qu'il en veut ? Que, en nous laissant ces prises de vue ignobles, en faisant du mal à votre enfant, en vous poussant à croire qu'elle est morte, c'est vous qu'il cherche à atteindre, à torturer, à punir...

Titi ignorait pourquoi il venait de sortir ça, mais sa réflexion lui parut soudain couler de source. Et il comprit qu'elle avait heurté ses collègues avec la même force.

— C'est impossible, fit Escremieu en secouant la tête. Tout ce que vous racontez est absurde.

— Absurde...

Titi ouvrit alors un dossier et s'empara des photos de la scène de crime de Saint-Forget.

— L'individu qui retenait Delphine a massacré cette pauvre femme dans la résidence secondaire de votre fille ! Il lui a cramé les organes génitaux avec un chalumeau, bordel ! C'est votre domaine ça, les organes génitaux, non ?

L'ancien chirurgien détourna de nouveau la tête. Titi jeta les clichés au sol sous l'emprise de la colère.

— Voilà ce que c'était ! Une boucherie ! Et votre fille n'a pas été épargnée. Ce malade lui a rasé les cheveux, les sourcils, il l'a violée avec une dizaine

164

de godemichets, dont certains avaient la taille de mon bras ! Il l'a enfermée dans une caisse sous terre, Dieu seul sait combien de temps !

— C'est horrible. Arrêtez…, supplia le père.

— Il y a un fou furieux, là dehors, en liberté, qui pourrait faire d'autres victimes. Un monstre qui, en nous offrant la photo nue de Delphine au terme d'un jeu cruel, veut attirer l'attention sur vous, monsieur Escremieu. Alors si vous savez quoi que ce soit, il faut nous le dire.

L'homme secouait toujours la tête mécaniquement.

— Je ne peux pas vous aider. Je suis désolé.

Titi écrasa son poing sur le bureau.

— Vous vous obstinez, mais ce n'est pas grave. Nous aurons très vite la version de votre fille.

L'ancien chirurgien tentait de rester digne, mais ses épaules s'étaient affaissées. On toqua à la porte. Serge passa la tête dans l'embrasure.

— Venez deux minutes. J'ai du lourd.

25

Piqués au vif, le Glaive et Titi se dirigèrent vers le couloir.

— Fais gaffe à lui, ordonna le chef de groupe en lançant un regard dur à Sharko tandis qu'il sortait.

Serge les entraîna quelques mètres à l'écart. À plus de minuit, le bâtiment était désert. Il parla pourtant à voix basse.

— Voilà le topo : nerveusement, Catherine Escremieu est à bout, à deux doigts de nous claquer dans les pattes. Quand elle a découvert la photo de sa fille nue au milieu de celles des autres enfants, elle s'est effondrée. Avec Einstein, on est du même avis : elle est sincère, elle n'est au courant de rien, sa fille ne lui a jamais parlé d'éventuels attouchements ou autres… À l'heure actuelle, son cerveau ne tourne plus rond : je crois qu'elle est en train de prendre conscience que son mari est un pédo, et qu'il a abusé de sa propre gosse.

— C'est cohérent, ça peut expliquer le silence de la gamine à l'époque, approuva le Glaive. La mère n'a rien vu ou s'est mis des œillères. C'est un schéma assez classique.

— Ce salopard a lâché quelque chose ?

— Rien pour l'instant. Mais il est impliqué, j'en suis presque sûr. Il est fuyant, il a peur. Si on le travaille encore un peu, possible qu'il cède. Mais il sait se contrôler, c'est un coriace.

Serge acquiesça avec un sourire en coin.

— J'ai ce qu'il vous faut pour le faire flancher. Accrochez votre ceinture : Catherine Escremieu nous a avoué qu'ils avaient été cambriolés il y a deux mois, alors qu'ils étaient sortis pour une partie de golf. Aucune serrure n'avait été forcée, mais le bureau de notre gus avait été retourné, jusqu'au moindre livre de la bibliothèque, le moindre tiroir.

— Putain…, lâcha Titi.

— Mais vous savez pas la meilleure ? Cette ordure a réussi à convaincre sa femme de ne pas porter plainte, prétextant que c'était inutile de mêler la police à ça. Quand il a su, mardi dernier, qu'ils allaient devoir déposer au 36, il a demandé à son épouse de ne pas évoquer ce cambriolage. Vous pensez comme moi, pour l'origine des photos ?

Thierry Brossard n'avait qu'une envie : se jeter de nouveau dans l'arène.

— Bien joué, les gars, lança-t-il en faisant demi-tour et en pressant le pas.

André Escremieu n'avait plus d'échappatoire et allait se mettre à table. Le chef de groupe jubilait : ils le tenaient.

Pourtant, quand il arriva dans la salle d'interrogatoire, il eut l'impression d'être dans un film d'horreur. Leur suspect convulsait au sol, de l'écume blanche aux lèvres. Sharko était paniqué, il se démenait pour le placer en position latérale de sécurité. Titi essaya de maintenir les jambes qui heurtaient avec violence les pieds du bureau.

— Bordel, Sharko ! Mais qu'est-ce qui se passe ?

— Il vient de tomber ! Il a voulu que je lui redonne les clichés. J'ai cru que... qu'il allait craquer. Mais pendant que je les attrapais, il a avalé un truc ! Ça a duré une fraction de seconde !

Titi remarqua le tube en verre et le bouchon qui avaient roulé près de la poubelle. Il restait des petits grains noirs à l'intérieur.

— C'est pas vrai... Fallait pas le lâcher d'une semelle, merde !

— Je ne savais pas. Il avait caché le tube dans le col de son pull, je...

Le Glaive les rejoignit. Il s'agenouilla, tenta de le faire vomir et eut l'index et le majeur mordus jusqu'au sang. Il hurla, puis se jeta sur le téléphone pour appeler les secours. Titi suait désormais à grosses gouttes. Il fixa Sharko droit dans les yeux et parla entre ses dents :

— Il n'y a que moi qui suis sorti d'ici. Seulement moi, t'entends ?

Escremieu continuait à se tordre en poussant des grognements. Serge finit par débarquer, lui aussi.

— Qu'est-ce que... ?

— Le Glaive et Sharko étaient ensemble quand ça s'est produit, répéta le chef de groupe à toute vitesse. Il n'y a que moi qui suis sorti pour discuter avec toi au sujet du cambriolage.

Amandier repéra le tube.

— Fait chier...

168

— Souvenez-vous : j'ai fait la palpation en règle à leur domicile. Juste avant qu'il monte en voiture. La femme était déjà dans son propre véhicule avec Sharko, elle n'a rien vu. C'est bon ?

— Oui, tu l'as faite à ce moment-là, répondit Serge. Oui, tu as tout vérifié, de la tête aux pieds…

D'autres visages apparurent dans l'embrasure, dont celui d'un commissaire, et Titi se mura alors dans le silence. Sharko ne comprenait pas. Il eut envie de crier que ce n'était pas vrai, qu'il n'y avait pas eu de palpation, qu'il s'était retrouvé seul avec le suspect et que tout ça était sa faute, mais ses pupilles croisèrent une demi-seconde celles du Glaive, et il comprit que leur procédurier pensait comme Titi : il fallait qu'il la ferme.

Les treize minutes qui suivirent furent un pur cauchemar. Quand, alertée par l'agitation, Catherine Escremieu découvrit la scène, elle s'effondra littéralement.

Puis les secouristes arrivèrent, essoufflés, et firent tout leur possible pour tirer d'affaire Escremieu. Ils parvinrent à le ramener à la vie après un premier arrêt du cœur. Titi, lui, profita de la cacophonie ambiante pour échanger avec ses coéquipiers : ils devaient tous s'accorder sur la version des faits.

— Un homme va peut-être mourir à cause de moi, dit Sharko alors que lui et son chef se tenaient en retrait. Je ne peux pas débuter ma carrière sur un mensonge. Je suis prêt à assumer ce qui s'est passé.

— Il n'est pas question que de toi. On ne laisse pas un dernier de groupe en solo, surtout dans une affaire si grave. Notre responsabilité à tous est engagée. Je me fiche de tes états d'âme. Obéis aux ordres. On fait front ensemble. On protège la famille.

Il l'abandonna là et alla rejoindre les autres. André Escremieu mourut à 1 h 12, le mercredi 18 décembre, dans le bureau du Glaive, au cinquième étage du 36, quai des Orfèvres, d'un second arrêt cardiaque.

Trois heures après, deux types de l'inspection générale de la police nationale débarquaient.

26

Le néon bleuté des urgences de l'hôpital d'Orsay. Des lumières, çà et là, dans les chambres, qui faisaient penser à un paquebot en perdition au milieu de l'océan. Et un bourdonnement permanent de ventilation, émanant des énormes chaufferies, quelque part.

Florence était sortie fumer, emmitouflée dans sa grosse veste en laine et son écharpe. Ces endroits l'avaient toujours fait déprimer. Les odeurs dans les couloirs vides, les tuyaux dans les veines, ces malades au teint jaune qui déambulaient en pyjama… C'était, ici, contre une autre forme de violence, de criminalité, celle de la maladie, des virus, des cancers, que des médecins se battaient, souvent en vain.

Elle considéra le bout rougeoyant de sa cigarette et se dit qu'elle finirait par y passer, un jour, elle aussi. *Le plus tard possible.* Avec un rire nerveux, elle tira une dernière longue bouffée avant de retourner à l'intérieur.

Elle n'avait eu aucune nouvelle de Titi ni des autres depuis la veille. Ses coups de fil au bureau étaient restés sans réponse. Pourquoi ? Qu'avaient-ils découvert dans le puits ? Pourquoi les parents n'étaient-ils pas encore venus rendre visite à leur fille ?

En passant devant les cabines téléphoniques du hall, elle hésita. Elle disposait du numéro personnel de son chef. Mais il était 6 heures du matin. Celui-ci avait une femme, des gosses, et le droit d'avoir une vie privée…

Elle remonta au troisième étage d'un pas traînant et entra dans la chambre 319. Delphine était revenue d'une interminable série d'examens deux heures plus tôt. On lui avait administré des sédatifs pour qu'elle se repose.

Les toubibs n'avaient rien voulu dire avant d'obtenir tous les résultats, ils lui avaient demandé d'être patiente. Il n'y avait pas plus patient qu'un flic. Florence s'installa dans le fauteuil, à gauche du lit, et observa la victime avec tristesse. Elle n'était plus la jeune femme au physique agréable, pleine d'énergie et d'imagination, qu'avaient décrite ses connaissances. Elle semblait tout droit sortie d'un camp de concentration. Ses cernes étaient noirs et profonds, son nez saillait telle la lame d'un couteau, et ses pommettes cherchaient à percer la peau. Et puis Sharko avait vu juste, avec ses histoires de problèmes sexuels du tueur : Delphine avait été méticuleusement rasée, y compris « en bas ». Imberbe, de la tête aux pieds.

Violée avec des godemichets.

Et, surtout, enterrée vivante. Le pire des supplices.

Elle qui se plaignait de son divorce en cours ou du machisme des gros abrutis du 36… *Putain de monde pourri.*

Elle baissa les paupières. Le bip hypnotique de l'électrocardiogramme la plongea dans un état de léthargie.

Elle pensa alors à des airs de violons – la *Valse n° 2* de Chostakovitch, « Le Printemps » des *Quatre Saisons* de Vivaldi –, oublia que tout allait mal et rouvrit les yeux en sursautant, la bouche pâteuse.

Un médecin avait posé une main sur son épaule. Le nom sur la blouse indiquait « Dr Dancel ». Florence émergea, lorgna l'horloge : plus de deux heures avaient passé.

— Excusez-moi, docteur, je…

— Pour vous, dit l'homme en lui tendant un café encore fumant. Vu le nombre de gobelets dans la poubelle, vous devez en être une grande consommatrice.

L'inspectrice se leva et, gênée, réajusta le bas de son pull. En d'autres circonstances, Dancel, la trentaine, aurait été le genre de type à la brancher. Mais pas à 8 heures du matin dans une chambre d'hôpital.

— Merci…

— La nuit n'a pas été trop difficile ?

— Ça va. Je suis un animal nocturne.

— Je vois… J'ai des résultats à vous communiquer. En fait, je dois vous avouer que c'est la première fois que, avec mes confrères, nous sommes face à un cas pareil. Nous allons effectuer d'autres examens, plus approfondis, mais, à ce stade, quelque chose nous échappe.

Florence l'accompagna jusqu'au bord du lit.

— Essayez toujours de m'expliquer ce que vous avez découvert.

— Tout d'abord, les muqueuses… Regardez…

Il retroussa les lèvres de sa patiente, dévoilant des zones noires et brillantes. Puis lui ouvrit la bouche. La pointe de la langue semblait en phase de décomposition. Florence plissa le nez : odeur de pourriture.

— Elles sont nécrosées, expliqua Dancel.

— Comme… une gangrène ?

— Pas à ce point-là, mais ça pourrait vite le devenir sans soins appropriés. Il y a aussi ces éruptions cutanées, gorge, épaules, bras… Et sa pupille droite qui est non réactive à la lumière.

— Aveugle, vous voulez dire ?

— De cet œil, oui. Pour finir, elle est insensible aux piqûres et autres stimuli au niveau de la peau, surtout aux extrémités des membres, ce qui signifie que ses fibres nerveuses sensitives sont détruites.

Florence encaissait ces révélations.

— Qu'est-ce qui a pu provoquer de tels dégâts ?

— Pour le moment, je vous l'ai dit, nous l'ignorons. Aucun des médecins qui l'ont auscultée n'a jamais été confronté à autant de symptômes chez une même personne. On a sollicité le service de toxico pour qu'ils cherchent tout ce qui est drogue ou poison, mais rien de standard ne ressort de nos machines.

— Une autre victime de l'homme qu'on traque présentait aussi des plaques sur la peau. Le cadavre était en mauvais état, alors pour les nécroses, on ne sait pas. Mais les toxicologues de la police scientifique se cassent les dents depuis plusieurs jours sur un produit qui était dans son organisme.

Dancel consulta l'Alphapage qui bipait dans sa poche. Il lut le court message et reprit :

— Cette jeune femme est apathique, dépourvue de volonté. Elle se déplace au ralenti, droit devant elle, sans savoir où elle va. Comme si elle avait subi un lavage de cerveau. Elle semble incapable de prononcer le moindre mot. On lui a fait un scanner cérébral. Certaines zones de l'hémisphère droit, liées aux émotions, sont peu actives, presque éteintes.

— Peut-être parce qu'elle est encore sous l'effet d'une substance ?

— Peut-être, mais il ne s'agit ni d'héroïne ni de cocaïne. Pas d'opiacés non plus, ni alcool, ni méthadone, anxiolytiques ou barbituriques. Je pourrais encore vous en citer une dizaine que nous avons déjà éliminées.

Florence se rappelait que Delphine avait été découverte seule dans la ferme, et libre de circuler. Elle n'avait pas tenté de s'enfuir. Si personne n'était venu la secourir, elle se serait sans doute laissée mourir. Il y avait forcément quelque chose qui clochait…

— Alors quoi ? Tout ça résulterait d'un traumatisme ? D'un truc psychologique ?

Dancel observa sa patiente comme un botaniste face à une nouvelle espèce. L'inspectrice, elle, repensa aux énigmes sur lesquelles ils avaient buté depuis le début de leur enquête, aux difficultés qu'ils avaient eues à percer les secrets du Méticuleux. Et maintenant, c'était au tour du corps médical de se heurter à cet esprit tordu.

— Vous avez dit à mon collègue dans l'ambulance qu'elle avait été enterrée, fit le médecin. Vous avez parlé d'un cercueil… C'est bien ça ?

— Oui. On a trouvé une caisse en bois de taille humaine à l'arrière du bâtiment où elle s'était réfugiée. La caisse avait été déterrée, les clous du couvercle arrachés. On a supposé qu'elle y avait été enfermée.

— Et est-ce qu'il y avait des traces de griffures à l'intérieur ?

— *A priori* non, justement, d'après mes collègues.

— N'importe quel être vivant aurait tout fait pour sortir de là. Aurait gratté jusqu'à se faire saigner.

— Peut-être était-elle déjà dans cet état d'apathie ?

— Je ne crois pas.

— À quoi vous pensez ?

Dancel hésita, puis entraîna Florence à l'écart, près de la porte de la chambre.

— Je vais aller au plus simple. Les résultats des premières analyses sanguines ont révélé une quantité anormalement forte de certains marqueurs cardiaques. Ces marqueurs sont souvent le signe d'un dysfonctionnement, d'un problème au cœur. De ce fait, nous avons réalisé une IRM cardiaque, après injection d'un agent de contraste permettant de distinguer d'éventuelles anomalies…

Il réfléchit, sembla peser chacun de ses mots. Florence le sentait ennuyé.

— Son ventricule gauche est en grande partie nécrosé. Les cellules sont mortes. Divers indicateurs, comme le courant de lésion sous-épicardique, nous informent que l'atteinte des tissus remonte à une période que j'estime à moins d'un mois…

Moins d'un mois. Le 15 novembre, Delphine avait quitté le Marais pour Saint-Forget. Peut-être était-elle déjà entre les mains de son bourreau…

— On constate d'ordinaire ce genre de nécroses chez les patients victimes d'un infarctus, mais on dépasse rarement les 25 % de zone affectée chez les malades qu'on prend à temps. À partir de 40 %, c'est le choc cardiogénique, poursuivit-il.

— C'est-à-dire ?

— Une défaillance aiguë de la pompe cardiaque, qui tourne au ralenti, sans force. Elle entraîne une incapacité à générer un débit sanguin suffisant pour subvenir aux besoins des organes périphériques. Surtout si ça dure trop longtemps. Le cerveau peut évidemment souffrir de ce manque d'oxygène. Dans la moitié des cas, les patients décèdent. Les autres gardent de graves séquelles neurologiques.

Florence ne lâchait pas Delphine des yeux. La jeune femme lui faisait de la peine. Elle était vivante, certes, mais ne se remettrait jamais de tout ça, tant psychologiquement que physiquement.

— Et ici, on est à quel pourcentage ? demanda-t-elle.

— Environ 50 %. Pour être honnête, j'ai rarement pu observer une telle ampleur de la nécrose. Et chaque fois, le cœur s'est arrêté de battre durant plusieurs minutes, voire définitivement.

Dans le silence uniquement rompu par les bips des appareils, sa voix claqua comme un coup de fouet :

— J'ignore comment ça s'est produit, j'ignore ce qui a pu se passer dans ce cercueil. Mais votre victime, ma patiente, à un moment donné, on peut considérer qu'elle n'était plus de ce monde.

Il plongea son regard dans celui de Florence.

— Elle était morte.

27

De prédateurs, ils étaient devenus les proies. En un claquement de doigts. On ne les avait pas autorisés à rentrer chez eux. Les hommes de la police des polices les avaient même consignés dès que possible dans des bureaux différents en attendant leurs auditions, afin d'éviter toute concertation.

Ça faisait plus de sept heures qu'André Escremieu était mort, après avoir ingurgité un poison d'une efficacité redoutable. Le jour allait se lever. Seul, Franck Sharko pensait à son équipe. Et notamment à Florence. Avait-elle passé la nuit à l'hôpital ? Comment allait Delphine Escremieu ?

Il était épuisé, mais la tension nerveuse l'avait empêché de somnoler. Il allait devoir mentir à des inspecteurs de l'IGPN. Mentir à Suzanne, à ses parents, se mentir à lui-même. Tout avait basculé si vite. Quand on était venu le chercher pour son audition, il avait senti un grand vide l'aspirer, comme une baisse de tension.

Il se tenait désormais sur la chaise du suspect, de l'accusé, de l'opprimé, peu importait le terme que chacun choisissait, à un endroit où il n'aurait jamais dû se trouver, dans un bureau en tout point identique à celui du Glaive, face à deux inspecteurs dont le rôle, disait-on ici, était de ruiner des carrières. Ceux qui avaient affaire à eux étaient souvent mis au placard, condamnés à avaler des plats bon marché comme le bœuf-carottes, d'où le surnom donné aux membres de la police des polices : « les bœuf-carottes ».

Franck sut immédiatement comment ses vis-à-vis s'étaient réparti les rôles du bon et du méchant. L'un – le plus grand et le plus âgé, il s'appelait Pierre Lenoir – lui proposa café et cigarette. L'autre, Charles Cachan, la trentaine, lissait sa cravate de telle sorte que Sharko songea à la corde d'un échafaud. Un enfoiré aux dents longues qui, pour démarrer l'audition, lui demanda de raconter en détail les raisons qui avaient poussé Thierry Brossard à décider d'intervenir dans la précipitation, le soir même.

— Ce n'était pas dans la précipitation, répliqua Sharko. Nous venions de retrouver leur fille en vie. Il était hors de question de les laisser dans l'ignorance. Nous avons jugé logique de profiter de l'occasion pour éclairer cette histoire de photos.

— À titre personnel, j'aurais sans doute fait comme vous, dit Cachan. Les débuts des enquêtes requièrent une certaine réactivité, on sait tous ça. Et vous étiez encore dans les clous. À quelle heure vous êtes arrivés chez les Escremieu, d'ailleurs ?

— Vers 20 h 50, 55.

— Cinq minutes avant l'heure légale, ça tombait bien… Vous vous souvenez de l'horaire exact, malgré l'enchaînement des événements d'hier ?

— Je m'en souviens parce que je me suis fait la réflexion que, à quelques minutes près, on passait à côté. Je sors de l'école, j'ai toutes les procédures en tête.

Cachan feuilleta un dossier. L'autre se taisait, il se contentait d'observer. Aucun d'entre eux ne prenait de notes, mais un magnétophone, bien en évidence, enregistrait tout.

— Vous êtes procédurier à un point tel que, le mardi 10 décembre, peu avant 22 heures, vous enfreignez les usages et vous rendez seul dans les Yvelines à la place du groupe d'astreinte dirigé par Sylvio Santucci…

— Les usages ne sont pas la loi, il me semble. Je ne suis pas encore au courant de toutes les traditions du 36. Un homme se tenait devant moi avec une photo pour le moins inquiétante, j'ai voulu vérifier et éviter de déranger l'astreinte.

— Je vois. Vous êtes nouveau, c'était une bonne occasion de vous faire remarquer.

— On peut dire que c'est réussi, rétorqua Sharko avec ironie.

— Et puisque vous sortez de l'école, vous savez ce que coûte une fausse déclaration devant deux inspecteurs dépositaires de l'autorité de l'État, n'est-ce pas ?

— Plus que n'importe qui.

— Vous frappez à la porte des Escremieu, donc, aux alentours de…

— 20 h 50, 55.

— Que s'est-il passé, ensuite ?

Sharko déroula les faits. L'annonce faite aux parents que leur fille était vivante, puis la volonté de l'équipe d'emmener le couple au 36 pour une audition libre. Le mari était alors monté pour s'habiller, et c'était sans doute à ce moment-là qu'il avait dissimulé le petit tube de poison sur lui.

— Son pull à col roulé était idéal pour ça, souligna Franck. Mon chef l'a fouillé en règle avant qu'il entre dans la 405 de fonction, mais vous avez vu vous-même ce gros col en laine. À cet endroit, c'était indétectable.

— Et l'épouse ? Elle est sous le choc, confuse, mais selon elle il n'a jamais été question de fouille.

— Elle se trouvait à l'arrière de sa propre voiture avec moi. On devait prendre deux véhicules parce qu'on était six. Je me souviens que Mme Escremieu était dans tous ses états.

— Elle ne voit pas la fouille, mais vous si…

— La 405 était de mon côté, du droit. J'ai clairement vu mon chef réaliser les gestes de palpation.

— En pleine nuit, à travers une vitre, avec, près de vous, une femme dans un grand état de nervosité…

— Tout à fait.

— Dans de telles circonstances, comment pouvez-vous certifier que la fouille a été exécutée de manière rigoureuse ?

— Parce que mon chef l'est, rigoureux.

Cachan serra les lèvres. Il parcourut le PV de l'audition entamé par le Glaive, sans vraiment le lire. Son acolyte avait la position exacte de Titi quelques heures plus tôt : en amazone sur un angle du bureau.

— Il fouille le mari, et pas la femme.

— Elle était habillée quand on est arrivés. On ne l'a jamais quittée des yeux. C'est même Serge Amandier qui lui a tendu son manteau et son écharpe, je suppose que c'était un moyen astucieux d'effectuer une palpation rapide de ses effets personnels.

— Un moyen astucieux…

Un mince sourire se dessina sur la face de poupon de Cachan. Un chieur de première. Franck sentait la lave bouillir dans son ventre, mais il se contint : après tout, ces hommes ne faisaient que leur boulot, aussi sale fût-il. Et ils servaient la loi, eux aussi. Sharko se contenta donc de leur tenir tête, jusqu'à l'instant critique.

— Vous êtes dernier de groupe, reprit Cachan. Quel était votre rôle, dans cette audition ?

— Écouter, observer. Je n'ai aucune compétence pour mener ce genre d'entretien. Je suis resté dans un coin, derrière André Escremieu, comme l'avait exigé mon chef. L'air de rien, ça créait une pression supplémentaire sur l'auditionné.

— Montrez-nous où celui-ci était placé.

Sharko pointa le radiateur.

— Juste là, collé au chauffage. On voulait qu'il grimpe en température, car la chaleur met toujours mal à l'aise et peut aider à obtenir des aveux. Enfin, vous savez ça, puisque j'ai l'impression d'être dans un sauna, ici.

— Perspicace.

— Il a résisté longtemps, mais il a fini par retirer son pull. Il l'a posé sur ses genoux d'une façon bien particulière. Je me souviens de ça, parce que son geste était étrangement appliqué. Il aurait pu enlever son col roulé dès le début, il crevait de chaud, pourtant c'est à ce moment-là seulement qu'il l'a fait. Je crois qu'il avait compris qu'il n'avait plus d'échappatoire.

— Pourquoi il aurait attendu d'être dans vos locaux pour mettre fin à ses jours ? Pourquoi pas chez lui, lorsqu'il est monté s'habiller ?

— Je suppose qu'il avait encore l'espoir de s'en tirer.

Un éclat brillait dans l'œil du plus âgé, Lenoir. Cachan demanda à Sharko de situer chacun des protagonistes dans la pièce, puis de décrire le plus précisément possible les instants qui avaient précédé et suivi le drame. Sharko était épuisé. Mais il obtempéra.

— Serge Amandier a frappé à la porte. Il a ouvert et a fait signe à mon chef de sortir car il avait une information à lui communiquer... Une fois la porte refermée, André Escremieu s'est muré dans le silence pendant peut-être une minute.

Franck se passa une main sur le front et en chassa les gouttes de sueur qui y perlaient.

— Moi, je n'ai pas bougé. Escremieu s'est alors adressé à moi. Il souhaitait que je lui redonne les photos des enfants, qui étaient sur le bureau...

— Montrez-nous. André Escremieu était assis là, sur cette chaise...

Sharko acquiesça. Il se leva et s'approcha du bureau, dressé face à Cachan.

— Je l'ai lâché des yeux une poignée de secondes. Notre procédurier Alain Glichard était concentré sur son PV, à votre place, et je lui bouchais la vue, comme je vous empêche de voir la chaise derrière moi en ce moment...

Cachan se décala un peu, comme pour mieux appréhender la scène.

— Ensuite ?

— C'est un peu confus, tout est allé tellement vite...

— Faites de votre mieux.

Franck pivota d'un quart de tour.

— Quand je me suis retourné, il avait un tube entre les mains. Je me suis précipité pour le lui arracher, mais c'était trop tard. Il avait déjà avalé son contenu. Il s'est tordu en deux de douleur, puis il est tombé et a convulsé. On a tout fait pour le sauver avant l'arrivée des secours. Glichard a essayé de le faire vomir en lui glissant les doigts dans la bouche, mais il a été mordu. Je crois que mon chef est entré après ça... Puis d'autres... En réalité, je ne sais plus très bien... La fatigue rend mes souvenirs un peu flous...

Cachan poussa un soupir.

— La fatigue... Vous auriez en effet pu prendre le temps de dormir et procéder à l'audition ce matin, au calme. Mais vous avez choisi la fatigue, inspecteur Sharko. Alors, maintenant, il faut assumer.

— Je n'ai rien choisi du tout.

— Un citoyen, un père, est mort sous votre responsabilité d'homme de loi, la vôtre ou celle de votre chef que, tout naturellement, vous cherchez à couvrir. Alors faites un effort. Rappelez-vous.

— Je ne cherche à couvrir personne. Ce que je vous raconte est la stricte vérité. Et quand je vous dis que je ne me souviens plus, c'est que je ne me souviens plus. Ça peut se comprendre, non, vu les circonstances ?

Il y eut un long silence. Puis Pierre Lenoir, muet depuis le début, stoppa le magnétophone d'un geste autoritaire, qui sembla clouer le bec à son collègue.

— C'est fini, inspecteur Sharko. Vous pouvez disposer.

Franck fut surpris par cette brusque interruption de l'entretien et l'ascendant soudain de Lenoir sur Cachan. Il vit l'air soumis de ce dernier et saisit alors que le trentenaire sortait du même moule que lui : il n'était que de la chair fraîche en train d'apprendre le métier.

Sharko ne savait pas s'il devait se sentir soulagé ou non. Il se posta devant la porte. Se retourna avant de partir.

— Est-ce qu'on va pouvoir continuer notre enquête ?

— Nous sommes dans le même camp, inspecteur Sharko, répliqua Lenoir en rangeant la cassette à côté d'autres dans une boîte. Quoi que vous pensiez, nous punissons les méchants et il est important que vous attrapiez les responsables. Donc, oui, vous allez poursuivre votre enquête. Mais pour Thierry Brossard, c'est terminé.

— Non, vous ne pouvez...

— Si, inspecteur, nous pouvons. Nous le devons, même. Il y a eu mort d'homme au sein des locaux de la police judiciaire, et il faut un fusible. Sinon, c'est tout le système qui s'effondre.

Sharko serra les poings jusqu'à s'en faire blanchir les jointures. Cachan lui adressa un sourire d'hyène qui lui donna l'envie de lui fourrer sa main dans la figure. Lenoir s'approcha et ouvrit la porte lui-même, tout en concluant :

— À partir de maintenant, c'est Sylvio Santucci qui va vous diriger. Il a été le premier à se mettre sur les rangs quand il a eu vent du fiasco de cette nuit. C'est à croire que l'affaire que vous lui avez copieusement volée devait lui revenir. Bon courage pour la suite, inspecteur. Si tout se passe bien, vous n'entendrez plus parler de nous. Enfin, je vous le souhaite.

28

Depuis son coup de fil au bureau passé grâce à l'un des téléphones de l'hôpital, Florence était déboussolée. Elle n'était pas certaine d'avoir saisi : à l'autre bout de la ligne, Einstein lui avait parlé du décès d'André Escremieu dans les locaux du 36, de l'IGPN, d'auditions. Il lui avait demandé de ne pas rentrer avant le déjeuner, le temps que les bœuf-carottes quittent les lieux.

Le père de Delphine, mort à la Crim ? Un suicide ? Comment un tel drame avait-il pu se produire avec des gars aussi professionnels que Titi ou le Glaive ? C'était surréaliste…

Elle resta encore quelques heures auprès de Delphine puis, aux alentours de midi, se rendit à la gare d'Orsay. La ligne du RER B longeait l'hôpital. Elle attrapa le premier train en direction de la capitale et se réfugia au fond d'une rame. Elle était glacée, non pas à cause de la température et des courants d'air, mais à cause des annonces d'Einstein et, surtout, des propos du médecin : le cœur à moitié fichu, la langue noire et nécrosée. Elle repensa au cercueil sans griffures. Était-il possible

qu'on ait enterré la jeune femme alors qu'elle était…
morte ? Comment les morts pouvaient-ils revenir à la
vie ? Florence n'y comprenait rien, mais une chose était
certaine : vu son état, Delphine n'était pas près de leur
expliquer quoi que ce soit.

L'inspectrice descendit à Saint-Michel-Notre-Dame,
acheta un sandwich jambon-beurre qu'elle avala en
rejoignant le Quai des Orfèvres. Un énième repas pris
sur le pouce, mais elle s'en fichait. Depuis le début
de la procédure de divorce, sa vie ne ressemblait plus
à grand-chose. Elle ne dormait plus, avait abandonné
les cours de musique, mangeait n'importe quoi, buvait
pas mal de vin, le soir, en compagnie de Serge. Quant
à sa vie sexuelle… un véritable désert.

Le spectacle qu'elle découvrit, en arrivant au bureau,
lui fit croire à une mauvaise plaisanterie : Santucci,
debout, marqueur à la main, devant le tableau où se
trouvait généralement son chef. Einstein, Sharko, le
Glaive et Serge, face à lui, arborant des gueules de
prévenus qu'on aurait enfermés toute la nuit dans une
cellule de garde à vue.

Le Corse lui adressa un pâle sourire. Mais même
quand il souriait, sa barbe de légionnaire et sa cicatrice
en forme de faucille, sous l'œil droit, ne chassaient en
rien son air sévère.

— Ah, Ferriaux. Tu tombes bien. Vas-y, installe-toi.

Elle s'avança dans la pièce, incrédule.

— Je me suis trompée de bureau, là ? Où est Titi ?

— Sûrement rentré à la maison. Ou, à la limite, en
train d'établir ses quartiers à l'étage des morts.

L'étage des morts… C'était ainsi que ceux de la Crim
surnommaient l'état-major, où s'agglutinaient plus de

trois cents administratifs alignés derrière des fax et des téléphones.

— C'est un gag ? lâcha Florence.

Le Glaive lui transmit en deux mots les conclusions de l'IGPN. La tournure prise par leur enquête en une nuit était désastreuse. Ils vivaient un cauchemar éveillé. Florence s'affaissa sur le canapé, abasourdie : Titi, mis au placard, jeté comme un vulgaire balai...

— Je n'ai pas le temps de tout recommencer de zéro avec mon groupe, fit le Corse. Il va donc falloir cohabiter. Ça vous fait chier, moi aussi, mais c'est ainsi. On va la lever, cette affaire. Et sans bavure, cette fois.

— Sans bavure ? grogna Serge. C'est toi qui dis ça ?

Alors qu'il se tenait jusque-là tout au fond, appuyé dans un coin, il s'approcha de ses coéquipiers et s'adressa à Sharko, le prenant à témoin :

— Tu sais ce qu'il a fait, ce mec, du temps où il bossait à la Brigade mondaine ?

Sharko osa à peine secouer la tête.

— Il a foutu l'un des indics de Titi derrière les barreaux, bordel ! Tout ça pour se faire mousser auprès des huiles !

— Son indic prostituait des filles de même pas dix-huit ans, répliqua Santucci. C'était une ordure, indic ou pas. On avait pour ordre du chef de la Mondaine de faire le ménage, alors on a fait le ménage.

— On ne touche pas aux indics ! C'est la règle !

— Tout comme on ne pique pas une enquête à l'astreinte. Ne joue pas à ce jeu-là, Amandier. On a tous des choses à se reprocher. Alors ceux qui ne veulent pas être là prennent la porte. Pour les autres, on ne perd plus de temps, je définis les tâches et on avance.

Sharko ne disait rien, mais la rage le gagnait. Titi n'avait pas mérité un tel sort. Il avait sauté pour les protéger. C'était tellement injuste, tellement dégueulasse.

Serge, lui, cogna du poing contre le dos du canapé. Il se dirigea vers son bureau et se mit à lire un magazine, s'allumant une cigarette par la même occasion. Le Corse l'ignora et reprit là où il en était avant l'arrivée de Florence.

— Aux dernières nouvelles, André Escremieu s'est empoisonné au Témik, annonça-t-il. C'est un pesticide qui se présente sous forme de petits grains noirs. Il s'attaque au système nerveux et cardiovasculaire en quelques minutes. Radical. Sa femme, sous le choc, a été hospitalisée à Bichat, mais il va falloir lui poser d'autres questions. Quant à la fille, Ferriaux, tu reviens de là-bas, à ce que j'ai compris. Alors on t'écoute…

Florence croisa les yeux noirs de Serge, qui l'incitaient à la fermer. Mais détruire la dynamique du groupe ne ramènerait pas Titi. Ainsi, elle répéta les propos du médecin, ce qui plongea ses collègues dans la plus profonde incompréhension. Amandier s'était arrêté de feuilleter son magazine. Quant à Santucci, il sembla triturer tout ça sous son crâne. Même si elle ne l'appréciait pas, Florence connaissait ses qualités de flic.

— D'accord, d'accord… Morte puis vivante, tu dis, et incapable d'expliquer ce qui s'est passé. Merde.

Il réfléchit, le marqueur entre les lèvres.

— Chaque chose en son temps, reprit-il. Je vais relancer la toxico, qu'ils nous sortent au moins quelque chose sur le produit qu'on a pu fourrer dans l'organisme de notre cadavre X, et donc de Delphine Escremieu. Ce truc m'a l'air d'être une belle saloperie…

Il avait fixé à l'aide d'un aimant la photo de Delphine gamine, trouvée parmi les autres enfants. Il tapa sur le papier glacé du bout de son feutre.

— Faut creuser du côté du père. Si j'ai pigé, on a une histoire de cambriolage datant d'il y a deux mois, c'est ça ? Les clichés des mômes nus viendraient de chez lui, selon vous ?

— Très probable, répliqua le Glaive après un temps. Possible que notre Méticuleux ait été au courant de l'existence de cet album perso. Encore une fois, aucune porte n'a été forcée, c'est sa signature.

— Comment il entre ?

— Avec un double des clés, ou en trafiquant les serrures. En tout cas, le cambriolage ouvre deux pistes : soit le Méticuleux est lui-même pédophile et il voulait à tout prix récupérer ces éléments à charge, soit, piste plus plausible, il a été une victime d'Escremieu quand il était jeune.

— Et il s'en serait pris à Delphine Escremieu…

— … pour atteindre les parents. Le père, responsable. La mère, qui n'a rien vu ou qui s'est mis des œillères. Leur fille ne serait que l'objet malheureux d'une vengeance. Pour le père et la mère, la laisser vivante dans cet état est sans doute un supplice bien pire que sa mort. Une longue et douloureuse punition.

Santucci approuva.

— Ce ne sont que des hypothèses, mais elles se tiennent. Et l'autre ? Le cadavre X ?

— On ne sait pas. Tant qu'elle restera anonyme, on sera coincés. Et elle peut le rester longtemps.

Un silence, puis la voix de Florence :

— Delphine était rasée de haut en bas. Le cadavre X a eu le sexe et les seins brûlés. Sharko l'a dit, il y a quelque chose de sexuel là-dedans. Le tueur s'est visiblement servi de godes pour violer Delphine. Il a peut-être un dérèglement d'ordre sexuel, une peur quelconque ou le dégoût du coït. « Femmes damnées » de Baudelaire parle de sexe, de transgression, de secrets à cacher sous peine de devenir le rebut de la société. Tout ça mis bout à bout peut coller avec une ancienne victime de pédophilie, encore traumatisée.

Santucci alla chercher l'enveloppe contenant les photos des enfants.

— Va falloir m'accrocher ces clichés au carré, les garçons d'un côté, les filles de l'autre. Si ça remonte à plus de vingt ans, on a peu d'espoir de les identifier, mais je veux voir ces visages chaque fois que j'entrerai dans ce bureau. Notre tueur est assez tordu pour avoir glissé sa propre photo dans le lot. Et on arrête de l'appeler le Minutieux, c'est juste un boucher.

— C'est le Méticuleux, fit Florence, pas le Minutieux. Et méticuleux, il l'est bien plus que tu ne le crois. C'était un bon surnom. C'est quoi, ta proposition ?

— Pas de proposition, appelez-le le salopard, le fumier, mais arrêtez de l'appeler le Méticuleux. Ce n'est qu'une ordure. Bon, sinon, à part ça, le chef change, mais pas les méthodes. On va reprendre ensemble chaque élément du dossier pour que vous me briefiez. Je ne veux rien rater.

Il se tourna vers Einstein puis Amandier.

— Dès demain, vous deux, perquise au domicile des Escremieu. Faudra rapatrier la paperasse du père, voir s'il n'y a pas d'autres trucs immondes à dénicher, tenter de comprendre. Était-il un détraqué isolé ou faisait-il partie d'un réseau ? Pourquoi a-t-il conservé ces photos ? Pour les ressortir de temps en temps et s'astiquer en repensant à la belle époque ? Est-ce qu'il a fait du mal à d'autres mômes plus récemment ? Autrement dit, est-ce qu'il était encore un prédateur sexuel en activité ? Je sais que ça va être coton, mais il va aussi falloir se pencher sur cette histoire d'hôpital incendié où il a exercé. On doit se donner une chance de retrouver ses collègues, d'associer des noms à ces gamins.

Il pointa ensuite son index vers le Glaive.

— Il reste des auditions à mener, on poursuit. Je veux tout au propre, bien rangé, bien classé. Et toi, Ferriaux, tu te rapprocheras de la mère. Je me fiche qu'elle pleurniche ou qu'elle soit en dépression au fond d'un pieu à l'hôpital. Fais-la parler. Elle pourra te renseigner sur le passé : adresse, fréquentations, confrères du mari, ce genre de choses…

Amandier poussa un soupir bruyant.

— On est un peu à cran, là. Nous écrase pas de boulot et laisse-nous du mou, d'accord ? Ça pourrait mal se terminer, sinon.

— Mal se terminer ? C'est-à-dire ?

— Mal se terminer, c'est tout.

— Vous avez déjà l'après-midi pour vous remettre de vos émotions. Et puis toi, tu n'as qu'à rentrer te coucher le soir au lieu de vider des bouteilles de vin ici, tu verras le bien que ça peut faire. On va rétablir des bonnes règles, désormais.

Amandier dressa un doigt d'honneur dans sa direction sans qu'il le voie. Sharko, quant à lui, toujours assis, mit sa fierté de côté pour l'interpeller. Le Corse l'avait royalement ignoré, et Franck brûlait d'envie de se tirer de ce foutu bureau.

— Et moi, je fais quoi, demain ?

Santucci le considéra enfin, mais comme un renard observerait une poule.

— Ah, toi, le bleu… C'est vrai.

Il fit mine de réfléchir. Le salopard…

— On m'a demandé de garder un œil sur l'affaire des Disparues. Brossard t'avait confié un travail aux archives, il me semble ?

Franck vit la jouissance briller dans les iris noirs de son nouveau chef. Le Glaive alla vite chercher le gros tas de tracts qui reposait à côté du Minitel et le colla entre les mains du jeune inspecteur.

— Il t'avait aussi missionné pour distribuer ces tracts.

Dans la foulée, il s'adressa à Santucci :

— C'est très important. Pour le moment, on sèche sur les liens qui pourraient exister entre Vasquez et Lampin. Peut-être qu'il n'y en a pas, que c'est le hasard qui les a réunis, mais hors de question de laisser tomber cette piste. Ça nous aiderait beaucoup de retrouver d'autres destinataires du bouquin de Baudelaire.

Le Glaive coupa court à d'éventuelles protestations en poussant Sharko vers la sortie.

— À partir de demain, tu te farcis tous les commerces. Vu la zone à couvrir, tu fais ça deux, trois jours dans les arrondissements de Vasquez et de Lampin ainsi qu'aux alentours. Ratisse large, tu verras que Paris n'aura bientôt plus de secret pour toi. Et reviens-nous en forme. On doit tous être à fond sur le dossier. Allez, va prendre une douche, t'en as besoin. T'es pas le seul, d'ailleurs…

Sharko attrapa son blouson au passage et, l'énorme paquet de feuilles serré contre lui, s'engagea dans le couloir sans même un regard pour ses collègues. Il avait les nerfs à vif. Le Glaive lui sauvait la mise et l'éloignait du volcan, le temps que le feu s'éteigne. On leur avait arraché un membre de leur famille et il allait falloir du temps pour s'en remettre.

Franck éprouvait de la peine pour Titi. Il le chercha au deuxième étage, dans la cacophonie des téléphones et des fax. En vain.

Une fois dehors, il se tourna vers le bâtiment et eut un pincement au cœur. Il comprit que cet endroit où il avait fourré les pieds, le 36, quai des Orfèvres, n'était pas qu'un lieu de prestige.

C'était une arène sanglante.

La fosse aux lions.

29

L'eau brûlante lui fouettait la nuque. Enfin. Franck leva le visage vers le pommeau et ouvrit la bouche de soulagement, les mains appuyées sur le carrelage. Un filet de sang, provoqué par sa fichue blessure aux orteils, s'écoulait en un tourbillon dans l'évacuation.

Ça faisait deux jours qu'il écumait les rues de la capitale. Il avait distribué plus de cinq cents tracts, puis avait passé un coup de fil au Glaive pour signaler qu'il finirait le lendemain. On serait déjà samedi. Einstein, lui, était en congé jusqu'au 26 et Santucci leur avait accordé le week-end – le dernier avant le réveillon de Noël.

Franck en avait profité pour se renseigner sur l'enquête et avait compris au ton du procédurier qu'ils piétinaient. La perquisition chez les Escremieu n'avait rien donné. On analysait leurs factures, leurs appels téléphoniques, mais aucune nouvelle piste ne s'était ouverte.

Il tira le rideau de douche, s'essuya et observa son reflet dans le miroir. Une vraie tête de déterré. Il se demanda quelle gueule il aurait, dans dix ans, à ce rythme-là, et comment il réussirait à organiser sa vie privée autour de ce boulot particulièrement chrono-phage. Est-ce qu'il conduirait ses enfants à l'école, comme n'importe quel père ? Partiraient-ils tous en vacances ou y aurait-il toujours une affaire pour anéantir leurs projets ?

Il resta là une minute, immobile. Quel homme était-il devenu ? Escremieu était mort à cause de sa négligence. Il se rappelait encore l'instant précis où il avait juré fidélité, honneur et loyauté lors de la cérémonie de remise des diplômes. Il ne se sentait pas à la hauteur…

Il remarqua alors une mouche, dans un angle de sa salle de bains. Un gros spécimen tout noir qui butinait au niveau de la trappe d'aération. *Saloperie.* L'insecte lui frôla le nez comme pour le narguer. Alors qu'il la poursuivait avec une serviette jusque dans le salon, son petit orteil gauche heurta un coin de porte. Il s'effondra au sol et hurla, maudissant ces fichues mouches.

Plus tard, le pied pansé, il dîna d'œufs au plat accom-pagnés de pain beurré. Devant lui, il avait déposé une boîte. Elle contenait un bracelet en or blanc, qu'il avait acheté dans une bijouterie entre deux distributions de tracts. Sharko s'en voulait d'être entré au hasard dans cette boutique sans prendre le temps de réfléchir au cadeau de Suzanne. Mais on était à seulement quelques jours du réveillon, et elle l'adorerait.

Le fax crépita alors qu'il faisait la vaisselle. Franck aimait ce bruit – un vrai rayon de soleil, et Dieu seul savait à quel point il en avait besoin.

Mon chéri,
Je pense à toi, comme chaque soir, tu me manques.
Jeudi matin, j'ai rendez-vous avec mon patron. Je lui

donnerai ma démission. Je préfère le faire après Noël, histoire de ne pas lui gâcher la fête. Je redoute cet instant qui n'aura rien d'agréable, après presque dix ans dans le même labo... Puis il faudra que j'annonce mon départ à mes parents, aussi... Mais je me répète que c'est pour la bonne cause et que rien n'est plus important, pour moi, que de pouvoir te serrer dans mes bras tous les jours. Aussi loin que nos vies nous porteront.

Tout autre chose : Pierrick a pu obtenir un résultat avec la feuille que tu m'as confiée. Je te le faxe tel quel dans la foulée. Je te rendrai l'original quand on se reverra, c'est-à-dire très vite. J'espère que ça ne t'attirera pas d'ennuis. Sois prudent.

Je t'aime.

Suzanne.

Franck attendit devant l'appareil, à l'affût. Au bout de quelques minutes, l'engin récompensa sa patience. Ce qui était inscrit sur la page manquante de la bulle, la 146, lui apparut alors. Ça avait fonctionné. Les traces de surimpression invisibles à l'œil nu avaient été mises en évidence grâce à de l'encre noire. Certaines lettres se distinguaient mal là où on n'avait pas assez appuyé sur la pointe du stylo, mais l'ensemble était lisible.

Le jeune inspecteur s'empara de la feuille et alla s'asseoir dans le fauteuil. Il ne se rappelait plus à qui appartenait cette écriture – penchée vers la droite, serrée, comme celle d'un médecin.

Il combla mentalement les trous et parvint sans difficulté à reconstituer le texte de la page fantôme.

Ai appris qu'un appartement avait en partie brûlé à l'étage du logement d'Isabelle Rondieux, la troisième victime, fin mars 1988, soit treize mois avant son meurtre. Dysfonctionnement électrique, d'après les habitants. L'incident s'est produit la nuit. Pompiers et ambulance ont été envoyés sur place. La personne vivant là a été gravement intoxiquée et emmenée à l'hôpital Saint-Antoine.

À l'occasion, vérifier origine formelle incendie (contacter commissariat 12ᵉ ?), et vérifier immeuble des autres victimes si pas de problèmes de ce genre.

C'était tout. Rien de fracassant. Sharko était déçu, mais qu'avait-il espéré, en définitive ? L'auteur de cette note avait juste relaté un fait sortant de l'ordinaire, un fait qui s'était certes passé au même endroit qu'un enlèvement, mais à un autre moment. Franck comprenait qu'aucun de ses collègues ne se soit souvenu de cette information.

Il plia le papier et le glissa avec les fax de Suzanne. Malgré la fatigue, il prit le temps de répondre à sa fiancée. Il aurait sans doute été plus rapide de l'appeler, mais Franck préférait éviter de lui raconter sa journée.

Il se coucha ensuite avec un léger mal de crâne. Essaya de faire le vide. Impossible. Le virus de l'enquête le rendait fiévreux. Il revit le corps d'André Escremieu gisant au sol, la mousse blanche à ses lèvres. Ce monstre avait certainement abusé de sa propre fille alors qu'elle n'était qu'une enfant. Ça expliquait tellement de choses. Les peintures sombres et torturées que Delphine peignait... La rupture avec ses parents... Sa retraite dans la forêt, loin de la foule... Peut-être même son orientation sexuelle. Les hommes la dégoûtaient-ils ? Tout compte fait, ce n'était pas plus mal, que ce type se soit suicidé... *Qu'il brûle en enfer.*

Franck s'endormit obnubilé par l'image de la jeune femme errant au fond de la porcherie, ses grands yeux vides pris dans l'éclat de leurs lampes. *Morte... Vivante...*

Elle s'invita dans ses cauchemars et le réveilla plusieurs fois dans la nuit, en sueur, paniqué à un point tel qu'il dut allumer les lumières pour s'assurer qu'il était seul.

30

Franck croyait aux coïncidences, aux étranges événements qui se présentaient sur son chemin pour changer la trajectoire de son destin. La veille, il recevait le fax de la page 146. Et en cette fin de matinée, alors qu'il distribuait ses tracts, il se rendit compte qu'il marchait rue de Julienne, parce qu'un employé de la ville était justement en train de changer le panneau portant le nom de la rue. Or, c'était précisément là qu'habitait France Duparc, la deuxième victime dans l'affaire des Disparues.

Un troublant hasard, parce que Franck aurait pu emprunter un autre itinéraire, ou ne pas voir le panneau. Ce qui l'incita à se dire que c'était un signe et qu'il fallait qu'il s'attarde un peu ici. De toute façon, qu'est-ce qu'il perdait à aller poser quelques questions aux occupants de l'immeuble ?

Pas de gardien, l'accès au hall était protégé par un digicode, comme chez les autres victimes. Sharko attendit que quelqu'un sorte et l'interpella, en brandissant sa carte d'inspecteur. Il voulut questionner l'individu, mais s'aperçut rapidement que ce serait inutile : l'homme ne résidait là que depuis six mois.

À l'intérieur, Franck examina les boîtes aux lettres pour repérer les prénoms qui lui semblaient correspondre à des personnes plutôt âgées – Marceline, Odette, Jean… –, inscrivit dans son carnet les numéros associés et alla frapper aux portes. Le quatrième essai se révéla fructueux. Régine Dubreuil, la soixantaine, logeait deux étages en dessous de France Duparc. Bien sûr, qu'elle se rappelait cette sinistre histoire de disparition et de meurtre qui avait choqué tout le quartier. Elle vivait ici depuis plus de vingt ans, et d'ailleurs, à l'époque, des policiers l'avaient interrogée.

— Quatre ans après, vous continuez à chercher l'assassin ? s'étonna-t-elle. Vous ne savez donc toujours pas qui a commis ces horreurs… C'est possible qu'un tel homme soit encore en liberté ?

Le jeune inspecteur avait tiré le gros lot, mais refusait d'entrer dans les détails. Il resta sur le palier et enchaîna sur la raison de sa venue :

— J'aimerais savoir s'il y a déjà eu un incendie dans cette copropriété, antérieur à la mort de France Duparc. Aux alentours des années 1986, 1987. Voire seulement quelques mois auparavant.

Elle réfléchit un instant puis secoua la tête.

— Non, pas à ce que je sache.

— Pas d'appartement ou de local à poubelles en flammes ? Ni de problème électrique qui aurait déclenché un départ de feu ? Désolé d'insister, mais c'est important.

— J'ai plutôt bonne mémoire et ça ne me dit rien. J'étais peut-être absente quand ça s'est produit…

Remarquez, je crois que je l'aurais su, quand même. Je discute beaucoup avec les gens de l'immeuble. Un bâtiment voisin ? Allez savoir…

Elle lui semblait lucide. Franck la remercia d'une poignée de main avant de s'éloigner. Il allait encore toquer à quelques portes, au cas où. Soudain, il revint sur ses pas avant que la dame ne referme.

— Excusez-moi d'abuser de votre temps. Je vous ai parlé d'incendie, mais ça pourrait être autre chose. Un événement qui aurait nécessité l'intervention des pompiers ou des secours, par exemple.

Son interlocutrice demeura immobile quelques secondes, puis une étincelle éclaira son regard.

— Ah si… Il y a quelque chose qui devrait vous intéresser. Attendez que je me rappelle comment ça s'est passé, et surtout quand…

Elle mit sa main sur son front, et se soumit visiblement à un intense effort de concentration.

— Oui, c'est ça, c'était au printemps 1987, lâcha-t-elle enfin. Avril, mai, dans ces eaux-là, parce que j'étais allée acheter des géraniums pour les mettre sur le balcon…

Sharko était tout ouïe. France avait été enlevée fin août 1987. Ça collait.

— Quand je suis rentrée de mon marché, il y avait des pompiers et des ambulances partout. Ils étaient en train d'évacuer mon immeuble et ceux de cette partie de la rue. Il y avait une fuite de gaz quelque part. On n'a jamais vraiment su où. En tout cas, il n'y a pas eu de casse, rien n'a explosé. Ça a duré une paire d'heures, et ensuite on a pu reprendre le cours de nos vies.

La présence des ambulances et des pompiers, encore. L'évacuation des riverains. Franck imaginait les secours parcourant les couloirs et exigeant des habitants qu'ils quittent leur logement. L'assassin avait-il alors croisé sa future proie ? Avait-il rencontré Isabelle Rondieux, la troisième victime, au moment où un appartement de son étage brûlait ? Pouvait-il s'agir du point commun entre les enlèvements qu'ils cherchaient ?

Régine Dubreuil était incapable de dire si France faisait partie de ceux qui s'étaient retrouvés dans la rue, ni qui exactement était intervenu, mais peu importait. Sharko avait la soudaine conviction de tenir une piste sérieuse. Il se mit à espérer.

— Je vous demanderai un dernier effort, fit-il. Avril ou mai 1987 ? Pensez à vos géraniums, à ces fleurs sur votre balcon. Essayez de vous remémorer les événements de cette journée-là. Des informations, peut-être. À la télé, la radio…

Elle réfléchit, sembla attraper une idée au vol.

— Dalida… Je ne sais plus quand elle est décédée, mais c'était quelques jours avant. J'en pleurais encore quand j'ai planté mes géraniums. « Le temps des fleurs »… C'était une de mes chansons préférées…

Franck la remercia, prit des notes dans son carnet, trouva le métro à la station des Gobelins et descendit vingt minutes plus tard à l'arrêt Boucicaut, dans le 15e arrondissement, celui de la toute première victime, Corinne Dufauchelle, morte le 12 mars 1986. Elle avait résidé rue de Lourmel. Il ne se souvenait plus du numéro mais il avait vu les photos : un gigantesque édifice, juste à côté d'un pressing.

Il reconnut le bâtiment à dix étages, un vaisseau de béton beaucoup plus impersonnel que le précédent. Les PV mentionnaient d'ailleurs une bonne centaine de logements. Peut-être cent cinquante. Ça impliquait au moins le double d'occupants.

Il recommença son porte-à-porte, armé cette fois d'une question précise : des secours étaient-ils intervenus dans l'immeuble ou les environs les semaines ou mois précédant la disparition de Corinne Dufauchelle ? Malheureusement, ça remontait à plus de cinq ans, c'était trop vieux pour que les gens fassent tous preuve de la même précision que Régine Dubreuil : il n'était pas rare de croiser le SAMU, une ambulance ou des flics… Des incidents arrivaient régulièrement. Un locataire foudroyé par une crise cardiaque… Un chat coincé sur un appui de fenêtre… Une femme bloquée dans l'ascenseur…

Après ces rapides investigations qui ne débouchèrent sur rien, Franck regagna la rue pour poursuivre sa distribution de tracts. Le ciel était dégagé, la météo clémente – juste une bise discrète qui piquait les joues. Il leva le visage pour profiter des rayons du soleil. Il aimait cette belle lumière d'hiver. La Seine scintillait, des gens riaient sous les décorations de Noël et à la sortie des magasins. Dans certaines rues, ça sentait les marrons chauds et le maïs grillé.

Malgré la liesse, il ne pouvait s'empêcher de penser à ses découvertes. Et si le tueur de Corinne, France et Isabelle faisait partie de l'un de ces corps de métier en première ligne en cas d'urgence ? Ça pourrait expliquer qu'il ait agi dans des arrondissements différents mais proches. Peut-être repérait-il des lieux adéquats

– parking, absence de concierge… – ainsi qu'une victime potentielle correspondant à ses critères lorsqu'il était en service. Puis il passait à l'action quelques mois plus tard.

En rentrant chez lui, ce soir-là, les mains vides – il en avait enfin fini avec ces maudits tracts –, Franck eut le sentiment d'avoir bien avancé. Le tueur leur avait échappé toutes ces années, sans doute se croyait-il à l'abri.

Mais un requin lui collait au train. Un prédateur qui avait flairé l'odeur du sang.

31

Lundi 23 décembre au matin, veille de réveillon, les voitures étaient pare-chocs contre pare-chocs sur les boulevards illuminés. Franck avait préféré marcher et attraper le métro – un mode de transport rapide et direct qu'il appréciait de plus en plus. Il avait décidé de garder le silence sur les informations récoltées au sujet de l'affaire des Disparues. Sinon, il lui faudrait expliquer qu'il avait sorti une feuille de la bulle pour la faire analyser par un service de police scientifique lillois. Ce serait la porte assurée.

Il montait l'escalier menant à la Brigade criminelle lorsqu'il entendit des pas pressés claquer en sens inverse. Santucci, le Glaive et Florence le dévalaient comme s'ils avaient le diable aux trousses.

— Qu'est-ce qui se passe ? demanda-t-il.

Le Corse le croisa sans lui prêter la moindre attention. Florence, elle, ralentit à son niveau.

— Le télégramme du Glaive a enfin porté ses fruits. On vient d'avoir un appel du SRPJ de Rouen. On a de bonnes chances d'avoir identifié notre cadavre de Saint-Forget.

Sharko s'apprêtait à faire demi-tour pour les accompagner, mais Florence secoua la tête.

— On a aussi eu un retour toxico, ils ont trouvé. Rejoins Serge. Quand il a su ce que notre cadavre X avait dans le sang, il a foncé aux archives du SATI. Je ne sais pas ce qu'il cherche là-bas, mais… Le lâche pas d'une semelle, Franck. Je n'aime pas quand il réagit en solo, sans rien dire à personne.

— Et elle avait quoi dans le sang ?

Le jeune inspecteur n'eut pour réponse que le battement d'une porte. Il ne s'en formalisa pas. Il allait de toute façon se rendre au SATI, mais il voulait d'abord vérifier un truc qui l'avait obsédé toute la nuit. Il grimpa jusqu'au cinquième, entra dans le 514. Puis il s'approcha du tableau et souleva les feuilles sur lesquelles le Corse avait écrit, afin d'accéder à celles du dessous. Aucun doute : l'écriture de Titi correspondait à celle de la fameuse page 146. Leur ancien chef était donc celui qui avait notifié cette histoire d'appartement brûlé.

Dans le fond, ça ne répondait pas à toutes ses interrogations. En effet, pourquoi toutes les bulles dans lesquelles Franck avait jeté un œil étaient-elles complètes sauf celle-ci ? Pourquoi aucun feuillet, à part celui-ci, ne manquait dans les tonnes de paperasse dévorées depuis son arrivée ici ?

Sharko refusait de croire que Titi ait menti. Pour quelle raison l'aurait-il fait, après tout ? N'était-il finalement pas logique qu'il ne se soit pas souvenu de notes prises des années plus tôt ?

Quoi qu'il en soit, la piste de l'incendie restait inexplorée. Et, étrange hasard, elle était la seule qui semblait mener quelque part.

En route, les trois flics en profitèrent pour faire un point. Le Glaive était au volant, Santucci à sa droite. Ce dernier demanda à Florence de lui transmettre les informations récupérées auprès de la mère de Delphine le vendredi précédent. Entre les réunions avec les chefs et les magistrats, les coups de fil et la reprise du dossier pendant le week-end, il n'avait pas eu une seconde.

— Elle reste très fragile psychologiquement, expliqua la flic. Sa tension est encore trop basse pour que les médecins la laissent sortir. En quelques jours, cette femme a tout perdu…

L'inspectrice observait le Corse par rétroviseur interposé. Dans le miroir, les yeux noirs de son nouveau chef étaient glaçants. Elle ne s'habituerait jamais au tranchant de ce regard.

— Je la crois plutôt sincère lorsqu'elle me dit qu'elle n'a rien soupçonné quant aux dérives supposées de son mari, continua-t-elle. Elle ignore où ont pu être prises les photos. Hormis sa fille, elle confirme ne reconnaître personne. Elle m'a expliqué que son époux était urologue, et grand spécialiste de la chirurgie infantile réparatrice, au niveau sexuel. Il s'occupait de bébés nés avec des défauts de l'appareil génital ou des ambiguïtés sexuelles. Par exemple, ceux qui arrivaient au monde avec deux organes génitaux, ce genre de trucs...

Florence avait remarqué que Santucci se frottait la barbe chaque fois qu'il ne comprenait pas quelque chose. Elle poursuivit néanmoins :

— Ces gamins étaient suivis de longues années par Escremieu. À l'époque, le couple vivait à la campagne, à une vingtaine de kilomètres de l'hôpital Meurin, où elle prétend n'avoir jamais mis les pieds. Monsieur cloisonnait sa vie professionnelle, au point qu'elle est incapable de nous citer le nom d'un seul de ses collègues. Elle dit ne les avoir jamais côtoyés.

— Et l'hôpital lui-même ?

— C'était alors l'un des plus importants établissements pédiatriques de Bretagne. Une usine à jeunes malades qui a fermé ses portes il y a une bonne quinzaine d'années, donc, à cause d'un incendie dû à la vétusté. Manque de bol, les archives ont brûlé. Donc, plus de dossiers, plus de noms... Autant dire que, pour les mômes...

— ... ça va être compliqué, soupira le Corse.

— Oui, mais on peut essayer de joindre les anciens confrères d'Escremieu. En attendant à Bichat, j'ai rentabilisé mon temps : j'ai demandé quelle était la procédure pour obtenir la liste du personnel médical ayant exercé dans tel ou tel endroit à une date donnée. Il faut établir une réquisition appuyée par le juge au conseil de l'ordre départemental concerné. En l'occurrence, le Finistère. J'ai obtenu leur adresse. Dans le meilleur des cas, avec les fêtes, ça va prendre deux semaines pour avoir un retour, mais ça devrait fonctionner. D'autant plus si on insiste sur le caractère urgent de notre enquête.

— Je m'occupe de ça en rentrant. Quoi d'autre ?

Florence feuilleta son carnet.

— Elle raconte que son mari a passé ses journées cloîtré dans son bureau, après notre première rencontre à leur domicile. Selon elle, il était inconsolable, il ne parlait plus, ne mangeait plus. Il a balancé un tas de paperasse dans la cheminée, y compris de vieux albums de famille. Elle a tout fait pour l'en empêcher, en vain…

— Il se savait en danger, il avait peur de se faire prendre, intervint le Glaive, alors il a éliminé tout ce qui le reliait à son passé. Ça explique qu'on n'ait rien trouvé de compromettant, hormis un autre tube en plastique rempli de Témik planqué dans un tiroir fermé à clé. C'est vendu sous réglementation, mais il a pu se procurer ça auprès de n'importe quel agriculteur. La plupart d'entre eux en ont un stock.

— Un tube plein… pour sa femme, tu crois ? questionna Santucci.

— C'est possible. Quand Flo et Sharko sont allés l'interroger sur sa fille et leurs rapports, il a dû se sentir menacé. Il avait peut-être prévu d'empoisonner sa femme si elle apprenait qu'il était pédophile, et de se suicider dans la foulée. Certains ne supportent pas de vivre dans la honte. En tout cas, il est parti avec tous ses secrets.

Le Corse se renfrogna.

210

— Parce que vous avez merdé. Ça n'aurait jamais dû arriver. On n'en serait pas là, aujourd'hui, je vous rappelle.

— Ça, c'est sûr, souffla Florence en se carrant dans son siège. Et tu peux pas imaginer ce que je serais prête à donner pour qu'on n'en soit pas là, comme tu dis…

33

Ils n'arrivèrent à destination qu'en fin de matinée. Un collègue du SRPJ de Rouen les attendait dans son véhicule, garé devant une maison individuelle située à Elbeuf, en Seine-Maritime. Bernard Marquille était chef de groupe. Un gaillard d'une quarantaine d'années à la carrure de demi de mêlée, à la courte chevelure noisette. Santucci alla lui serrer la main.

Le Corse fit de rapides présentations, et parla de *leur* affaire comme s'il s'agissait de *son* enquête. Oublié, tout le boulot de Titi. Ce salopard n'avait pas perdu de temps pour tirer la couverture à lui. Florence, sur les nerfs, maudissait l'impassibilité du Glaive, qui installait une pellicule dans son appareil. Que pensait-il, bordel ?

— Vous avez la photo ? demanda Santucci.

Marquille leur tendit un cliché récent d'Hélène Lemaire, la propriétaire du pavillon devant lequel ils se trouvaient, qui avait disparu. Le Corse la confia à Florence, qui acquiesça.

— Oui, c'est elle. C'est bien elle…

Les mines étaient graves : ils tenaient formellement l'identité de la victime aux organes brûlés. Florence observa en détail ce bout de femme souriante, pleine de lumière, et elle n'en ressentit qu'une colère plus forte. La morte n'était plus juste un corps mutilé, putréfié, livré aux mouches. Elle avait désormais un visage, un passé.

Marquille les devança dans l'allée qui menait à la maison de facture classique aux murs en crépi beige, avec un jardin, des palissades et des rangées de cyprès qui l'isolaient des voisins.

— Je vous retrace l'historique du dossier. Hélène Lemaire, trente ans, divorcée et sans enfants, ne se rend pas à son travail le lundi 2 décembre, alors qu'elle y était le vendredi précédent. Elle est standardiste chez un gros assureur à Rouen. Son responsable direct passe des coups de fil, laisse des messages sur le répondeur trois jours d'affilée. Le type, plutôt que de s'inquiéter, la menace de licenciement et tout… Enfin bref, c'est une autre employée qui, le dimanche 8 dans l'après-midi seulement, se décide quand même à venir jusqu'ici. Elle frappe, pas de réponse.

Il désigna le garage.

— Elle fait le tour, glisse un œil dans la fente de la porte du garage et s'aperçoit que la voiture y est. Elle lance alors l'alerte au commissariat de la ville. Les collègues d'Elbeuf arrivent sur place. Comme tout est verrouillé, ils brisent une fenêtre de derrière…

Il inséra une clé dans la serrure de la porte d'entrée.

— Votre clé…, commença le Glaive.

— Elle était posée sur la table du salon.

Le procédurier jeta un regard au mécanisme. Pas de système de verrou à molette. Mais l'absence d'issue fracturée confirmait le mode opératoire du Méticuleux. À l'intérieur, sur les murs blancs du hall, deux symboles avaient été tracés en rouge, face à face. Ils mesuraient au moins un mètre de haut.

♂ ♀

— Les symboles des gamètes homme et femme, souffla Florence. Les cellules sexuelles… C'est du sang ?

— De la peinture. Le pot et le pinceau étaient au bout du couloir, là-bas. On pense que c'est lui qui les a apportés. Aucune empreinte digitale exploitable.

Florence resta là, en pleine confusion. Elle se rappelait ses cours de biologie. La fonction des gamètes était de fusionner pour donner naissance à un nouvel individu au patrimoine génétique unique. Qu'est-ce que le Méticuleux cherchait à leur dire, exactement ? Il n'avait pas écrit « H » et « F », ou dessiné un homme et une femme. Il avait choisi des symboles biologiques… Ça avait donc de l'importance, pour lui.

Elle rejoignit les autres dans la chambre. Sur la cloison face au lit était peint, de la même façon qu'à Saint-Forget, « HOUDINI ». Florence remarqua la stupéfaction sur le visage du Glaive. Celui-ci ne décrochait pas son regard de l'inscription. Ils tenaient là, sans doute, l'autre mot de la paire dont parlait le Méticuleux dans sa lettre. PAGODE/HOUDINI. Le Glaive haussa les épaules pour exprimer son incompréhension.

— Hélène Lemaire a dû être surprise dans son sommeil, mais elle s'est débattue, poursuivit Marquille. Il y avait un peu de sang sur l'oreiller et le haut des draps. Les placards étaient ouverts, le pyjama au sol : ils l'ont vraisemblablement forcée à s'habiller. On n'a pas trouvé ses papiers, ni son sac à main, ils ont tout embarqué. Mon groupe et moi, on a été saisis le lundi matin, le 9, donc, pour disparition inquiétante.

— Vous dites « ils » au pluriel. Ils étaient plusieurs ?

— Simple supposition.

La pièce était en désordre : table de nuit renversée, lampe de chevet cassée au sol. Santucci tendit au Normand une des deux enveloppes qu'il tenait.

— On a découvert son corps la nuit du mardi au mercredi à Saint-Forget, dans les Yvelines, expliqua-t-il. Selon notre légiste, elle a été tuée le jeudi ou le vendredi précédent. Si elle a été enlevée le week-end d'avant, ça signifie que l'assassin l'a séquestrée quelques jours, avant de lui infliger ça...

Marquille observa les photos de la scène de crime.

— Quelle bête sauvage a pu lui faire une chose pareille ?

— Le même taré qui a peint ces trucs sur les murs. Notre télégramme a été émis il y a une dizaine de jours, vous avez mis un peu de temps à nous appeler...

Le Normand lui rendit son enveloppe d'un geste plutôt sec.

— Du temps, oui, mais on vous a quand même contactés. Trois fois par mois, un ripeur jette un œil dans cette monstrueuse paperasse qui remonte jusqu'à notre état-major et il est tombé sur votre télégramme ce samedi. On ne peut pas en dire autant de votre côté, puisqu'on a émis l'avis de disparition d'Hélène Lemaire un peu avant vous, et que vous ne vous êtes pas manifestés. Vous n'avez pas de ripeurs, chez vous ? Ou alors, ils font mal leur boulot...

Santucci fit la sourde oreille et reprit aussitôt :

— Houdini... C'est le magicien, c'est ça ?

— Une légende vivante du début du siècle, en effet. On a recentré nos investigations autour de ça, on a cherché un rapport avec la magie dans l'univers d'Hélène Lemaire, on n'a rien trouvé. Elle semblait aussi proche de la magie que moi d'une école de danse classique. On s'est même procuré, non sans mal, une biographie de ce type, mais pour être honnête, on ne l'a pas encore feuilletée.

— Nous, on avait le mot « pagode » peint de la même manière à Saint-Forget. D'après l'assassin, ces deux mots vont ensemble, et la paire est censée nous mener vers la porte d'un secret, ou vers quelqu'un qui serait en mesure de nous ouvrir cette porte. Vous y pigez quelque chose, vous ?

— Que dalle.

— Où en est votre enquête ?

— Et la vôtre ?

Bernard Marquille n'avait pas l'air du genre à se laisser marcher sur les pieds.

— Je ne m'en prends pas à vous particulièrement, mais on connaît le 36 et son incroyable capacité à tourner à son avantage les affaires importantes. Certes, vous avez découvert le corps, mais le lieu originel de commission des faits se situe sur notre circonscription. Notre implication est antérieure à la vôtre.

Le Corse fit mine de réfléchir, mais rien n'était improvisé dans son plan : il en avait parlé dans la voiture à ses coéquipiers. Un vrai malin.

— Vous avez raison, répliqua-t-il. Aussi, je vous propose qu'on travaille en cosaisine. Vous vous chargez des investigations concernant Hélène Lemaire, mais vous nous faites remonter les procédures pour qu'on les intègre à notre dossier. Officiellement, vous bossez sous notre autorité. Officieusement, on vous fait confiance et vous menez votre barque. À vous l'adrénaline, à nous la paperasse. Tout le monde y gagne.

— Surtout vous.

Alors que les deux hommes défendaient chacun leur bout de gras, et que le Glaive mitraillait avec son appareil photo, Florence parcourut la pièce. Une chambre classique dans une maison classique. Quelques cadres accrochés, pas de livres. Elle jeta un œil par la fenêtre qui donnait sur des champs, puis vers le mur. Houdini. Le Méticuleux avait pris le temps de laisser cette indication qui, à l'évidence, s'adressait à eux. Pourquoi prendre ce risque ? Leur tueur se considérait-il comme un roi de l'illusion et voulait-il le leur faire savoir ? Quel était le rapport avec les gamètes tracés dans le hall ?

Toutes ces questions se bousculaient dans sa tête quand elle revint à proximité des chefs, parvenus à un compromis. Marquille, visiblement plus en confiance, livrait des détails :

— L'absence de traces d'effraction nous a laissés penser qu'il, ou ils au pluriel possédaient la clé, ou alors qu'une issue était ouverte. Ils sont entrés alors qu'Hélène Lemaire était couchée, sûrement de nuit. Personne du coin n'a rien vu ni rien entendu. Cette femme vivait seule. Elle était fille unique. On a interrogé une bonne partie de son carnet d'adresses. Pas de profil suspect pour le moment.

— Les parents ?

— Morts tous les deux dans une avalanche, en 1983. Ils faisaient du hors-piste. Hélène avait vingt-deux ans… Au moins, on n'aura pas à leur annoncer la triste nouvelle.

— Ils habitaient à la montagne ?

— Haute-Savoie, oui. Dans un bled à une vingtaine de kilomètres de Chamonix. Le couple tenait une boutique de fringues. Après leur disparition, Hélène a été incapable de continuer à vivre là-bas. Elle a tout vendu et a quitté sa région natale pour débarquer à Rouen où elle a rencontré son ex-mari. Plus tard, ils se sont installés ici, à Elbeuf. Après le divorce il y a cinq ans, lui est parti à Rennes, elle est restée dans la maison.

— Pas de lien avec la Bretagne quand elle était gamine ? demanda Florence. Avec un hôpital brestois pour enfants, l'hôpital Meurin ?

— Pas à ma connaissance. La Haute-Savoie et la Bretagne, ce n'est pas tout proche.

L'inspectrice pivota vers son supérieur.

— Tu peux lui montrer les autres photos ?

Le Corse tendit les clichés des gamins nus. Florence expliqua. Elle parla d'André Escremieu, de sa pédophilie présumée, de sa fille Delphine qu'elle désigna du doigt… Bernard Marquille emmagasina les informations et secoua la tête.

— Hélène Lemaire n'y est pas.

— Elle n'a pas eu de soucis de santé touchant à l'appareil génital, l'urologie ? insista-t-elle. C'était la spécialité d'André Escremieu…

Le Normand haussa les épaules, fixant le Glaive qui, quasiment dans le couloir, enfonçait encore le déclencheur de son appareil reflex.

— Rien n'est ressorti des auditions, en tout cas. Il faudra réinterroger l'ex-mari, et éventuellement faire une requête pour accéder à son dossier médical.

Ils finirent par quitter la chambre qui, assurait leur collègue, avait été fouillée avec minutie par ses hommes. Dans le hall, Florence s'arrêta à proximité des symboles.

— Toujours ce rapport à la sexualité, fit-elle. Le tueur a parcouru plus de cent kilomètres entre cette maison et le cocon de Delphine Escremieu, pour y ramener Hélène Lemaire, l'attacher au lit et lui infliger des mutilations aux organes génitaux. Imaginez la souffrance qu'elle a dû endurer.

Elle se tourna soudain vers Marquille.

— Hélène Lemaire était hétérosexuelle à 100 % ?

— Il semblerait, oui. Elle a été mariée, a eu un petit ami ensuite. Pour tout vous dire, on ne s'est même pas posé la question d'une éventuelle bisexualité…

— Je comprends… Admettons que le père de Delphine ait fait du mal à notre tueur alors qu'il était gamin… Un enfant victime d'un prédateur sexuel, un enfant qui est resté profondément traumatisé par ce qu'il a vécu. Mais Hélène, que vient-elle faire là-dedans ? Qu'est-ce qu'elle lui a fait pour mériter pareil châtiment ? C'est quoi, le lien ?

L'inspectrice entendit les poils de barbe de Santucci crisser, derrière elle. Après un temps, son chef reprit le chemin de la sortie au côté de son homologue normand.

— On vous suit jusqu'à Rouen, histoire d'organiser notre collaboration et d'échanger un maximum d'informations avant que tout le monde parte pour les fêtes. Croyez-moi, inspecteur Marquille, on va lui mettre le grappin dessus. Et quand ça arrivera, ce fils de pute regrettera d'être né.

34

Après avoir présenté sa carte au planton, puis au fonctionnaire de l'accueil, Franck Sharko put pénétrer dans le Service des archives et du traitement de l'information, situé à côté de la PJ, au 3, quai de l'Horloge, dans la tour Bonbec. Cet endroit était la mémoire du 36, le digne héritier de la salle des fiches inventée par Vidocq.

Les lieux impressionnaient Sharko. Ils symbolisaient pour lui toute la puissance et la modernité de la police. Cent cinquante fonctionnaires y œuvraient, prêtant main-forte aux flics de tous horizons qui, chaque jour, venaient consulter des dossiers. Entre ces murs, les ripeurs s'en donnaient à cœur joie. Dans la cave du bâtiment, on pouvait fouiller parmi 300 000 photos d'identité, face et profil, 140 000 fiches décadactylaires et d'innombrables procédures judiciaires, entre autres. Seule contrainte : il fallait travailler sur place, car les photocopies étaient interdites et aucun document ne pouvait sortir des locaux.

Le jeune inspecteur s'engouffra sous une voûte de pierre et atteignit une salle éclairée avec parcimonie, où des collègues étaient penchés sur leur table, le nez enfoncé dans des feuilles parfois jaunies. On n'entendait rien d'autre que le bruissement du papier et les murmures des limiers qui évoluaient dans les allées hautes de plusieurs mètres, à la recherche d'un visage, d'un nom, d'un souvenir.

Serge Amandier n'était pas là, alors Franck s'aventura dans la pièce attenante, où étaient stockés les milliers de dossiers traités par les brigades du 36, sur plus de trente ans. Rapidement, il tomba sur son collègue, agenouillé devant une étagère correspondant à l'année 1986. Ce dernier tourna la tête lorsqu'il vit une silhouette se profiler dans son champ de vision.

— Ah, Sharko. Te voilà… Je te croyais mort. C'était bien, les tracts ?

— Encore un mois, et je connaîtrai Paris comme ma poche.

— C'est de cette façon qu'on devient flic. En arpentant le pavé. En fouinant dans la poussière. Pas en gardant le cul vissé sur une chaise, derrière une machine à écrire, à taper des conneries qui nous emmerdent tous. Un vrai flic, il a les pieds en sang. T'as les pieds en sang, Sharko ?

— Ça me fait un mal de chien.

Serge se redressa avec une grimace, une main dans le dos.

— C'est pas bon, de vieillir. Tiens, jette un œil à ma place. Année 1986, ou 1987. Peut-être même 1988. Une sombre histoire du côté de la gare du Nord. Un cadavre d'homme retrouvé sur les rails, au dépôt de la Chapelle. De multiples coups de couteau, une affaire de came, si mes souvenirs sont bons… Je ne sais plus qui s'est

221

occupé de ça chez nous. J'ai attaqué par là, jusqu'au dossier H 161 675. Si on manque de bol, on en a pour un bout de temps. Je sors me fumer une clope et prendre un petit déj. Je reviens dans une heure ou deux.

Une heure ou deux... Franck n'eut pas l'occasion de protester, l'autre avait déjà fichu le camp. Avec un soupir, il se mit à la tâche. Il saisit un épais classeur datant de novembre 1986, parcourut la description du premier PV établi par le procédurier. Corps de femme, strangulation, bois de Boulogne. Au suivant... Un noyé... Puis un tué par balle... Puis une vieille découpée en morceaux, rue Poissonnière...

Deux bonnes heures plus tard, Amandier réapparut et s'installa à côté de lui. Il empestait la cigarette.

— Tu m'expliques enfin ? demanda Franck.

— Ce que la victime de Saint-Forget avait dans le bide, c'était de la TTX, chuchota le numéro 2 du groupe. C'est la première fois que la toxico a affaire à ce genre de produit, c'est pour ça qu'ils ont mis autant de temps à le détecter. Les machines n'avaient jamais croisé sa signature organique.

— De la TTX ?

Le flic se tourna vers Franck. Ses yeux brillaient, son haleine sentait le whisky. Il planquait sans doute une flasque quelque part à l'intérieur de son blouson. Il était à peine 11 heures.

— Tétrodotoxine. Une vraie saloperie. C'est l'une des substances les plus toxiques du monde. Sécrétée par quelques animaux exotiques. Les poissons-globes, certaines espèces de pieuvres, de salamandres et de grenouilles. Il suffit parfois d'un contact avec la peau, d'une

222

dose infime, même pas de l'ordre du milligramme, et cette merde pénètre dans ton organisme…

Amandier effleura une saleté du bout des doigts.

— Tu vois, moins encore que cette poussière… Les symptômes dépendent de la concentration en poison. Ça peut aller de simples fourmillements sur les lèvres à la mort, en passant par la paralysie complète du corps. C'est pas comme une drogue, Sharko. Pas de paradis artificiel ou d'hippopotames roses. Avec la TTX, tu ne peux plus bouger un muscle. Même tes voies respiratoires se paralysent progressivement, t'as l'impression de respirer dans une paille ou un sac plastique, et tu finis par étouffer. Mais t'es conscient de tout, parce que ton cerveau, lui, il reste actif. C'est une souffrance abominable.

Franck s'était immobilisé, imaginant l'horreur de la scène à Saint-Forget. La victime paralysée, incapable de crier, de réagir, alors que la flamme du chalumeau s'approchait de ses parties intimes et lui carbonisait les chairs. Et la douleur, infinie…

— Ouais, c'est moche, fit Amandier en constatant le trouble de son collègue. C'est pour ça qu'on doit pas avoir de pitié pour ces salopards. Dire qu'on me gueule dessus quand j'avoue que je suis pour la peine de mort ! Mais ces mecs-là, faut leur faire mal. Les griller sur la chaise. Parce que les barreaux d'une prison, ce n'est pas suffisant. Mitterrand aurait jamais dû la faire sauter.

Le numéro 2 serrait les poings. Sa tache de naissance changeait de forme quand il plissait le nez. Il se rendit compte que son visage n'était plus qu'à quelques centimètres de celui de Sharko, et il s'écarta.

— Toi aussi, t'es pour la peine de mort, hein ?

223

— Œil pour œil, dent pour dent.

Amandier lui tapa sur l'épaule avec un sourire.

— C'est bien, petit. C'est bien.

Il ouvrit un nouveau classeur, se reconcentrant sur leur enquête.

— Quand j'ai su pour la TTX, j'ai contacté l'hôpital où se trouve Delphine Escremieu pour leur demander confirmation qu'elle avait, elle aussi, ce poison dans le sang.

— Et c'était le cas…

— Exact. Les toxicos se renseignent plus en détail sur les différents effets de la toxine, mais c'est fort possible que cette saloperie soit responsable de ses nécroses, de son apathie et de l'insensibilité de sa peau. De l'arrêt de son cœur, aussi. Peut-être qu'à petites doses, mais administrée de façon répétée, la TTX lui a bousillé la moitié du cerveau et de ses organes vitaux. En tout cas, le tueur maîtrise son produit. Et c'est parce qu'il est sûr de lui qu'il l'a laissée en vie. Les légumes ne sont pas vraiment bavards.

Un homme voulait circuler dans l'allée. Les deux flics se redressèrent pour lui libérer le passage, avant de reprendre leur position, pour le moins inconfortable.

— Qu'est-ce qu'on cherche, au juste, Serge ?

— Je t'expliquerai quand on aura déniché le dossier que j'ai en tête. Occupe-toi de l'année 1988, je fais 1987.

Franck obtempéra et se remit au travail en silence. Il observait son collègue, à présent très impliqué, du coin de l'œil, se rappelant les propos de Florence à son sujet : Serge avait été un excellent flic… Et sa présence ici, au milieu de ces archives, le dos brisé sur des étagères pour déterrer le passé, montrait qu'un bon flic le

224

restait sans doute, malgré l'usure et la couche de colère qui, petit à petit, vous démontait la tête.

Au bout d'une heure et demie, après de multiples cigarettes, gobelets d'eau et gorgées d'alcool, la voix d'Amandier résonna dans un cri de victoire.

— Putain, je l'ai enfin ! « Affaire Mezraoui ». C'est le nom du macchabée. Ah, c'est Pascal Colbert qui a bossé sur ce truc… Ce vieux bougre doit être à Lyon, maintenant. Il a toujours préféré les Stups.

Il colla un classeur dans les mains de Sharko, en emporta un autre sous le bras.

— Il n'y en a que deux, une chance. Deux cents, trois cents PV max. On regarde d'abord ça, et après, on ira casser la dalle. Je commence à avoir faim.

Ils s'installèrent à une table libre.

— Maintenant, il faut trouver le bon gars dans tout ce bordel. Je te la fais courte… T'as pu remarquer que tous les lundis matin, les chefs de groupe ont une réunion pendant laquelle ils mettent à plat tout ce qui est en cours. J'ai le souvenir de réunions où Colbert, donc, évoquait les avancées de cette affaire Mezraoui. À un moment donné, il a été question d'un individu qui possédait des animaux exotiques ultra-venimeux, dont des minuscules grenouilles colorées capables de tuer un bœuf. Je ne sais plus quoi, où, ni comment, mais c'est ce gars-là qu'on cherche.

— Je veux bien. Mais il date, ce dossier. Pourquoi ce type aurait un rapport avec notre enquête ?

— Le technicien de la toxico a été formel : la TTX, c'est hyper-rare. La preuve, leurs machines ont du mal à la détecter. Ça ne s'achète pas, ça ne se fabrique pas. Il te faut non seulement les bestioles venues de l'autre bout de la planète, mais tu dois aussi en connaître un sacré rayon pour prélever la toxine sans te tuer toi-même... Des mecs comme ça, ça court pas les rues, fais-moi confiance. Allez...

D'un même élan, ils se plongèrent dans la paperasse, compulsant méthodiquement la masse impressionnante de procès-verbaux. Franck dénicha une piste une heure plus tard. Il n'était pas loin de 14 heures, son ventre gargouillait. Il lut un document avec attention, avant de relever la tête vers Amandier.

— Je crois que je le tiens. Félix Scotti... Un consommateur d'héroïne, client régulier de Mezraoui. Son domicile a été perquisitionné en mai 1987. C'est là que les collègues ont découvert la caverne d'Ali Baba. Araignées, grenouilles toxiques...

— Ouais, c'est ça. Fais voir.

Le flic attrapa la feuille que Sharko lui tendit et la lut.

— Félix Scotti... Il n'a pas été inquiété dans l'affaire Mezraoui, il n'était pas coupable. Mais il a balancé des tuyaux qui ont permis de loger le tueur, c'est pour ça que Colbert ne lui a pas collé les douanes sur le dos. Une façon de le remercier.

Il nota l'adresse du type dans son carnet, jeta un œil à sa montre et se leva.

— On va y arriver... Je vais demander à un technicien qu'il nous sorte le CV de notre candidat. Pendant ce temps-là, va remettre les classeurs en place.

La totalité du fichier des antécédents judiciaires, soit plus de deux millions et demi de noms, était contenue dans douze énormes cylindres que seuls douze fonctionnaires accrédités pouvaient manipuler. À l'école des inspecteurs, on avait expliqué à Sharko que, bientôt, cette faramineuse quantité de fiches tiendrait dans les quelques centimètres carrés de ce qu'on appelait un disque dur et que n'importe quel flic, n'importe où en France, y aurait accès sans quitter son bureau.

En attendant, il fallait opérer à l'ancienne. L'employé répondit à la requête d'Amandier en moins de deux minutes, ce qui témoignait d'une sacrée efficacité. Serge voulut également récupérer la photo de leur suspect, stockée à part pour des raisons de conservation.

— Je vous l'apporte. Restez ici pour consulter la fiche, s'il vous plaît.

Serge le laissa s'éloigner et parcourut le document.

— Félix Scotti, né en 1957 à Bourg-la-Reine. Il a donc aujourd'hui… trente-quatre ans. Pas de gros délits. Un vol de voiture en 1976, agression en 1981 et 1983, trafic de faux papiers en 1984.

— Rien sur cette histoire d'animaux ? s'étonna Franck qui n'avait pas traîné pour le rejoindre.

— Je te l'ai dit, si Scotti a fourni de bonnes infos, Colbert a fermé les yeux pour le trafic. Dans tous les cas, je suis presque certain que notre homme a continué à élever ses saloperies de bêtes. On va bouffer, puis je passerai un coup de fil aux impôts pour vérifier que l'adresse est toujours la bonne, et c'est parti.

C'est parti… Franck voyait l'allure déterminée de Serge, et il redoutait le pire. Le fonctionnaire leur confia une photo de Scotti. Elle datait de sa dernière infraction, sept ans plus tôt. Amandier l'étudia, puis la tendit à Sharko.

— Mémorise bien sa tronche.

Franck observa l'individu. Un grand gaillard d'un mètre quatre-vingt-sept, plutôt maigrichon, cheveux blond-roux. La lèvre supérieure proéminente à cause de ses dents en avant. Une asymétrie dans le regard qui dérangeait. *Un mec dangereux*, songea le jeune inspecteur. Il rendit le cliché au technicien. Un éclat d'excitation luisait dans les pupilles d'Amandier. Il semblait lucide, mais il avait bu, et Franck frissonna quand il entendit les mots sortir de sa bouche.

— Toi et moi, on va aller lui rendre une petite visite. En espérant qu'on ne croisera pas de serpents. J'ai une sainte horreur de ces bestioles.

35

Serge Amandier avait décidé de prendre son véhicule personnel, plutôt qu'une voiture de fonction dont il aurait été obligé de notifier l'emprunt dans le registre. Il avait équipé sa Peugeot d'un micro et d'une radio branchée sur la fréquence de la police, à l'évidence sans la moindre autorisation. Il klaxonnait à tout-va, coincé dans les bouchons de fin de journée, boulevard Raspail. Assis à ses côtés, Sharko angoissait. Son collègue était très nerveux, avait ajouté trois verres de vin à son compteur et, surtout, il n'avait averti personne de leur virée.

— Je te sens tendu, petit, lâcha le flic lorsque enfin la voie se dégagea. T'es certainement en train de te dire qu'on ne respecte pas le pro-to-cole... Mais t'as vu où ça a mené Titi, le protocole ?

Il se racla la gorge et cracha par la fenêtre.

— Moi, j'emmerde le protocole. C'est toujours comme ça que j'ai exercé. Avant, on ne se posait pas toutes ces questions bureaucratiques. Y avait pas les bœuf-carottes qui déboulaient dès qu'un suspect avait la gueule un peu en vrac. On fonçait, c'est tout. Et ça marchait diablement bien. Alors, t'es avec moi ou t'es pas avec moi ? Je préfère te débarquer ici plutôt que tu me chies dans les bottes.

Franck serra les mâchoires.

— J'ai l'impression de ne pas avoir le choix.

— C'est ça, t'inquiète, petit, on racontera que je t'ai forcé à venir. T'es un bleu, t'as pas osé refuser. Et puis, on va juste allonger quelques baffes à un mec, c'est pas Fort Alamo non plus.

Il glissa une cassette dans l'autoradio et augmenta le son à la première chanson de Johnny Hallyday, histoire de mettre un terme à leur conversation. Après quoi il s'alluma une cigarette. Sharko scruta discrètement les larges mains de son collègue. De véritables battoirs. Il avait dû en distribuer, des claques. Le jeune inspecteur ne savait plus quoi penser. On lui avait appris les règles à l'école, mais ici personne ne les respectait. Il détourna la tête vers les lumières de la ville, tandis que ses vêtements s'imprégnaient encore et encore de cette satanée fumée. Il puait la clope. Comment allait-il tenir quarante ans comme ça ? Comment cette journée allait-elle se terminer ?

D'après leurs informations, Félix Scotti avait déménagé en banlieue en 1988. Il habitait désormais au bord de la nationale 20, quelque part entre Longjumeau et La Ville-du-Bois, à une vingtaine de kilomètres au sud de Paris. Ils mirent plus de deux heures pour faire le chemin.

La nationale 20… Un enfer. Franck observait les façades noires de pollution le long de la route, les boutiques de réparation en tout genre encastrées entre les masures, les casses automobiles, les dépotoirs à ciel ouvert où s'entassaient machines à laver rouillées, réfrigérateurs et autres appareils électroménagers. Et, devant lui, derrière lui, dans les deux sens, cet interminable ballet de moteurs bruyants et brûlants, tous ces véhicules de travailleurs anonymes, cul à cul, dont les pots d'échappement crachaient une fumée grise. Sharko aurait été incapable de vivre dans l'une de ces maisons où il suffisait de sortir de chez soi et d'avancer d'un pas pour se faire couper en deux.

— On a passé Longjumeau, on est dans les numéros 300. Ça doit être l'une de ces bicoques.

La voix de Serge l'arracha à ses pensées. Ce dernier pointait du doigt une vieille baraque, sur la droite, et son portail en métal, tellement tagué qu'on n'en voyait plus la couleur d'origine. Il était impossible de se garer – le trottoir ne mesurait même pas un mètre –, les façades faisaient front, dressées en une forteresse. Le flic trouva une place plus loin, sur le parking crasseux d'un garagiste. Il était près de 19 h 30, l'établissement était fermé, mais un type surgi de nulle part leur demanda de dégager de là. Amandier brandit sa carte devant son nez.

— Boucle-la, Ducon.

Ils longèrent ensuite la route à pied, les phares jaunes des voitures en plein visage. Franck sentait le souffle des véhicules lui frôler l'épaule, entendait les pétarades des motos, et ça l'angoissait. Qu'est-ce qu'il raconterait à Suzanne de ses journées, quand ils habiteraient à deux ? Que ça avait été, au bureau ? Devrait-il lui mentir en permanence ? Ils repérèrent le bon numéro, mais tous les volets de la maison étaient baissés, rez-de-chaussée comme étage, et, surtout, la porte d'entrée était condamnée par une grille scellée à la façade.

— Merde. On ne s'est pas plantés, pourtant, grogna Serge.

— Son adresse n'est peut-être plus à jour.

Le portail était trop haut pour le franchir, et verrouillé.

— On va essayer de voir par l'arrière…

Ils marchèrent sur une cinquantaine de mètres, jusqu'à une rue qui faisait la jonction avec une route parallèle à la N20. Ils la remontèrent. Constatèrent que tous les logements qui donnaient sur la nationale disposaient de jardins étroits, mais profonds. Puis finirent par arriver à destination. Des lampadaires éclairaient une grille cadenassée. Serge passa par le jardin voisin, plus accessible, et grimpa sur un amas de terre qui lui permit de sauter sans mal de l'autre côté. Sharko suivit sans broncher, mais il détestait la tournure que prenaient les événements.

Il atterrit sur des bâches en plastique bleues où stagnaient des flaques d'eau saumâtre. Aucune trace d'un véhicule dans l'allée. Plus loin, des palettes, des tuiles en grande quantité, des cageots de bois enchevêtrés, de la ferraille, des pneus empilés, des appareils électriques désossés. Une vraie décharge.

Alors qu'ils se rapprochaient, il tapa sur l'épaule de son collègue et désigna deux chats crevés dans une brouette. Amandier s'approcha et plissa le nez. Les animaux étaient rigides, pattes raides, et recouverts de poudre blanche : de la chaux vive qui allait accélérer la décomposition et limiter les odeurs. Leur mort était récente.

— Quel taré ! Au moins, on ne s'est pas trompés d'adresse.

Sharko sentit la tension monter d'un cran. Ils se frayèrent un chemin dans ce chaos et atteignirent enfin la maison – un bloc de béton gris et humide. De là non plus, aucune lumière ne filtrait. Sur la marche fissurée menant à l'entrée, une paire de bottes en caoutchouc, des gants en maille d'acier, ainsi que ce qui ressemblait à une longue pince, de celles qu'on utilise pour ramasser les ordures sans se baisser.

La porte en bois n'était pas condamnée. Elle n'avait pas l'air solide et comportait une partie vitrée rendue opaque par la crasse. Serge cogna dessus, et il eut l'impression qu'elle était sur le point de céder.

Pas de réponse. Pas un bruit.

— Y a personne…

— Tant mieux, répliqua Franck avec soulagement. On devrait attendre qu'il revienne et appeler des renforts. Il y a quand même des bêtes mortes, là…

Serge plaqua son coude sur la vitre, poussa d'un coup sec. Elle se décolla d'un bloc et chuta sur quelque chose de mou sans se briser. Dix secondes plus tard, il était à l'intérieur, arme brandie, dans l'obscurité.

36

Sharko dégaina et suivit son collègue. Ça sentait le salpêtre, le plâtre mouillé et une autre odeur plus forte. L'atmosphère était moite, suffocante. Elle rappela à Franck celle des containers. Des lueurs violettes émanaient du bout d'un couloir, plus loin.

Ils progressèrent avec prudence. Leurs pieds écrasèrent de la matière molle. Serge appuya sur un interrupteur et n'obtint que l'éclat mourant d'une ampoule qui grésillait et diffusait sa lumière par intermittence, sûrement à cause d'un mauvais contact. Franck distinguait à peine les contours de la grande pièce. C'était un salon, équipé d'un fauteuil craqué, d'une table pleine de détritus et d'un Minitel abandonné par terre.

Des feuilles de journaux avaient été déposées partout sur le sol et le bas des murs en couches épaisses. Serge en tête, ils s'engagèrent dans le corridor encombré de cartons, de prospectus et de boîtes de conserve vides et nettoyées. Comment pouvait-on vivre dans un tel capharnaüm ?

Amandier ouvrit la porte d'une cuisine et fut assailli par la pestilence d'ordures. Vaisselle sale, emballages empilés, sacs-poubelle entassés. Il referma aussitôt.

Retour au couloir. Des pans complets de tapisserie se décollaient, recourbés comme des griffes. Des fissures éventraient le plafond. De l'eau gouttait. Entre deux respirations, Sharko perçut un bruissement, quelque part derrière les cartons. Il fit volte-face. Retint son souffle.

— Putain, y avait quelque chose, là…

— Quoi ?

Soudain, un chat terrorisé jaillit de sa cachette en feulant. Un gros chat gris et blanc au poil dressé. Serge fit un bond. L'animal longea les plinthes et disparut dans le salon.

— Il m'a fait peur, ce con.

Sharko avait le cœur dans la gorge, à deux doigts de la crise cardiaque. Il talonna son collègue qui balançait des coups de pied au hasard autour de lui. Ils passèrent devant des portes, toutes fermées. Vers le fond du logement, le grondement des moteurs provenant de la N20 ne cessait jamais.

Après quelques secondes qui leur parurent une éternité, ils arrivèrent dans la pièce d'où provenaient les lueurs violettes. Une chaleur étouffante les frappa en pleine figure. Face à eux, cinq vivariums répartis le long des murs et positionnés à environ un mètre de hauteur, sur des tréteaux et des palettes en bois. Derrière les vitres, des tubes fluorescents, une végétation luxuriante, des rochers miniatures, des lianes… et leurs très probables occupants.

Sur la gauche, des crissements d'ailes. Dans une cage fabriquée avec du grillage à fines mailles, des nuées de grillons bondissaient. Dans une autre, une colonie d'yeux brillants dépassaient d'un tapis de copeaux de bois : des souris blanches, effrayées, serrées les unes contre les autres… Des proies.

Serge s'approcha d'un vivarium et déchiffra l'écriture noire d'une étiquette. « *Loxosceles reclusa*/Recluse brune ». Il chercha et repéra l'araignée, planquée sous une feuille, avec ses interminables pattes sombres, très fines, son abdomen gonflé et répugnant. Elle n'était pas grosse, mais le flic se doutait que sa piqûre devait avoir la faculté de réveiller un mort. Il en aperçut d'autres, isolées par des grillages. Une sorte d'élevage.

— Saloperie, murmura-t-il entre ses dents.

Franck, lui, se gratta la nuque quand il découvrit l'*Atrax robustus* qui faisait vibrer une toile très élaborée. Ses mandibules s'agitaient comme des hachoirs. Le jeune inspecteur fixa la mouche piégée dans la soie, engluée, et observa ses efforts désespérés pour s'extraire du piège. Victime paralysée d'un prédateur méticuleux…

Le chat feula encore, quelque part. Franck sentait qu'une menace invisible pesait, il avait envie de ficher le camp en quatrième vitesse, de rentrer chez lui et d'appeler Suzanne. Mais il poursuivit son inspection. Dans le vivarium voisin, il peina à discerner le scorpion recroquevillé sous une pierre. Il était minuscule. « *Butheoloides maroccanus* », pouvait-on lire. Son œil s'habitua à la pénombre, et il en distingua six ou sept autres nichés dans le décor.

— J'ai nos tueuses, lâcha Serge dans un souffle.

Franck rejoignit son coéquipier. Avec les étranges éclairages luminescents, les pupilles de ce dernier ressemblaient à deux puits sans fond. Il désigna une grenouille. De petite taille, tachée de noir et de jaune, d'une beauté assassine, elle les regardait de ses yeux globuleux. L'étiquette indiquait : « *Dendrobates leucomelas* ».

— Faut pas se fier aux apparences, expliqua Amandier. C'est un réservoir de TTX. Tu la touches, t'es mort.

Serge se décala vers le dernier vivarium.

— Ce n'est pas lui, le Méticuleux, lança le jeune inspecteur comme s'il réfléchissait à voix haute.

— Ah bon ? Parce que ça te suffit pas, ça ?

— Il y a un truc qui ne cadre pas. Trop de bordel. On est à la limite de l'insalubrité, du cas pathologique d'entassement. Ça ne colle pas avec la précision des énigmes que notre homme nous soumet. Et puis, on est en banlieue, pas à Paris. Pourquoi il aurait posté ses colis depuis des arrondissements parisiens ?

— J'en sais rien. Y a plein de raisons possibles. Parce qu'il y travaille. Ou parce qu'il ne voulait pas attirer l'attention trop près de chez lui. Viens là deux minutes, petit.

Sharko le rejoignit devant un vivarium de plus de deux mètres de long, un concentré de jungle.

— C'est grand comment, un mamba noir ? demanda Serge.

— Aucune idée, mais c'est sans doute le serpent le plus dangereux du monde. Rien à voir avec de la TTX, mais j'ai entendu dire que son venin paralysait et tuait en quelques minutes.

— Fais-moi plaisir et dis-moi que tu le vois quelque part…

Pour la première fois, Franck perçut un trémolo de détresse dans la voix de Serge. À l'évidence, ce dur à cuire avait une peur viscérale des reptiles. Le jeune inspecteur se pencha vers le parallélépipède de verre, en scruta chaque recoin et entreprit d'en faire le tour.

D'un coup, il s'arrêta, figé d'effroi. Il souleva la plaque posée au pied des tréteaux.

— Le vivarium est ouvert.

Ses yeux écarquillés se plantèrent dans ceux de son collègue. Dans la seconde, il se rappela les bottes et la pince, dehors… Les chats morts, saupoudrés de chaux vive… Celui, terrorisé, qu'ils avaient croisé…

Un étrange silence les enveloppa soudain. Sharko se recula, jusqu'à se retrouver dos contre le mur, brandissant son arme des deux mains. Il tremblait de tous ses membres.

— Le mamba est là, dans la maison.

37

Florence avait toujours aimé la nuit, quand les ombres noires s'étiraient sur les pavés, quand le parquet des longs couloirs du 36 grinçait dans un murmure inquiétant et que les bureaux n'étaient plus que des lieux morts où le silence vous sifflait aux oreilles.

Cet amour pour la nuit avait détruit son couple. Combien de fois avait-elle préféré dormir dans ce fauteuil, une couverture sur les épaules, plutôt que de rentrer auprès de son mari ? Combien d'heures passées à refaire le monde avec les copains, juste là, dans les moments de déprime de Titi ou de Serge, au lieu de prendre soin de son homme ?

Cette existence, c'était la sienne, et pour rien au monde elle ne l'échangerait. Même si elle était seule, un 23 décembre, face à des reliefs de quiche froide, assise en tailleur sur la banquette de leur coin salon, les cheveux dénoués, son pull roulé en boule à côté d'elle, un bouquin qui retraçait la vie de Harry Houdini sur les genoux.

Einstein devait être en famille chez ses beaux-parents. Le Glaive était certainement en train de se reposer après une journée bien remplie. Santucci traînait sans doute du côté du Palais de justice, à tenter d'expliquer les tenants et les aboutissants de l'enquête au substitut de permanence. Elle ne portait pas le Corse dans son cœur, mais elle ne pouvait décidément pas nier son acharnement au travail et le fait qu'il se démènerait pour résoudre cette affaire. L'ego avait parfois du bon.

Elle posa son livre. Leva les yeux vers le tableau blanc. Hélène Lemaire… Son identité comblait désormais les cases vides. Sa photo avait rejoint celle de Delphine Escremieu, là-bas, sur le mur derrière la place du numéro 6, à proximité de toutes ces silhouettes d'enfants. Deux femmes martyrisées… Deux femmes damnées…

En chaussettes, elle alla se servir un verre d'eau. Lorsqu'elle passa devant le bureau de Serge, où tout était resté en plan alors que son collègue rangeait toujours sa paperasse dans son tiroir avant de partir, son inquiétude refit surface. Où étaient-ils, Sharko et lui ? Pas chez eux en tout cas, puisqu'ils ne répondaient pas au téléphone. Ils n'avaient pas non plus emprunté de voiture de fonction, d'après les gars du bureau 305 qui géraient le parc automobile.

Amandier avait-il embrigadé leur jeune recrue pour l'emmener Dieu seul savait où ? Ou les deux hommes éclusaient-ils des bières dans un quelconque bar ? Pas impossible que le vieux bougre ait apprivoisé le petit dernier, finalement. Franck Sharko avait montré qu'il avait des couilles et il fonctionnait à l'ancienne. De quoi vite se faire un nom et une place dans le groupe. Peut-être rappelait-il à Serge le gamin qu'il avait été à ses débuts.

Après avoir augmenté le chauffage, Florence s'allongea sur la banquette et se replongea dans la biographie que leur avait confiée Bernard Marquille. Un bouquin rare, écrit dix ans plus tôt par un historien fasciné par Houdini et ses tours incroyables. Un ouvrage qui, comme tous ceux traitant de magie, ne se dégottait que dans certaines boutiques pour amateurs éclairés. Car, si les illusionnistes ne parvenaient pas à empêcher la publication de ce type de livres qui, souvent, dévoilaient les coulisses de leur art, ils tentaient néanmoins de protéger au mieux leur territoire en convainquant les libraires de ne pas distribuer ces écrits trahissant leurs secrets.

L'inspectrice avait déjà entendu parler de ce magicien et de ses prouesses d'évasion, mais sans plus. Elle devait creuser pour essayer de comprendre le sens de l'énigme « Pagode/Houdini ».

L'histoire du Hongrois – elle l'avait toujours cru américain – était fascinante. À juste six ans, il avait commencé à trafiquer les cadenas et les serrures des armoires où sa mère rangeait les confitures. Rapidement, il s'était passionné pour la magie, mais, malgré ses dons évidents, n'était pas parvenu à en vivre.

Avec son physique puissant aux proportions idéales, Houdini avait subvenu à ses besoins en jouant l'homme des cavernes dans un cirque. Grimé, parqué dans une cage, il s'était exhibé et avait passé ses journées à effrayer les visiteurs. En parallèle, il avait continué à travailler ses tours d'illusion. Mais, par nécessité, acculé par la faim, il avait fini par vendre, pour 20 dollars, ses secrets à des magazines spécialisés.

Et puis, en 1898 – il avait vingt-quatre ans –, il réalisa l'exploit qui allait créer sa légende de « roi de l'évasion ». Lors d'un coup publicitaire savamment orchestré, il défia la police de Chicago : il leur annonça qu'il pouvait s'échapper de n'importe quelle cellule en quelques minutes. Après avoir été déshabillé et fouillé, on l'enferma, menottes aux poignets, derrière les barreaux de la prison d'État. Et on l'y laissa seul. Trois minutes plus tard, il se présentait devant la horde de reporters qui patientaient dans le bureau du directeur. Sa carrière était lancée.

Par ses recherches, l'auteur de la biographie avait appris que, pour s'évader ce jour-là, Houdini avait dissimulé un passe-partout au bout d'une ficelle dans son œsophage. Il l'avait régurgitée grâce à une technique apprise par un avaleur de sabres.

Appuyé par des mises en scène de plus en plus complexes et spectaculaires, l'homme allait ensuite conquérir le monde, animé par une seule obsession : devenir le plus grand magicien de tous les temps. Il côtoya Arthur Conan Doyle, impressionna Roosevelt lors d'une démonstration sur un bateau, enseigna son art à H. G. Wells, l'auteur de *L'Homme invisible*, le livre dans lequel le Méticuleux avait caché l'un de ses courriers.

Après avoir goûté à la gloire, impossible pour Houdini de s'en passer. Ambition démesurée, ego surdimensionné, mégalomanie, il ridiculisait ses adversaires en dévoilant leurs secrets et repoussait toujours plus loin ses propres limites.

En permanence, il provoqua les forces de l'ordre en exécutant des prouesses en des lieux non autorisés. À plusieurs reprises, il frôla la mort, notamment quand on le jeta d'un pont en plein hiver, dans la rivière glacée de Détroit, en maillot de bain, menotté et ligoté. Il ne remonta à la surface que huit minutes plus tard, après une interminable apnée. Tout le monde crut qu'il avait pris son ticket pour l'au-delà. Lui-même avoua qu'il avait failli y rester, piégé par le courant de la rivière qu'il avait sous-estimé.

Une autre fois, en 1911, il demanda qu'on l'enterre vivant. Des fossoyeurs l'emprisonnèrent dans un cercueil qu'ils descendirent à deux mètres de profondeur après en avoir vissé le couvercle. Puis ils comblèrent l'excavation de tonnes de terre. Le bras de Houdini jaillit du sol après une demi-heure. Sa face blafarde apparut ensuite, sous la nuée des flashs : l'homme était au bord de l'asphyxie.

Florence fit une pause. Elle songeait à la caisse en bois découverte derrière la ferme. Le Méticuleux avait-il défié Delphine de s'en évader ? Ou avait-il voulu repro-duire l'exploit du magicien ?

Tu délires, tout cela n'a aucun sens.

Elle se tourna vers l'horloge : plus de 22 heures. Mais elle n'arrivait pas à lâcher son bouquin. Houdini était capable de tout. On l'emprisonnait dans des coffres-forts. On l'équipait de camisoles, suspendu par les pieds cinquante mètres au-dessus du vide. On le balançait, dans une malle verrouillée, d'un pont de New York. On l'attachait à des chevaux au galop… Souvent, après les spectacles en salle, il réclamait qu'un homme fort le cogne dans le ventre, par pure provocation. Aucune paire de menottes, clé, aucun coffre, système de contraintes ne lui résistait. Il connaissait toutes les techniques liées aux nœuds et pouvait s'en défaire en un claquement de doigts.

Ce que les gens ignoraient, c'était qu'il avait été serrurier, et qu'il en avait profité pour étudier tous les mécanismes existants, quelquefois même avant leur mise en production, y décelant systématiquement une faille. En parallèle, un ingénieur lui fabriquait ses outils d'évasion : malles à double fond, clés squelettes et rossignols, meilleurs amis des cambrioleurs permettant de venir à bout de nombreuses serrures, cadenas truqués...

Florence entrevoyait des points communs évidents entre leur Méticuleux et Houdini. Ce dernier faisait notamment preuve d'une patience et d'un acharnement inhumains pour préparer certains tours qui ne duraient que quelques secondes – parfois des mois de labeur, à répéter huit heures par jour. *Comme pour le prénom à deviner... Les paquets cadeaux, les enveloppes...*

Piquée au vif, l'inspectrice alla prendre la bulle et l'inaugura en notant ce qui lui passait par la tête.

Le tueur ouvre-t-il les portes de ses victimes avec un rossignol de cambrioleur ? Son verrou à molette peut-il servir dans des spectacles de magie ? Provient-il d'un artisan qui travaille pour des illusionnistes ?

Le tueur pourrait-il être un serrurier ?

Les systèmes de fermeture, les nœuds particuliers pour entraver la victime, et qui s'enlèvent d'un geste, comme pour certaines évasions de Houdini, pourraient laisser penser qu'il a un rapport avec le monde de la magie. Patience sans limites, temps infini pour mettre au point ses stratagèmes, à l'image de cette histoire de prénom à deviner...

Au fil des pages, Florence se rendit compte que Harry Houdini l'hypnotisait. Un portrait, en pleine page, capta son attention. L'escapologiste lançait un regard qui transperçait et semblait accéder à vos plus profonds secrets, au point qu'elle se sentit mal à l'aise. Pile à ce moment-là, les vieux tuyaux de chauffage craquèrent et la firent sursauter. Elle se redressa, sur ses gardes. Son rythme cardiaque s'était accéléré.

Puis elle s'efforça de se calmer. S'il existait un endroit où elle ne craignait rien, c'était bien ici. Elle termina donc son verre d'eau et continua sa lecture. L'auteur s'intéressait à présent à la psychologie de Houdini qui, durant toutes ces années, avait cherché à s'échapper. Pourquoi avait-il choisi cette branche si peu connue de la magie ? Pourquoi avoir bravé en permanence le danger pour s'extraire de prisons en tout genre ?

Il y avait du Freud, là-dessous. La biographie expliquait que le magicien adulait sa mère, la source de ses plus grandes joies et peines. D'après un psychanalyste, ces évasions obsessionnelles n'étaient qu'une perpétuelle répétition de sa naissance. Il renouvelait, par ses actes, la toute première évasion de sa vie : celle du nouveau-né délivré du ventre maternel.

Cette interprétation s'appuyait sur d'autres détails flagrants : les sépultures que le magicien s'imposait – barils, cercueils, cellules, coffres-forts – symbolisaient, par leur obscurité et leur étroitesse, l'utérus, d'autant plus qu'elles étaient la plupart du temps immergées. Souvent, d'ailleurs, le Hongrois se faisait enfermer recroquevillé sur lui-même, en position fœtale. Les documents de l'époque en témoignaient.

Florence mordillait son stylo. Houdini avait-il tenté, pendant tout ce temps, de se libérer d'un complexe d'Œdipe tenace ? La flic n'était pas experte, mais il lui paraissait de plus en plus évident que le Méticuleux avait lui aussi un vrai problème d'ordre psy. Tout remontait à son jeune âge... Elle se leva et alla, encore, observer les visages des garçons nus alignés en rang d'oignons sur la cloison.

— Est-ce que tu es l'un d'entre eux ?

Elle frissonna au son de sa propre voix. Quel type de relation le Méticuleux avait-il entretenue avec ses parents ? Avait-il été un enfant sexuellement frustré ? Sa mère avait-elle eu une emprise écrasante sur lui ? Avait-il été un gamin différent des autres ? En inscrivant « Houdini » sur le mur de la chambre d'Hélène Lemaire, leur tueur avait-il cherché à les orienter vers l'art parfaitement maîtrisé de cet homme, ou vers cette partie plus psychanalytique qui pourrait donner un sens à ses actes ?

Retour à l'ouvrage, qui essayait désormais de décortiquer les tours du magicien. Par des dessins et des photos, l'auteur dévoilait le fonctionnement incroyable des machines et des systèmes d'évasion de Houdini. Mais aujourd'hui encore, plus de soixante ans après la mort du prodige, ni ce fameux historien ni personne d'autre à sa connaissance n'avait percé le secret de la célèbre « pagode chinoise de torture »...

La pagode. Elle y était, elle avait reformé la paire.

38

Piégés.

Deux proies humaines recluses au fond d'une baraque, tétanisées par une présence invisible et sournoise. Le mamba noir pouvait se cacher n'importe où. Sous les vivariums, entre les planches des palettes, ou à l'intérieur d'un carton, le long d'une plinthe, au milieu des feuilles de papier journal. Peut-être le serpent les observait-il, enroulé quelque part, prêt à jaillir, ses crocs mortels et luisants de poison foudroyant en avant.

Comme Sharko, Serge Amandier tenait son MR 73 des deux mains, mais le canon de l'arme tremblait au bout de ses bras tendus. Le dur à cuire capable de tenir tête aux pires criminels n'en menait pas large.

— Faut... Faut qu'on sorte d'ici... Faut foutre le camp, putain... Passe devant, petit.

La peur suintait par tous les pores de sa peau. Il poussa son collègue dans le dos. Franck ne sentait plus ses jambes, il n'avait pas plus envie de bouger que son aîné, mais ils ne pouvaient pas rester là : le reptile serait infiniment plus patient qu'eux.

Il avança tel un démineur jusqu'au seuil de la pièce, conscient que son flingue ne servirait pas à grand-chose face à un prédateur dont la tête n'était pas plus grosse qu'une pièce de 5 francs. Il croyait se souvenir qu'on l'appelait mamba noir à cause de la couleur de l'intérieur de sa gueule. *Noir comme la mort.* Mais, en définitive, à quoi ressemblait-il ? Était-il de nature à fuir ou, au contraire, ultra-agressif ?

Derrière lui, Serge respirait comme un bœuf. Et l'ampoule grésillait toujours. Un instant elle révélait tous les pièges mortels qui les attendaient, celui d'après elle les replongeait dans l'obscurité. Sharko se colla au mur et progressa avec lenteur. Il se penchait régulièrement, écartait les obstacles avec l'extrémité de son canon puis reculait d'un pas, au cas où.

Au milieu du couloir, il s'arrêta net. Une masse sombre était étalée en travers. C'était le chat qui gisait là, les yeux grands ouverts, la langue pendante.

— Je peux pas, Sharko…, souffla Serge. Putain, j'y arriverai pas… Flingue-moi cette saloperie de crotale…

Franck avait la gorge trop sèche pour répondre. Dans l'autre pièce, qui les séparait encore de la sortie, il perçut un froissement de journal, suivi d'un sifflement qui ne laissait aucun doute. Il imagina la langue bifide, l'œil froid et meurtrier, le crâne en triangle du mamba. Il enjamba le chat mort et pivota dans le salon. Serge se fit violence et ne le lâcha pas d'une semelle.

Silence… Les feuilles de papier couvraient chaque centimètre carré du sol. Avancer là-dedans, c'était comme nager dans un océan en sachant qu'un requin rôdait. Franck s'immobilisa, chercha. Rien ne bougeait. Impossible de fouiller, cette fois, de tâtonner, de savoir.

Il allait falloir se lancer à l'aveugle. Dire qu'ils étaient passés dans l'autre sens sans se méfier ! Dire que…

Soudain, les faisceaux jaunes et lointains de phares dansèrent sur les murs. Un ronflement de moteur. Franck se tourna vers Serge, mais celui-ci s'était figé, le visage exsangue. Bruit de pneus sur le gravier. Claquement de portière. Sharko prit son inspiration et fonça à grandes foulées droit devant lui, en direction de la porte d'entrée.

Chaque fois que son pied se posait, il fermait brièvement les yeux, comme si ce geste dérisoire pouvait le protéger d'une morsure fatale. Cinq secondes plus tard, il était dehors. Indemne.

Serge se trouvait toujours à l'intérieur alors qu'en face de Sharko, à dix mètres, une longue silhouette immobile se tenait à côté d'une voiture. Une sorte d'arrêt sur image. Les yeux de l'homme et ceux du flic se croisèrent. Serge surgit enfin comme un bélier et manqua de s'effondrer sur le béton du perron. Respiration courte et saccadée. À la limite de hurler, il remonta le bas de son pantalon et lorgna ses mollets. Rien d'autre ne comptait.

D'un coup, avant même la sommation des flics, Félix Scotti disparut dans l'habitacle de son auto. Tandis que le démarreur peinait, le jeune inspecteur bondit, libérant toute la tension accumulée jusque-là. Il slaloma entre les pneus entreposés et atteignit le véhicule au moment où le moteur grondait de nouveau. Il pointa son revolver sur la vitre.

— Police ! N'essaie même pas !

Tout en continuant à viser, il ouvrit la portière. Scotti leva les mains en signe de reddition.

— C'est bon ! C'est bon !

— Sors de là !

Le suspect n'opposa pas de résistance. Deux sourcils épais appuyaient un regard noir et malsain. Son nez partait de travers, comme une roue de vélo voilée. Il se mettait à peine debout que Serge lui colla son poing en pleine face. Puis il l'attrapa par ses cheveux attachés en queue-de-cheval et le propulsa au sol avant de le braquer. Sharko ne réagit pas, autant surpris que l'individu qui tentait de se redresser.

— Tu joues à quoi, dans ta baraque, putain ?

— Vous aviez pas le droit d'entrer ! Vous...

Amandier frappa une deuxième fois.

— J'ai failli crever ! hurla le flic.

Voyant qu'il allait remettre ça, Scotti se protégea comme il put avec ses bras.

— Je... C'est un moyen de... Enfin, c'est chez moi, merde, pourquoi j'aurais pas le droit de m'éclater à la chasse au serpent ? Je fais de mal à personne !

Serge et Franck n'en crurent pas leurs oreilles.

— T'es en train de nous raconter que les chats que tu balances dans ce bordel, le mamba noir qui se balade tranquillement, c'est un jeu, pour toi ? T'as des envies de jungle ? Tu te prends pour Indiana Jones, ou quoi ?

— C'est des chats de gouttière que je ramasse dans les champs. Je rends service.

Serge le traîna par les cheveux sur le côté de la maison, entre le mur et la palissade. Même s'il était tard, les pulsations de la nationale couvraient le son de leurs voix.

— Je suppose que tu sais pourquoi on est là ?

Scotti secoua la tête. Alors qu'il récoltait le sang qui coulait d'une de ses narines, le poing d'Amandier s'abattit sur sa joue opposée. Le flic s'agenouilla et lui écrasa la gorge.

— J'ai presque chié dans mon froc à cause de toi, alors tu vas m'écouter attentivement : on a retrouvé de la TTX dans le corps de deux femmes, deux victimes d'un taré. L'une est morte après qu'on lui a brûlé les seins et le sexe, et l'autre est toujours en vie, mais elle aurait sans doute mieux fait d'y passer. Elle est pourrie de l'intérieur, n'a plus de réactions, elle est psychologiquement détruite. Alors le deal, il est simple : ou tu te mets à table tout de suite, ou je te défonce la gueule et je te menotte à un tuyau de radiateur en compagnie de ton copain de reptile. Ça lui ferait un bon petit repas de réveillon.

Le type était saisi d'effroi.

— Plus de réactions, comme… un mort-vivant ? demanda-t-il finalement. Yeux de merlan frit ? Incapable de parler ?

— Entre autres. Plus de sensations, cœur bousillé. Ça te parle, on dirait.

Félix Scotti acquiesça. Ses doigts s'étaient crispés dans la terre et, à ce moment-là, Sharko vit qu'il était terrorisé.

— Je croyais pas que c'était possible, lâcha l'homme. Je croyais que c'était juste… une sorte de mythe.

Il essaya de se relever, mais Serge lui appuya sur l'épaule.

— Quel mythe ?

— Les rites vaudous. La zombification.

39

La pagode.

Florence retint son souffle. Puis, presque euphorique, elle corna la page, s'empara d'un stylo et souligna furieusement avant de poursuivre sa lecture. Selon les rumeurs, il fallait s'enfermer à l'intérieur de cette machine infernale préalablement remplie de deux tonnes d'eau pour tenter d'en comprendre le mécanisme. Même après le décès de Houdini, le secret de la pagode chinoise de torture – *Quel horrible nom*, songea-t-elle – n'avait jamais été percé à jour. Elle était protégée par un système complexe, et en forcer l'ouverture aurait risqué de la détruire.

Une photo montrait une sorte de grosse boîte en métal et en verre, verrouillée par une multitude de cadenas. Houdini était dedans, enchaîné, immergé dans deux mètres cubes d'eau et suspendu par les chevilles. Ses pieds nus dépassaient à l'extérieur. Florence se demanda comment on pouvait se sortir d'un truc pareil.

Elle apprit, plus loin, que la pagode était conservée par un collectionneur français du nom de Rafner, acquéreur de nombreuses machines de Houdini. Elle ajouta cette information à ses notes et alla l'inscrire sur le tableau. Elle l'encadra pour marquer son importance.

Retour à son bouquin. Donc, le magicien avait su préserver quelques-uns de ses fabuleux secrets, dont un ultime tour hallucinant qui acheva de l'asseoir comme véritable mythe. En 1926, sur son lit de mort (il lâcha son dernier souffle à cause d'une péritonite due aux coups répétés dans son abdomen : son ego l'avait finalement tué), il confia un message à sa femme : « *Rosabelle, Believe.* » Un clin d'œil à leur chanson préférée... Il lui promit de lui communiquer cette phrase depuis l'au-delà, au moment où elle s'y attendrait le moins.

Un an plus tard, Bess Houdini, toujours sans signe de son défunt mari, proposa 10 000 dollars au médium qui lui rapporterait les deux mots prononcés par Harry, dont personne alors, hormis elle, n'était au courant. Aucune réponse ne lui donna satisfaction. Le magicien avait-il échoué dans son plus grand défi ? Ce fut ce qu'elle crut.

... Jusqu'à ce jour de janvier 1929 où, gravement malade, Bess Houdini accepta qu'une séance de spiritisme se déroule dans sa chambre d'hôpital. Et le secret du couple sortit de la bouche du devin qui dirigeait l'office.

Supercherie ? Réalité ? Difficile à dire, d'après l'auteur de la biographie, mais peu importait, au final : la magie était dans l'air. Même décédé, Houdini restait plein de mystère.

Un frisson parcourut l'échine de Florence. Les spirites, la communication depuis l'au-delà... Houdini... La pagode... Comme l'escapologiste hongrois, l'assassin les défiait avec ses tours impossibles. L'évasion

des containers… La mise en scène autour du prénom…
La résurrection de Delphine Escremieu…

Se prenait-il pour une sorte de réincarnation de
Houdini ? Un roi de l'illusion qui lui aussi provoquait
la police, mais qui jouait avec la vie d'êtres humains ?
Ou était-il un magicien raté à la recherche de reconnaissance ? Par le meurtre, sa répétition ou son originalité,
n'importe qui pouvait devenir célèbre. Jack l'Éventreur,
Landru, Charles Manson… Alors, pourquoi pas lui ?

Une voix résonna dans son dos et la fit sursauter.

— Une lumière dans la nuit, au cinquième étage.
Qui d'autre que toi ?

Florence porta une main à son cœur et se redressa.

— Tu m'as fait peur !

— Toi, peur ?

— J'étais… j'étais plongée dans des histoires de
fantômes.

Elle serra affectueusement Titi dans ses bras. Son
blouson en cuir était glacé. Elle s'écarta quand elle
sentit que leur étreinte allait un peu trop loin. Titi avait
de la lave dans les yeux, il avait dû vider quelques
verres avant de monter. Elle retourna vers le canapé
pour prendre son pull, tandis qu'il jetait un œil aux
notes du tableau.

— Ça donne quoi, l'enquête des bœuf-carottes ?
demanda-t-elle en remettant son vêtement.

— Ils ne vont pas creuser. Ils ont eu ce qu'ils voulaient en m'éjectant.

— Tu ne peux pas rester chez toi à te morfondre.
L'état-major, ce n'est pas l'idéal, mais tu devrais accepter la proposition du taulier. Même si tu t'en sors sans

trop de dégâts, ces salauds ne te permettront pas de revenir à la Crim. Il faut bien que tu gagnes ta vie, Titi.

— La Crim, c'est ça, ma vie. Presque quinze ans que j'y laisse mes tripes. Quinze ans à tout donner pour que des gens comme le taulier et sa femme puissent dormir en paix. Je vais crever, derrière un téléphone. Tu le sais. Et eux aussi le savent. Si je crève, au moins, ils auront ma mort sur la conscience.

Elle revint vers lui et l'agrippa par le col.

— Ne dis pas ça ! Je t'interdis, putain !

Titi l'agrippa à son tour. Il la guida vers l'arrière, la plaqua au mur, et alla trouver ses lèvres. Soudainement. Avec avidité. Florence ne comprit pas, elle aurait dû résister, lui coller une claque, mais la chaleur qui se déversa d'un coup dans son ventre l'en empêchait. Déjà il la dévorait de baisers. Il la souleva de terre pour la porter jusqu'à la banquette sur laquelle ils s'effondrèrent tous les deux, lui dessus, elle dessous. En ôtant son blouson, il respirait à peine, et, d'un geste un peu trop brusque, il glissa ses mains sous le pull, attrapa le soutien-gorge, les petits seins fermes.

— Arrête !

Florence détourna la tête pour échapper aux baisers et le repoussa.

— Dégage, Titi !

— Quoi ? Tu…

— On ne peut pas faire ça. J'en ai envie et je n'ai rien à perdre. Mais toi… t'as une femme, des gosses. Demain soir, tu offriras des cadeaux à tes enfants, bordel ! T'as pas le droit de tout bousiller pour une baise sur un coin de canapé miteux. On vaut mieux que ça, toi comme moi.

Disant cela, elle se rendit compte de la folie de leur comportement. Eux, dans ce bureau, à s'embrasser fougueusement, alors que n'importe qui aurait pu entrer, alors qu'il y avait toutes ces photos de pauvres victimes, toute cette souffrance, tout ce mal autour d'eux… Est-ce qu'ils viraient tous dingues ? C'était ça, la vie, se construire sur un monde en ruine et détruire tout le reste ?

Elle alla vite enfiler ses chaussures. Titi ne bougeait plus, debout, hébété, tel un étranger qui n'était plus à sa place. Il finit par ramasser son blouson, la chercha en vain du regard. Il lui sembla qu'elle était comme écrasée par la honte, la honte de ce qu'il était devenu.

Elle le laissa s'éloigner, cria son prénom lorsqu'il atteignit le seuil de la pièce. Pas « Titi », mais « Thierry ». Il se figea, ne se retourna pas.

— Quoi ?

— Ne fais pas de connerie.

Il haussa les épaules. Puis il disparut dans la pénombre et il n'y eut plus que le claquement de ses pas dans le couloir, le grincement du vieux bois. Florence enfouit son visage dans ses mains.

Et elle pleura.

40

Ils s'étaient enfermés dans la voiture de Scotti, au calme, le moteur au ralenti pour s'offrir un peu de chauffage. À l'arrière, Serge avait menotté le bras gauche du suspect à la poignée de maintien. Sharko se tenait à l'avant, côté passager, observant les deux hommes dans le rétroviseur. Il commençait à peine à prendre conscience de ce qui venait de se passer, de la situation dans laquelle Amandier l'avait entraîné. Il aurait pu y laisser sa peau.

Franck le savait : rien de ce qui se déroulait ici ne serait retranscrit dans les PV. Officiellement, leur petite virée le long de la N20 n'existerait pas.

— Je veux pas d'emmerdes, grommela Scotti. Je déballe tout à une condition : vous vous cassez de là après, vous parlez pas de moi et je vous revois plus jamais, d'accord ?

Le rouquin avait l'arcade gonflée et du sang sur le menton. Serge planta une cigarette entre les lèvres de son voisin et l'embrasa. Il s'en alluma une également. Dans un réflexe, il en tendit une à Sharko, qui déclina. Alors il rempocha avec calme son paquet. Chaque mouvement était mesuré et Franck repensa à ce qu'ils avaient vécu dans la maison. À présent, le prédateur, c'était son collègue.

— Ça dépendra de la qualité de tes informations, lâcha enfin ce dernier.

Le type fit rougeoyer l'extrémité de sa cigarette, le temps d'une longue bouffée. Dans son geste, une chevalière en argent brilla à son annulaire droit. Puis il répondit d'une voix nasillarde qui, en d'autres circonstances, aurait prêté à rire :

— C'est de la bonne info, crois-moi. J'ai déjà eu affaire à des gars du 36, et je sais que vous êtes réglo. Vous avez de l'honneur. Mais je veux quand même des garanties.

Serge fit mine de réfléchir. Scotti était du genre à balancer pour sauver sa peau.

— OK. Mais tu nous la fais pas à l'envers. Pas de tuyaux bidons.

— Lui aussi, fit Scotti en désignant Sharko de sa main libre.

Celui-ci hocha la tête.

— On ne s'est jamais rencontrés. T'existes pas.

La face tuméfiée de leur suspect se détendit un peu.

— D'accord… Ça s'est passé il y a environ deux mois. D'habitude, personne vient chez moi pour les affaires. Je donne des rendez-vous, je vends la marchandise, on me paie en cash et *basta*. Mais elle, elle a débarqué comme ça, elle avait entendu dire que… que je faisais dans l'exotique. Elle m'a foutu les jetons. Elle avait quelque chose de bizarre dans le regard. Des pupilles qui mangeaient presque tout l'œil. Une sorte de gouffre, comme si elle voyait à travers toi. Je sais, c'est débile, mais c'est vraiment ce que j'ai ressenti.

— Qui ça, « elle » ? intervint Serge.

— L'acheteuse. Une Noire, les cheveux tressés et tirés en arrière, comme des tentacules de pieuvre sur son crâne. Des immenses anneaux dorés aux oreilles. Je me souviens, j'ai tout de suite pensé à une espèce de jeteuse de sorts, de prêtresse qui lit en toi et qui joue avec les esprits des morts, ce genre de conneries.

— Grande, petite, grosse ? T'as un nom ?

— Un nom ? Tu déconnes ? Je sais même pas comment elle a réussi à me trouver ni comment elle est venue jusqu'ici. En tout cas, elle était… ouais, assez grosse, mais pas énorme non plus. Environ un mètre soixante. Nez écrasé. Elle parlait pas mal le français. Pour le reste, je me rappelle plus.

— Quel âge ?

— Je dirais une cinquantaine d'années.

— Elle voulait des grenouilles ?

— Ouais. Deux belles *leucomelas* bien toxiques. J'ai pas posé de questions, c'est la règle. J'ai mis les bestioles dans des boîtes transparentes que je fabrique moi-même pour le transport, avec des trous pour que les bêtes respirent. Elle a lâché le pognon et elle est partie avec la mort dans son sac. Point barre. Je l'ai plus jamais revue, et je sais pas ce qu'elle a fait de mes copines.

— D'où elles viennent, tes bestioles ? demanda Sharko sans quitter le rétroviseur des yeux.

— Le Havre. Des cargos. J'ai mes contacts, mais je les balancerai pas.

— On s'en fiche d'eux, répliqua Serge. Ce qui nous intéresse, c'est la Noire. Et ton histoire de rites vaudous…

Félix Scotti baissa la fenêtre de sa main libre et jeta ses cendres à l'extérieur.

— Ça fait plus de dix ans que je me rencarde sur tout ce qui tourne autour des différentes espèces d'animaux dangereux. Leur mode de chasse, l'efficacité et l'action de leur venin me fascinent. Neurotoxine, hémorragine, substances histaminiques… Je suis incollable. Le Graal, c'est la tétrodotoxine. La TTX.

Il fit traîner la dernière lettre, et Franck eut l'impression d'entendre le mamba siffler.

— Imaginez, la TTX est deux cent mille fois plus puissante que le curare. Vingt milligrammes suffisent à refroidir un homme. Au Japon, les gourmets peuvent en ressentir les effets quand ils mangent du fugu aux entrailles bourrées de ce poison. Picotements sur les lèvres, langue anesthésiée… Le plat est d'ailleurs préparé par des cuisiniers qui doivent avoir une licence accordée par l'État. Car des gens sont déjà morts en bouffant leur poiscaille, la faute à un mauvais dosage. C'est pour ça que l'empereur et les samouraïs n'ont jamais eu le droit d'en avaler une seule bouchée.

— On s'en fout, des Japonais, arrête avec tes cours de cuisine. Va au but.

Scotti agita son bras prisonnier.

— Tu peux m'enlever ça, avant ? Tu sais, je suis d'origine italienne, on cause avec nos mains, nous.

Serge se pencha pour le libérer.

— D'origine seulement, alors. Parce que t'as autant la gueule d'un Italien que moi celle d'un Turc.

Scotti se massa le poignet sans sourire.

— J'ai des tas de revues sur les animaux exotiques. Je pique de la doc dans les bibliothèques. J'ai pas l'air, mais je lis beaucoup. Y a des bouquins partout à l'étage de la baraque…

— Joue pas avec mes nerfs, abrège.

— Ouais, minute, faut clairement expliquer les choses, étape par étape, parce que, sinon, la suite pourrait ressembler à de la science-fiction. C'est au milieu des années 1980 que je suis tombé sur ces histoires de rites vaudous… Et notamment sur un article qui parlait de l'existence d'une poudre à base de TTX, fabriquée par les prêtres vaudous haïtiens pratiquant la magie noire. Là-bas, on les appelle les *bokor*… Pas des rigolos. Le genre de mecs qui lancent des sorts et qu'il vaut mieux pas avoir comme ennemis…

Sharko visualisait sans mal la scène : les pattes de poulet accrochées aux portes, les poupées plantées d'aiguilles. Ce qu'il pensait n'être que du folklore tout droit sorti de l'imagination des producteurs de studios hollywoodiens prenait ici des allures d'étrange réalité.

— Bref, j'ai creusé le sujet et j'ai découvert le travail d'un Américain qui s'appelle Wade Davis. Un ethnobotaniste, c'est comme ça qu'on dit, un spécialiste des substances toxiques qui s'est surtout intéressé aux pratiques vaudoues en Haïti. En particulier à la zombification. Il est allé sur place pendant des mois, s'est intégré à la population locale, et s'est rendu dans les zones les plus reculées du pays.

Serge se frottait nerveusement les mains. Il piocha une flasque argentée au fond de sa poche, en dévissa le bouchon et but une gorgée.

— J'en veux bien une goutte, réclama Scotti en se passant la langue sur les lèvres.

— J'ai pas envie d'attraper des microbes. Continue.

Son interlocuteur fixa la flasque jusqu'à ce qu'elle disparaisse de sa vue, puis reprit :

— On ne connaît pas le secret de la poudre. Personne. Selon Davis, il y aurait une dose extrêmement précise de TTX, tirée de grenouilles de l'espèce des *Dentrobates*, mais aussi d'autres éléments comme des mille-pattes, des racines, des herbes spéciales, des ossements humains et des minéraux carbonisés, le tout réduit en poussière. Sa confection prendrait plusieurs jours, avec des rites vaudous par-dessus afin de viser une personne précise ou une famille : ceux qui ont commis une faute à la hauteur de la sentence. Trahison, adultère, acte malveillant envers la communauté… Bref, tout ça, c'est une histoire de vengeance. Et l'ennemi devient zombi.

— Quand tu dis zombi… c'est comme dans les films ?

— Il ne va pas te bouffer les entrailles, non. Mais être zombifié, c'est pire que la mort. C'est l'anéantissement d'une vie qu'on remplace par la survie d'un être privé de tout pouvoir de décision. T'as conscience de tout, mais tu peux plus rien faire, t'as l'esprit vide. On dit que ton âme est prisonnière dans des canaris que le *bokor* garde enfermés dans une cage… La puissance d'un *bokor* se mesure au nombre d'oiseaux qu'il détient. Autant d'âmes qu'il a réussi à voler…

Scotti renifla en grimaçant.

— Wade Davis raconte en avoir croisé quelques-uns, des zombis, dans la campagne la plus profonde d'Haïti, errant dans les champs de canne à sucre. De grandes silhouettes courbées et silencieuses, la tête baissée et trop lourde, les paupières mi-closes… De vrais épouvantails. Ils peuvent encore s'alimenter, s'habiller, mais ils font tout au ralenti, ils sont totalement léthargiques. Socialement, ils sont plus rien. Plus d'existence légale, plus de nationalité, puisqu'ils sont censés être décédés et enterrés. Souvent, ils appartiennent à un maître qui les entretient, les exploite et les frappe à coups de bâton.

Des esclaves zombis… Sharko n'aurait pas cru un seul des mots de ce type s'il n'avait pas vu de ses propres yeux Delphine Escremieu recroquevillée au fond de sa stalle, vêtue d'un sac de toile, sa façon de se déplacer et son absence totale de volonté, comme si on lui avait arraché l'âme.

— Comment on peut être mort sans l'être ? questionna-t-il. Cet entre-deux est impossible.

— Dans ton monde, peut-être, mais dans le leur, non. C'est un truc de fou… D'abord, la poudre fabriquée doit pénétrer dans l'organisme par l'intermédiaire d'une plaie récente, même minuscule. En général, le *bokor* fait cacher la mixture par des complices dans les sandales de sa cible, mêlée à de la poussière de verre. Le mec met ses godasses en se levant le matin, ne sent même pas les microcoupures et, quelques instants plus tard, il s'effondre. La quantité de poison ne le tue pas. Enfin, pas vraiment. Le cœur bat très lentement et faiblement, genre dix fois par minute. La respiration ainsi ralentie est alors imperceptible. La victime a les yeux grands ouverts, mais elle est incapable de bouger, même pas les paupières…

Sharko baissa à son tour son carreau. La fumée de cigarette le mettait sur les nerfs. Il avait besoin de rester concentré. Le Méticuleux avait-il passé une commande de poudre à cette mystérieuse femme noire ? Avait-il ensuite agi lui-même ou se contentait-il de donner des ordres ?

— En Haïti, ça se passe pas comme ici quand quelqu'un meurt, poursuivit Scotti. La famille fait venir le pseudo-médecin du coin, le gars n'a parfois même pas de stéthoscope. Il fait deux, trois vérifications, déclare le décès, établit le certificat, mais demande aux proches d'attendre vingt-quatre heures avant l'inhumation, au cas où le mec se réveillerait… Vous voyez le niveau ? Sauf que les *bokor*, ils sont malins. Ils font répandre des liquides puants autour du faux cadavre pour faire croire que ça pourrit et forcer à prendre des dispositions rapidement. Il fait chaud et humide, là-bas. Le corps reste pas exposé longtemps.

— Et on l'enterre vivant, conclut Serge d'une voix grave.

— C'est ça. Faut imaginer l'horreur du truc. T'as conscience de tout. Quand ta femme, tes enfants chialent devant toi. Quand on te colle dans ta boîte et qu'on rabat le couvercle. Quand la cérémonie se déroule, avec des chants d'adieu. Quand tu te retrouves seul, avec de la terre qui te tombe sur la gueule parce que ton cercueil, en réalité, c'est quatre malheureuses planches. Le mec vit sa propre mort…

Sans interrompre son voisin, Amandier lorgna dans le rétroviseur pour capter le regard de Franck. C'était ce qu'avait dû endurer Delphine Escremieu. Un enfer gravé à jamais au fond de sa mémoire.

— Environ deux nuits plus tard, le *bokor* et sa bande exhument le bordel. Ils en sortent un être qui est revenu à lui parce que les effets de la TTX ont en partie disparu. Mais avec l'hyper-toxicité du poison et le cauchemar qu'il a vécu, le pauvre type a déjà la cervelle bien en vrac. Ils lui remettent malgré tout une dose de drogue pour lui cramer ses derniers neurones. Le gars devient un légume qu'on conduit loin de son village et qu'on abandonne à des exploitants sans scrupule. Y a eu quelques études faites par des scientifiques que Davis avait amenés en Haïti lors des voyages suivants. Je vous fais pas un dessin, les Américains ont tout de suite pensé à utiliser ce type de produit pour envoyer des gens faire de longs séjours dans l'espace dans un état de demi-sommeil, ce genre de conneries… Enfin bref, les zombis qu'ils ont pu observer avaient des lésions ou des atrophies au niveau du cerveau, étaient sujets à des crises de schizophrénie et d'épilepsie. Sans compter les séquelles au cœur et aux extrémités qui se mettaient parfois à nécroser…

Scotti garda le silence quelques secondes, l'œil rivé sur ses mains ouvertes devant lui et tachées de sang séché, puis se tourna vers Serge.

— Et vous dites que quelqu'un a subi ça ? Ici, en France ?

— La TTX, l'enterrement. À moins de cinquante bornes de chez toi.

Le rouquin s'agita sur son siège. Il se perdit un instant dans ses pensées, contemplant sa maison et la lumière qui clignotait dans l'entrée.

— Putain…

— Cette Noire, ça peut être une *bokor*, à ton avis ? Je veux dire, des femmes aussi peuvent exécuter ces rites-là ?

L'autre acquiesça.

— Ouais. Elles sont encore pires que les hommes. Et celle qui a débarqué chez moi, elle m'a vraiment foutu les boules. C'est évident qu'elle a pas acheté les grenouilles pour remplir un étang avec des nénuphars.

Serge chercha son carnet dans sa poche, en vain.

— File-lui ton nom et ton numéro de téléphone du bureau, lança-t-il à son coéquipier.

Sharko s'exécuta. Il arracha une feuille de son propre carnet et y nota les informations avant de tendre le papier plié à Scotti.

— Demain, expliqua Amandier, tu vas venir au 36 pour établir le portrait-robot de la sorcière. Et tu te pointes dans la matinée. Je tiens pas à foutre mon réveillon en l'air à cause de toi.

— Putain ! T'avais promis que…

— Tu seras pas emmerdé, t'as ma parole. Trouve-toi une excuse pour les coups sur la tronche, on t'a pas touché. T'aides notre technicien à faire le portrait le plus fidèle possible, et tu rentres chez toi comme si de rien n'était pour faire joujou avec tes serpents.

Scotti secoua la tête, voulut rendre le papier à Serge qui repoussa sa main. Il paniquait.

— C'est hors de question. Je veux pas être vu avec des poulets ni faire parler de moi. Cette femme, elle est maléfique, et elle sait où j'habite. Putain, j'ai pas envie de finir entre quatre planches avec le cerveau en bouillie. Non, non, j'en ai fait assez. Allez vous faire foutre.

Amandier fit signe à Sharko qu'ils partaient. Il ouvrit sa portière.

— C'est pour ça que t'as intérêt à ce qu'on la chope. Tu t'es mis dans la merde tout seul, mon gars. On ne peut malheureusement pas veiller sur toi. Alors ramène-toi demain comme un grand. Et si tu veux un conseil d'ami : regarde bien à l'intérieur de tes pompes, en attendant.

Les flics sortirent. Scotti les invectiva dans leur dos, mais ils ne se retournèrent pas et regagnèrent leur propre véhicule en un temps record. Serge s'écroula côté passager, la nuque plaquée contre l'appuie-tête, les yeux mi-clos. Il poussa un long soupir, comme après une interminable apnée.

— C'était une bonne pêche, petit. Une sacrée bonne pêche. Qu'est-ce que t'en dis ?

— Une bonne pêche, oui. Mais on a eu chaud aux fesses…

Malgré son teint pâle, un sourire de connivence fleurit sur le visage de Serge.

— Chaud ? Ça a brûlé sévère, même !

Il mit sa ceinture.

— Tiens, j'ai pensé à un truc quand t'as filé tes coordonnées à ce type. T'as demandé à être sur liste rouge ?

— Non. Pourquoi ?

— Ils devraient expliquer ça, à l'école de police, bordel ! N'importe quel connard comme Scotti pourrait avoir ton adresse en consultant le Bottin ou le Minitel. Faudra que tu le fasses.

— OK. Merci pour le tuyau.

— Allez, ta journée est finie. On va jusque chez toi, je reprendrai le volant après. Je vais m'occuper de faire remonter l'info à Santucci.

— Tu vas lui dire qu'on est venus ici ?

— Ça ne posera pas de problème. Lui et moi, on s'aime pas, mais on se comprend. On collait des pains à des mecs de la trempe de Scotti que t'étais pas encore né. On franchit tous les lignes. Tout le monde le sait, par contre personne ne le dit ni ne l'écrit noir sur blanc dans les procédures. Et si un jour ça foire, on assume et on paie, c'est ce qui vient d'arriver à Titi. C'est le seul moyen d'avancer.

Franck démarra et reprit la nationale 20 en sens inverse.

— On va la retrouver, cette femme ? lança-t-il.

— Si elle fait partie de la communauté haïtienne, on devrait, oui. Les Africains, les Antillais, les Haïtiens, ils zonent tous dans les mêmes quartiers. Il y a sûrement des gars de la PJ qui seront en mesure de nous rencarder. Surtout aux Stups ou à la Traite des êtres humains.

Sentant l'excitation du jeune inspecteur monter, Serge préféra tempérer :

— Mais t'emballe pas, gamin, ça va être Noël, là, d'accord ? Demain soir, un de mes gosses débarque chez moi. C'est le seul qui accepte encore de me parler et j'ai pas envie de rater ce moment pour traquer une sorcière. Alors, calmos…

Amandier avala une belle gorgée d'alcool. Il se tut et laissa son esprit se perdre sur une façade grise aux volets fermés. Puis une autre. Puis encore une autre. Quelles horreurs se déroulaient derrière ces murs, dans ces cocons de pierre où pouvaient se cacher des monstres en gestation ? Combien de femmes frappées, d'enfants battus ? Combien de salopards agissant en toute impunité échappaient au système ?

Le vieux flic était fatigué de tout ça. Avec un soupir, il se tourna vers son collègue.

— Une dernière chose, petit. Si tu racontes à qui que ce soit ce qui s'est passé dans la baraque avec le serpent, je te tue.

41

S'il est une fête que la majorité des flics ne rateraient pour rien au monde, c'est bien Noël. Alors, en ce mardi après-midi, les bureaux du 36 se vidaient les uns après les autres. Les dossiers en cours allaient se mettre en pause l'espace d'un jour ou deux.

Pour compléter le tableau, la neige s'était invitée. Les flocons tombaient gaiement, mais il ne fallait pas s'y fier : une tempête soufflait dans le Nord et débarquerait sur la capitale dans la soirée. Suzanne avait prévenu Franck à l'heure du déjeuner et il angoissait déjà à l'idée des trois heures de route minimum qui l'attendaient pour rejoindre le bassin minier.

Après une longue réunion, Santucci les avait autorisés à lever le camp une fois leur paperasse bouclée. Comme prévu, le chef n'avait pas réagi de façon agressive lorsque Serge avait raconté, avec les détails qui l'arrangeaient, leur escapade de la veille et transmis les informations récoltées : les rites vaudous, la zombification, la Noire vraisemblablement d'origine haïtienne responsable des empoisonnements… L'idée du portrait-robot avait même séduit le Corse. De surcroît, celui-ci avait des connaissances à l'ex-Mondaine qui avaient eu affaire à des histoires de rites et de sacrifices d'animaux en plein Paris. Une aide qui pourrait leur être précieuse.

Mais on était déjà au début de l'après-midi, et Scotti ne s'était pas encore pointé. Santucci s'impatientait, l'œil rivé à sa montre. Florence, elle, était au téléphone.

— C'est cuit, il ne viendra pas, fit le Corse, résigné.

— Je m'en doutais, soupira Amandier. Il crevait de trouille. Il craint probablement que, si on commence à se balader avec un portrait-robot, ça remonte d'une manière ou d'une autre aux oreilles de la sorcière… Le mec ne veut pas finir shooté à la TTX et enterré vivant. Ça se comprend.

— Pas grave. On ira le déloger le lendemain de Noël, à la première heure, et on le traînera jusqu'ici. Officiellement, cette fois. On le colle en garde à vue pour détention illégale d'animaux dangereux et on le fait passer à table, le tout acté dans les procédures. On sera plus carrés, c'est mieux.

— Mais je lui ai promis qu'il n'aurait pas d'emmerdes…

— La promesse ne tenait qu'à condition qu'il ramène sa fraise, répliqua sèchement Santucci. C'est pas à toi que je vais expliquer comment on fonctionne. Le mec joue au con, il assume.

Sur ces mots, il s'empara d'un dossier et, alors qu'il s'apprêtait à quitter la pièce, se retourna.

— Profitez de votre réveillon, parce qu'on se coltine l'astreinte pour le Nouvel An. Joyeux Noël quand même.

Il disparut dans le couloir, laissant ses affaires en plan.

— J'aime bien le « quand même », commenta Serge en glissant des documents dans son tiroir. Allez, je me tire avant qu'il revienne. Bonnes fêtes à vous deux, on se voit après-demain...

— Bonnes fêtes, répliqua Franck.

Suspendue à son téléphone, Florence lui adressa un signe amical de la main en lui souriant. Elle patientait en marchant, emmêlant le câble du combiné au pied de sa lampe de bureau. La table de leur coin salon, elle, débordait d'emballages de sandwich, de bouteilles de soda et de paquets de biscuits. La seule femme de la brigade donnait à Sharko l'impression de camper ici. Elle finit par raccrocher et se dirigea vers le tableau.

— J'ai le nom complet. Il n'y aura plus qu'à obtenir l'adresse. Le collectionneur d'objets ayant appartenu à Houdini s'appelle Maxime Rafner.

Franck s'approcha d'elle. L'inspectrice inscrivit l'identité de l'homme à côté de la paire « Pagode/Houdini ».

— L'auteur de la biographie sur notre célèbre magicien est mort il y a quatre ou cinq ans, mais j'ai pu joindre son éditeur. D'après lui, ce Maxime Rafner vivrait à Pantin.

— « Vivrait » ?

— Si je parle au conditionnel, c'est parce que la publication du livre remonte à dix ans et que l'éditeur ne sait pas ce que devient ce Rafner. Il doit avoir plus de soixante-dix berges aujourd'hui. Enfin bref, comme je le disais ce matin, cet homme s'est porté acquéreur de certaines grandes illusions, dont la fameuse pagode chinoise de torture...

Elle alla chercher le livre sur son bureau, le feuilleta et lui montra une photo de l'engin.

— Elle me fiche la chair de poule, poursuivit-elle. D'après ce que je viens d'apprendre, Rafner était magicien et ingénieur en mécanique. Toujours d'après l'éditeur, il était connu dans le cercle des illusionnistes pour réparer des machines, fabriquer des tours ou des objets sur mesure, qui étaient ensuite utilisés lors de spectacles.

— Des objets... genre un verrou qui se ferme tout seul ?

— On peut le supposer. Le type d'outil qui pourrait parfaitement être commandé par un escapologiste, par exemple.

Florence glissa les mains dans les poches arrière de son jean et considéra les notes sur le tableau dans leur ensemble.

— Maxime Rafner... Ce sera lui, ma prochaine étape...

Sharko acquiesça. Il réfléchissait.

— On dirait que le gars qu'on traque veut qu'on finisse par le comprendre. Pas après pas, indice après indice, il tente de nous faire entrer progressivement dans sa tête.

— Ouais, j'aime pas ça. On ne rencontre pas tous les jours des spécimens comme lui.

— Il n'a pas peur de tomber, répliqua le jeune inspecteur. Au contraire, ça fait peut-être partie de son ultime tour. Sa « grande illusion », comme il le dit lui-même... Je ne sais pas à quoi on doit s'attendre, ce qu'il nous réserve, mais il ne s'arrêtera pas là. J'ai le sentiment qu'il va encore nous en faire baver.

Ils restèrent quelques secondes silencieux. Franck écrasa un index sur le mot « vaudou ».

— Notre Méticuleux est connecté à ce milieu, d'une façon ou d'une autre. Il savait la sorcière capable de confectionner une poudre rare à base de TTX. Tous ces rites, c'est secret, c'est codé, le commun des mortels n'y a pas accès. Notre homme est proche de cette communauté… Il côtoie ces gens…

Florence poussa un soupir.

— Je me demande à quoi il va ressembler, son Noël, à ce salopard. Peut-être qu'il le célébrera avec le tueur des Disparues et la sorcière noire, et qu'ils vont trinquer tous ensemble à notre santé.

Elle lui tapota le dos.

— En tout cas, t'as bien bossé, Shark. T'as fait ravaler sa haine à Santucci.

— T'as été pas mal non plus.

— On va espérer que les fêtes l'apaiseront encore plus, le Corse, et qu'il te foutra la paix une bonne fois pour toutes. Mais tu dois faire gaffe ; votre petite virée avec Serge aurait pu mal finir.

Elle tourna les talons sur ces mots et, en arrivant à son bureau, fit tomber un paquet de feuilles que Sharko l'aida à ramasser. Il découvrit alors des partitions manuscrites.

— J'ignorais que tu composais de la musique.

Elle lui arracha les pages des mains.

— Je ne compose pas, je joue. Mais tu gardes ça pour toi.

— Pourquoi ? Ce n'est pas une honte et ça n'enlève rien au fait que t'es une dure à cuire. Quel instrument ? Guitare électrique ?

— Ouais, c'est ça. Allez, tire-toi avant de te retrouver bloqué dans les embouteillages. Et fais attention sur la route, ça ne va pas être gai, avec cette neige. Joyeux Noël et bonjour aux tiens.

— Toi aussi. Joyeux Noël.

Coupant court à la discussion, Florence décrocha son téléphone et composa un numéro. Franck, lui, jeta un œil à l'horloge : 15 h 10. Il enfila son cuir d'aviateur, s'assura que tout était en place pour son retour, jeudi, regarda les photos des enfants, comme pour les emporter mentalement, et dévala l'escalier, pressé pour une fois de ficher le camp du 36. Sa Renault 21 l'attendait le long du quai, avec bagages et cadeaux rangés dans le coffre.

42

Sharko mit plus d'une heure à sortir de Paris. Après des ralentissements à répétition, il s'engageait enfin sur l'autoroute A1, direction plein nord, dans des conditions météo compliquées : comme annoncé, les chutes de neige s'intensifiaient au fil de sa progression.

À 16 h 30, il faisait déjà noir. Les essuie-glaces balayaient à toute vitesse le pare-brise fouetté par les flocons. Sur le côté et entre les voies, la poudreuse commençait à s'accrocher. Stressé, Franck enclencha une cassette de Dolly Parton et se laissa envoûter par le premier titre, « Jolene ». S'ils savaient, au 36… On le prendrait pour le pire des ringards.

Au bout d'une heure et demie, de nouveaux bouchons. Il se retrouva cette fois à l'arrêt au niveau de l'embranchement de l'A29, à la hauteur d'Amiens. En face, les véhicules circulaient au compte-gouttes, eux aussi. Le passage d'une ambulance et d'une voiture de police sur la bande d'arrêt d'urgence, de son côté, confirma ce qu'il craignait : un accident devait être à l'origine de ce foutoir.

— Et merde ! grogna-t-il en claquant ses paumes sur le volant.

L'heure tournait et il se ferait crucifier par sa mère s'il manquait le début des festivités. Mais il n'eut pas d'autre choix que de prendre son mal en patience, et, après un temps qui lui parut interminable, il put enfin rouler au pas. Les gyrophares de nombreux véhicules de secours crevèrent la tempête. Des collègues, armés de balises luminescentes, rabattaient les usagers vers la gauche.

Un camion arrivé en sens inverse avait traversé le terre-plein central. Il gisait sur les deux voies de droite. Sous les roues de la cabine, Franck devina la carcasse d'une voiture. Des valises éventrées et des paires de skis étaient éparpillées au sol, des vêtements volaient dans le vent, d'autres – dont un pull vert – s'étaient accrochés aux arêtes de la rambarde. Un pull vert… Un souvenir datant de vingt ans vint le percuter de plein fouet. Il peina à contrôler les tremblements qui agitaient ses mains, comme autrefois…

À l'aide de grosses pinces hydrauliques et de scies électriques, des hommes en uniforme s'acharnaient sur l'habitacle en lambeaux. Comme tout le monde, Franck ne put s'empêcher d'observer. Un amas de chair et d'os. Des silhouettes désarticulées, compressées à l'avant et à l'arrière. Une famille complète anéantie. L'horreur à l'état pur.

Elle est partout, songea-t-il. *Même ici, même maintenant, si près du réveillon, elle frappe, encore et encore. L'horreur…*

Fichu destin… Qu'avaient pu faire ces pauvres gens face au mastodonte brisant toutes les barrières pour se précipiter vers leur véhicule ? Pourquoi eux ? Pourquoi aujourd'hui, à cette minute ? *Aucune règle, avec Lui. Il n'a aucune pitié...* Il n'avait eu aucune pitié non plus, à l'époque. Franck Le détestait.

Trente mètres plus loin, il distingua un brancard qu'on embarquait dans une des ambulances, les secouristes qui se penchaient sur un corps. Sans doute le chauffeur du camion... Lui, le responsable, allait vivre.

Et ce fut à ce moment précis, dans la violence de cet épouvantable tableau, que son esprit se connecta à une image : celle du médecin incliné au-dessus de Delphine Escremieu, dans l'ambulance à Saclay, juste avant qu'on ne l'emmène à l'hôpital. Celle surtout de cette paire de ciseaux qu'il avait utilisée pour couper la corde de la toile servant de vêtement à la jeune femme. Une paire de ciseaux à lames courbes.

Franck se rappelait la façon dont les habits des victimes avaient été découpés dans l'affaire des Disparues, il avait vu les photos : à la verticale, le long du buste.

Comme le faisaient les urgentistes lors de leurs interventions. Tel qu'ils allaient le faire maintenant, pour secourir cet homme.

Sharko en eut subitement la quasi-certitude : le légiste s'était trompé. L'arme du crime n'était pas un Opinel à lame courbe, mais des ciseaux d'urgentiste, dont on se serait servi à la manière d'un couteau pour poignarder trois innocentes. Les deux instruments avaient peut-être des lames identiques ou des caractéristiques suffisamment proches pour que cela échappe à l'œil du spécialiste.

Sa piste se confirmait. Le monstre qui avait kidnappé, violé et mutilé Corinne, France et Isabelle était un homme dont le métier était de sauver des vies. Chamboulé, Franck abandonna l'accident et les clignotements bleutés dans son rétroviseur. Et il s'enfonça dans les rideaux de flocons.

43

— Y a que le dimanche qu'on pouvait faire sécher le linge, c'était quand le puits 6 était fermé. Les autres jours, y avait de la poussière de charbon partout. Tu vois, ce meuble-là, il était tout le temps crasseux. Comme les façades, les rues. Cette saloperie se fourrait dans le moindre recoin. Y en avait aussi des couches et des couches sur les légumes du jardin. Ils étaient noirs comme la suie. Combien de fois fallait laver les salades, Irène ? Dis-lui, à Suzanne. Combien de fois ?

— Cinq fois.

— C'est ça. Cinq fois avant d'avoir de l'eau à peu près claire… Comme si on n'en respirait pas déjà assez, de cette saloperie…

René Sharko leva son verre de genièvre de Houlle et observa la clarté du liquide d'un œil expert. Franck trempa ses lèvres dans le sien, tandis que Suzanne déclinait.

— Je vais aider Irène à débarrasser.

En ramassant les assiettes, elle adressa un bref regard à son fiancé : ce n'était jamais bon signe, quand René se mettait à ressasser le passé. Le sexagénaire quitta d'ailleurs la table en titubant, preuve qu'il avait beaucoup trop bu. Avec son teint gris, ses cheveux blanchis, son dos courbé et les tuyaux accrochés à ses narines, il faisait dix ans de plus. Franck porta sa bouteille d'oxygène et l'installa dans le fauteuil que sa mère avait ciré avec excès.

— Vous avez pas connu ça, vous autres. Et ça se plaint...

— Personne ne se plaint, papa.

— Si. Y a plus rien qui va. Le Front National, là, tout ça, c'est pas bon pour les jeunes. Je les entends cracher à longueur de journée sur les immigrés. Nos voisins, c'est des Arabes, t'as qu'à regarder comment les nouveaux venus les lorgnent aujourd'hui. Ils ont l'œil noir. Toi, t'es plus là, mais moi, je le vois bien. Vingt dieux, c'est quand même eux, les Italiens, les Polacks, les Algériens, qui sont descendus avec nous au fond de la fosse et qui y ont laissé leur peau. On les collait aux pires endroits, ils ressortaient de là cassés. Et à c't'heure que le sale boulot est fait, on veut les renvoyer chez eux ? Pfff... Ressers-moi un coup, va.

— Tu ne tiens déjà plus debout. Il est tard, on va tous aller se coucher.

— Me dis pas ce que je dois faire. T'as sans doute l'habitude de donner des ordres, le cul dans tes bureaux tout propres, là-bas, à côté de la tour Eiffel, mais pas ici, fils. Non, pas dans ma maison.

Il n'était pas loin de 3 heures. La soirée s'était bien passée, et Franck ne voulait pas que son père la gâche, comme chaque fois que l'excès d'alcool lui brûlait la cervelle. Il l'abandonna là et rejoignit les femmes. Lui aussi marchait un peu de travers.

De la vaisselle et un four ancestral encombraient l'étroite cuisine. Avant qu'il ne quitte le domicile parental, Franck n'avait connu qu'un foyer, c'était celui-là : un logement des mines en bout de coron. La société des Houillères, dans sa grande générosité, autorisait les anciens mineurs et leurs femmes à y résider gratuitement jusqu'au dernier vivant. Une maigre compensation en comparaison des milliers de vies que les veines de charbon avaient brisées.

Quand ils eurent fini de tout remettre en ordre, René ronflait déjà. Suzanne alla se démaquiller dans la salle de bains. Il n'y avait pas longtemps encore, les toilettes se trouvaient au bout du jardin, mais toutes les habitations étaient en cours de rénovation, pour y apporter un peu plus de confort.

— Il va dormir là, le vieux, fit Irène.

Franck lui ôta ses chaussures, puis il posa une couverture sur ses épaules. Il percevait le murmure de l'oxygène qui circulait de la bouteille jusqu'aux poumons tapissés à 70 % de silicose. Son cœur se serra. Il savait que son père n'en avait plus que pour quelques années à vivre. La mine l'avait eu.

— Papa, il a des principes, confia-t-il tout bas. Toujours dire ce qu'on pense aux autres... Un de mes collègues est pour la peine de mort, il m'a demandé si c'était mon cas. J'ai répondu oui, je voulais me faire bien voir... Tu crois que... j'aurais dû lui dire la vérité ?

Irène Sharko ajouta un broc de boulets de charbon dans le poêle. À l'aide d'un tisonnier, elle répartit le combustible. Des flammes firent briller ses yeux gris et fatigués. Même si de profondes rides creusaient sa peau, et que le temps et les épreuves avaient un peu voûté son dos, on entrevoyait encore la belle femme forte qu'elle avait été jadis.

— Ton père te botterait le cul, s'il t'entendait, c'est certain. Mais fais ce qui te semble le plus juste, à toi. C'est ça qui compte. S'il fallait mentir pour ne pas te chamailler avec ce gars, et que c'est important pour ton travail, alors tu as bien fait.

Elle referma la trappe et posa une main sur l'épaule de son fils.

— Au fond, ton père est content que tu sois parti. Y a plus rien, ici. Hormis les fantômes du passé...

— Merci, m'man. C'était un chouette réveillon.

Avant qu'ils aillent se coucher, Franck embrassa sa mère.

— Au fait, il y a un truc auquel je songe maintenant, et qui n'a rien à voir... T'aimais beaucoup Dalida. Tu connais la date précise de sa mort ?

— Le 3 mai 1987. Un dimanche. On n'a parlé que de ça dans le coron, le lendemain. Mais pourquoi tu veux savoir ça ?

— Pour rien... À demain, m'man.

Ils montèrent à l'étage. L'escalier était raide, les deux chambres petites mais confortables. Il y régnait une chaleur agréable. Sous la couette, Franck prit Suzanne dans ses bras. Sa tête lui tournait légèrement.

— Merci pour la locomotive et les rails. C'était une superbe idée. C'est ma mère qui t'a mise dans la confidence ?

— Apparemment, tu ne décollais pas de tes trains miniatures, quand t'étais gamin. T'as que trente ans... Je me suis dit que c'était pas si loin que ça, et que te ramener à tes souvenirs d'enfance te ferait plaisir.

— Très. Les trains, c'était une façon de quitter le coron... C'était comme des vacances, puisqu'on ne voyageait quasiment jamais.

— Je sais, oui.

— Je vais acheter une planche et j'installerai la boucle dessus. Comme ça, on pourra la glisser sous le lit et ça ne prendra pas de place dans l'appartement.

— Mon bracelet est magnifique. Tu as bien choisi.

— Je suis content qu'il te plaise.

— Dis, Franck... il y a une question qui m'a traversé l'esprit pendant le dîner... Les familles de mineurs étaient souvent nombreuses, non ? Cinq, six gamins... Pourquoi t'es fils unique ?

— Ma naissance a été compliquée. Je crois que ma mère ne pouvait plus avoir d'autres enfants, après. Enfin, elle ne m'a jamais expliqué clairement... Tu les connais, ils ne sont pas très causants sur ce genre de sujet.

Franck l'embrassa dans le cou, ferma les yeux et chuchota :

— Demain, avant mon départ, il y a quelque chose que je voudrais te montrer. Un truc que je ne t'ai jamais raconté et dont j'ai besoin de te parler.

Suzanne ignorait quelle heure il était quand elle se réveilla à cause du plancher qui grinçait. Il faisait encore nuit noire, la place de Sharko était froide, mais elle devinait qu'il était là, dans la pièce. Il longeait les murs, allait puis revenait sur ses pas. Un feulement de tissu fendit l'air. L'instant d'après, la porte grinça, et il descendit l'escalier.

Elle se redressa, inquiète. Que se passait-il ? Elle n'avait rien dit dans la soirée, mais elle l'avait senti très perturbé dès son arrivée. Ensuite, ça n'avait pas été un réveillon comme les autres non plus. Franck avait moins parlé que d'habitude, il avait été pensif, les yeux souvent fixes, la mine grave. Tout cela ne lui ressemblait pas. Il était évident que son travail le perturbait.

Elle s'emmitoufla dans sa robe de chambre et s'aventura dans le couloir. En bas, les lueurs du feu à charbon dansaient dans la pénombre. Franck réapparut à ce moment-là, au pied des marches. Il se figea une seconde lorsqu'il la vit, puis monta. Il était torse nu, et en sueur.

— Qu'est-ce qui ne va pas ? murmura-t-elle.

— Je crevais de soif. Je suis juste allé boire.

— Je t'ai entendu dans la chambre. Tu piétinais, tu frappais l'air avec une serviette…

Franck la poussa délicatement dans le dos, jusqu'à leur lit.

— C'est rien… L'alcool… J'étais désorienté. Mais ça va… Il n'est même pas 6 heures. Faut dormir encore…

Il s'allongea loin d'elle et lui tourna le dos pour mettre un terme à leur conversation. Pourquoi réagissait-il ainsi ? Suzanne roula vers son homme et glissa les mains autour de son torse. Il tremblait. Elle ignorait ce qui se passait, mais elle eut l'impression que quelque chose était en train de transformer celui qu'elle aimait. Sa vie loin d'ici ? L'enquête, le surmenage, la pression de sa hiérarchie ? Toutes les horreurs qu'il avait vues ?

Et dire que ce n'était que le début…

44

C'était un paysage du Nord un jour de Noël, un instant de grâce où la blancheur éclatante de la neige remplaçait le noir brillant des terrils et la terre brune des champs. Une cloche joyeuse tintait dans le centre de Bruay-la-Buissière. Le soleil d'un jaune rieur déclinait déjà avec paresse, sa lumière d'or reflétée sur le toit argenté de l'église. Chaudement vêtus, Franck et Suzanne avançaient, main dans la main, dans l'allée centrale du Cimetière du 3, à l'est de la ville. Ils avaient le ventre lourd de la traditionnelle dinde et de ses pommes de terre sautées. Leurs pieds s'enfonçaient jusqu'aux chevilles dans les épaisseurs glacées que peu de personnes avaient foulées avant eux.

Malgré l'absence de repères, Sharko s'orientait avec aisance entre les travées immaculées. Visiblement, il connaissait l'endroit par cœur. Pourtant, il n'avait pas fait part à Suzanne de l'importance que semblait avoir ce lieu pour lui. Silencieux, il serrait un bouquet de cinq roses rouges contre son flanc. Il s'arrêta devant un caveau auquel la couche de flocons donnait une impression de pureté absolue.

— C'est ici…

Il chassa la neige et dévoila un nom gravé dans le granit rose et gris. Suzanne rabattit le col de son manteau sur sa gorge. Elle eut soudain encore plus froid. Brigitte…

— « Brigitte Dewèvre », lut-elle tout bas, comme si elle avait peur de réveiller les morts. J'étais petite, mais j'en ai entendu parler. Par contre, j'avais oublié que ce terrible drame s'était déroulé ici… Il y a pourtant eu une médiatisation importante[1].

— C'est normal. À l'époque, la ville s'appelait Bruay-en-Artois. J'avais onze ans, Brigitte quinze. On était assez proches parce qu'on habitait la même rue et que nos pères partaient ensemble tous les matins sur le carreau de fosse. Il arrivait que Brigitte passe chez nous avec sa mère, pour apporter du pain ou des légumes…

Franck redressa la tête. Il observa le paysage. Les deux immenses terrils, devant lui, arrachés aux entrailles de la Terre dans la douleur et la sueur. La silhouette d'un chevalement fatigué, plus loin. Les lopins de terre tous identiques, alignés derrière des baraques de brique toutes identiques. Les vestiges de la souffrance d'une région qui n'avait jamais vécu que sous un lourd ciel gris. Chaque fois qu'il se tenait là et qu'il fermait les yeux, Sharko percevait le raclement des semelles des mineurs qui, chaque jour, inlassablement, marchaient dans le coron par centaines pour descendre neuf cents mètres sous terre et extraire leur pitance des veines de charbon.

---

1. Histoire vraie qui a été l'un des symboles de la lutte des classes dans les années 1970.

— Le 6 avril 1972… Un jeudi… C'était un après-midi comme les autres. Ni plus moche ni plus gai. Mon père était au fond de la mine depuis 6 heures du matin, ma mère s'occupait de la maison. Moi, j'étais en vacances et je roulais ma bosse. Avec mes copains, on jouait beaucoup au ballon sur le terrain vague qui nous séparait des quartiers bourgeois, juste derrière chez mes parents. Tu vois où c'est ?

Suzanne acquiesça.

— Un copain a tiré trop fort, le ballon a roulé dans les broussailles. C'est moi qui suis allé le chercher. Pourquoi moi ? Je n'étais pas le mieux placé, mais je n'ai pas réfléchi. Comme si, je ne sais pas…

Il garda le silence quelques secondes.

— Ce que j'ai vu, Suzanne, ça a tout changé. Définitivement…

D'un geste, il chassa un nouveau bloc de neige de la pierre tombale et y déposa ses roses.

— J'ai d'abord aperçu son pull vert au sol, sa tunique, puis son pantalon. Étalés là tels de vulgaires bouts de chiffon. J'ai vu les pieds, j'ai cru à un jeu, quelqu'un qui se cachait. C'était débile… Mais je n'étais qu'un môme. Puis… j'ai découvert le reste. Elle… elle était sous un vieux pneu, sur le dos. Complètement nue, griffée de partout comme si on l'avait traînée dans les ronces. Je ne l'ai pas reconnue, sur le coup. C'était une amie, et je ne l'ai pas reconnue…

La main de Suzanne lui caressait le dos. Depuis qu'ils se fréquentaient, jamais il n'avait fait allusion à ce drame. Pourquoi aujourd'hui, en ce jour de Noël ?

— J'ai appris le soir même qu'il s'agissait de Brigitte. Une fille de mineur toujours gentille, polie, qui ne voulait de mal à personne. Tout le monde l'appréciait, dans le coron. On a très vite su ce qui lui était arrivé, les horreurs qu'on lui avait fait subir. On l'avait étranglée, et frappée avec une serpette pendant plusieurs minutes après sa mort... Sur les bras, les jambes, le visage...

Il lui adressa un regard dur, puis fixa le nom gravé dans le granit.

— C'est tout ce que je conserve d'elle. L'image de ce corps lacéré, blanc comme cette neige. Dans ma tête, plus jamais je ne l'ai vue rire, ou pleurer. Ça n'a duré que quelques secondes, mais ça m'a... détruit, Suzanne. Et... je n'ai rien dit. On n'avait pas le droit de se plaindre, à la maison. Mais ça n'allait pas bien. Alors je me suis fait une promesse, une promesse absurde que seuls les gamins de onze ans peuvent inventer...

Il frotta ses gants l'un contre l'autre et lâcha dans un souffle :

— Retrouver son assassin.

Il passa une dernière fois ses doigts sur la pierre. Sans doute sa manière de dire au revoir.

— J'ai souvent hésité à te le dire. Ce ne sont pas des choses qu'on raconte facilement, pas chez nous. Mon père peut ressasser ses histoires de mineur, jamais il ne prononcera le nom de Brigitte. Culture de taiseux... Comme si ce drame était leur faute à tous, et que le fait de ne pas en parler pouvait permettre d'oublier. Mais un enfant n'oublie pas. Jamais...

Ils se remirent en route.

— J'ai grandi, j'ai eu l'espoir qu'on découvre qui avait fait ça, poursuivit Franck. Mais tu connais comme moi l'histoire... Un juge sous la pression de l'extrême gauche qui se heurte à la lutte des classes, au moment où on évoquait la fermeture des mines. Le notaire et sa maîtresse qu'on a inculpés sans preuve, puis qu'on a relâchés. Un jeune des corons qui a été soupçonné parce qu'il fallait un bouc émissaire. Sans résultat. Le coupable, le vrai, courait toujours. Alors, quand j'ai eu vingt ans, je suis devenu flic. Cinq années à traîner ici, dans le commissariat de Bruay, pour me plonger dans les dossiers, fouiner de la même façon que je le fais aujourd'hui au 36... Mais je n'avais pas accès à grand-chose, parce que quasiment tout était géré par les flics de Lille. Je n'avais pas le choix, il fallait que je parte là-bas.

Il haussa ses lourdes épaules.

— Le baratin que je sers à tout le monde à propos des raisons qui m'ont fait devenir flic... La justice, la volonté de servir mon pays, ma prétendue « passion » pour les enquêtes criminelles... Tout ça, c'est du flan. C'est pour elle que je l'ai fait. Pour tenir ma promesse.

Suzanne ne savait pas quoi répondre. Franck avait cherché un meurtrier invisible, un monstre que des dizaines de policiers avant lui n'avaient jamais retrouvé. Et, comme les autres, il avait échoué. Tout en marchant dans l'ancien coron, elle observa les toits coiffés de neige, les façades en brique rouge... Derrière l'une de ces fenêtres, peut-être, l'homme qu'on tentait d'identifier depuis presque vingt ans...

— C'est pour ça que tu t'acharnes autant sur l'affaire des Disparues, dit-elle. Ces photos dans ton tiroir... Ces corps dénudés, mutilés dans les champs, frappés à coups de couteau... Ça te ramène à Brigitte... Tu essaies de combler, grâce à ces femmes, le vide que ton amie d'enfance a laissé en toi.

Franck se tut, mais Suzanne avait visé juste. Son fiancé saignait au fond de son âme. Il avait conservé en son for intérieur des images violentes sans jamais pouvoir les extérioriser. Et elle n'avait rien soupçonné.

Ils arrivèrent devant leurs voitures. C'était l'heure de la séparation. Les yeux de Franck étaient rougis et humides. Depuis leur rencontre, jamais elle n'avait vu sa carapace se craqueler de cette façon.

— C'est dommage qu'on ne se revoie pas pour fêter la nouvelle année…

Franck lui caressa la joue.

— Nous rattraperons tout ça, ne t'inquiète pas.

— Merci de m'avoir confié cette histoire.

— Merci de m'avoir écouté. Ça m'a fait du bien. Je ne sais pas ce que je ferais sans toi.

Ils se dirent qu'ils s'aimaient, se promirent de s'appeler très vite, de s'envoyer des fax, et se quittèrent. Franck fit signe à sa fiancée jusqu'à ce que sa voiture disparaisse. Elle allait remonter plus haut vers le nord, lui allait descendre et retrouver ses cadavres.

Il se réfugia dans sa Renault, essuya ses larmes, démarra et se concentra sur la route glissante. La traque reprenait.

45

— Il faut que je te parle d'un truc, Serge. C'est au sujet de l'affaire des Disparues.

Sharko et Amandier n'avaient pas perdu de temps. En ce début de matinée, ils filaient déjà en direction de la maison de Félix Scotti. Einstein et Santucci suivaient dans une autre voiture. L'objectif était de placer l'homme en garde à vue et de le ramener au 36.

— Je t'écoute.

Sharko n'ignorait pas le risque qu'il prenait en abordant cette question avec son collègue, mais depuis qu'il avait rangé la page 145 dans la bulle, ni vu ni connu, il éprouvait le besoin de partager une partie de ses découvertes.

— Au temps où t'étais le chef de l'enquête, vous n'avez jamais songé que le tueur pouvait avoir un rapport avec le milieu du secourisme ? Qu'il soit ambulancier ou urgentiste, par exemple ?

Amandier jeta un œil dans son rétroviseur et bifurqua sur l'autoroute A10. Puis il adressa un regard réprobateur à Sharko.

— Un urgentiste ? Qu'est-ce que tu racontes ? Ces gars-là sauvent des vies. C'est ta biture de Noël qui t'a collé dans la tête une connerie pareille ?

Franck en conclut que Titi avait, à l'époque, gardé ses réflexions pour lui, et que tout le monde ne lisait pas la bulle. Il s'empara d'un sachet plastique dans la poche intérieure de son blouson, en sortit son Opinel numéro 8 et des ciseaux en métal, à lames courbes.

— Je suis passé aux urgences de l'Hôtel-Dieu avant d'arriver au bureau… J'ai discuté deux minutes avec un médecin qui m'a donné cette paire de ciseaux. Le personnel d'intervention en possède de plusieurs types, dont celui-ci. Si tu compares les lames avec celle de l'Opinel numéro 8, l'arme *a priori* utilisée par notre meurtrier, tu vois qu'elles sont presque identiques.

Tout en faisant attention à la route, Serge se saisit des instruments. Il les observa rapidement et les rendit à son collègue.

— Il y a de la ressemblance, mais ce n'est pas tout à fait la même chose.

— Je sais. À mon avis, c'est quand même suffisamment proche pour causer des plaies qui ont des caractéristiques très similaires, notamment avec cette histoire de courbure. Le légiste aurait pu se tromper.

Sharko sentait qu'Amandier faisait un blocage. C'était sans doute difficile, pour lui, de découvrir une piste à laquelle il n'avait pas pensé. Ce qui amenait Franck, une nouvelle fois, à s'interroger : pourquoi diable personne n'avait-il pris connaissance de la note de Titi avant qu'elle ne disparaisse ?

— Van de Veld est un excellent légiste. Il a parlé d'un modèle de couteau, pas de ciseaux, fit Serge.

Et s'il a été aussi affirmatif, c'est qu'il était sûr de lui.

— Je ne remets pas en cause ses compétences. C'est juste que…

Franck manipula l'objet de manière à le maintenir ouvert.

— On peut imaginer qu'il ait frappé ses victimes avec une seule lame, de cette façon, mima-t-il en fendant l'air, pour brouiller les pistes et éviter qu'on ne pense à des ciseaux… Mais il n'y a pas que ça. Le tueur a également découpé les vêtements des trois femmes avec une technique qui n'est pas sans rappeler celle pratiquée par les urgentistes pour déshabiller leurs patients. Verticalement, de bas en haut.

Serge semblait réfléchir.

— Il y a aussi les lieux où l'assassin a sévi, continua le jeune inspecteur. Dans des arrondissements différents, certes, mais proches les uns des autres. Ça pourrait coller avec les interventions d'une ambulance puisqu'ils sont tributaires des appels au 15 et au 18. Et si notre homme s'était servi de ses déplacements professionnels pour repérer ses cibles ?

Son coéquipier ne disait plus rien, à présent. Franck devinait ce qui se passait dans son esprit, à ce moment-là : toutes ces années d'enquête qui défilaient en vitesse accélérée, et les connexions qui, soudain, s'établissaient grâce à cette hypothèse inédite.

— C'est un urgentiste, répéta Sharko. J'en mettrais ma main au feu.

Amandier finit par hocher la tête, puis regarda dans son rétroviseur, comme s'il avait peur que le Corse ne puisse entendre leur conversation.

— D'accord, d'accord, ton hypothèse mérite peut-être qu'on s'y penche. Un peu. Est-ce que t'as discuté de ça avec Santucci ?

— T'es le seul à être au courant.

— Il ne faut surtout rien lui raconter pour l'instant, sinon il va récupérer cette affaire-là à son compte. Ça me retournerait le bide qu'il profite encore du travail de notre groupe. D'ailleurs, tu ne vas en parler à personne, pas même à Florence, au Glaive ou à Einstein. Ils sont de notre côté, bien sûr, mais plus de gens sauront, plus il y aura de risques que ça remonte aux oreilles du Corse. Ça reste entre toi et moi, OK ?

— Qu'est-ce que tu veux faire ?

— Remballe tes instruments et planque-les dans ma boîte à gants. On va procéder dans l'ordre, calmement. Dans un premier temps, je vais aller voir Van de Veld et lui demander si tes ciseaux concordent avec les plaies des victimes. S'il confirme... on va se retrouver avec des centaines de profils sur les bras. Un vaste merdier, tu t'en doutes.

— Je sais comment restreindre les recherches. J'ai des dates et des lieux précis d'interventions.

Serge tourna brusquement la tête vers lui.

— Quoi ?

Franck désigna la route du menton pour que son collègue se concentre sur sa conduite.

— T'iras d'abord voir le légiste, je t'expliquerai comment j'ai découvert ça après... Mais c'est possible qu'on le coince, Serge. Après plus de cinq ans de traque, peut-être que tu vas mettre enfin ce salopard derrière les barreaux.

Amandier serrait le volant des deux mains, et sa crispation n'échappa pas à Sharko.

— Je ne sais pas d'où tu sors, petit, mais je commence à bien t'aimer…

Ils arrivèrent à destination une demi-heure plus tard. Ils se garèrent sur le parking du garagiste qui sortit cette fois encore pour gueuler et se musela instantanément quand il reconnut Serge.

Comme la fois précédente, mais en plus grand nombre, les flics passèrent par l'arrière. Ce coup-ci, la voiture de Scotti était accolée à des piles de pneus et de tronçons de bois. Ils rejoignirent rapidement la porte d'entrée. Les bottes en caoutchouc, les gants maillés et la pince se trouvaient toujours au même endroit. Sur la gauche, Franck dénombra trois chats morts recouverts de poudre blanche.

La vitre crasseuse avait été recollée, ou simplement scotchée. En tout cas, elle s'effondra d'un bloc lorsque Santucci frappa du poing sur le vieux bois. Il échangea alors un regard avec ses subordonnés, puis se baissa au niveau de l'encadrement pour voir à l'intérieur.

— Félix Scotti ? C'est la police ! Amène-toi !

Pas de réponse. Santucci répéta la sommation. Dix secondes s'étirèrent dans le silence, puis il tourna la poignée. Le battant n'était pas verrouillé. Serge lui agrippa le bras.

— C'est pas que je t'aime bien, mais il y a le serpent le plus dangereux au monde en liberté, là-dedans. Les tonnes de journaux au sol, c'est pour que la bestiole se planque. Scotti nous a expliqué qu'il se tapait des parties de cache-cache avec son reptile…

Le chef de groupe referma d'un geste vif et s'écarta vite de là. Amandier fit deux pas en arrière et sortit une cigarette.

— Mais si tu comptes quand même aller y faire un tour, ne te gêne pas. Ce ser...

Le flic s'arrêta net au milieu de sa phrase, le regard tourné vers l'amas de tôles, à quelques mètres, contre la palissade.

— Attendez. J'ai l'impression que...

Il s'approcha. Une main dépassait entre deux plaques ondulées. Les doigts pendaient avec mollesse dans le vide, les ongles avaient viré au violet et l'annulaire droit portait une chevalière en argent. Sur la tôle, une poupée en toile de jute, piquée d'aiguilles. Elle était grossière et effrayante, affublée de boutons de chemise sombres à la place des yeux, d'une bouche qui se résumait à une cicatrice de fils rouges enchevêtrés, et de cheveux qui n'étaient rien d'autre que des morceaux de laine jaune.

— Une poupée vaudoue...

Amandier fit signe à ses collègues de venir et enfila ses gants en cuir.

— C'est Scotti. La sorcière lui a fait la peau, bordel !

Le visage du Corse était aussi figé que ceux des statues de l'île de Pâques.

— Et merde, c'est pas vrai...

Sous le contrôle de Santucci, Serge souleva la tôle opaque, dévoilant d'abord un bras percé de deux trous où avait séché un peu de sang. Une morsure. Il poussa un cri et tomba à la renverse sur les gravillons en découvrant le reste du corps.

Félix Scotti était nu. Il avait été mordu par le serpent à de nombreuses reprises. Ses yeux grands ouverts louchaient vers l'interminable langue noire qui descendait vers son menton, son torse et qui disparaissait entre ses cuisses écartées.

On lui avait enfoncé la tête du mamba mort jusqu'au fond de la gorge.

46

Florence marchait au bord du canal de l'Ourcq, le nez dans son écharpe. Un vent à geler les os lui frappait les joues et figeait le paysage. Un peu partout, des grues se dressaient tels des oiseaux de fer. Pantin était en pleine mutation. De nouveaux sites industriels, plus modernes, s'ajoutaient aux silos, menuiseries, manufactures, distilleries, infrastructures ferroviaires et fluviales de la ville.

Elle abandonna sur sa droite les Grands Moulins, gagna l'autre rive et progressa vers le centre jusqu'à atteindre une impasse bordée de hauts murs de brique et de portails, comme si les habitants s'étaient réfugiés derrière des forteresses. Elle sonna au numéro 13 et patienta. Elle avait pris le risque de ne pas prévenir Maxime Rafner de sa venue, car ménager un effet de surprise permettait d'interroger les gens sur le vif.

Par chance, elle n'aurait pas à poireauter dans un troquet voisin. Le propriétaire lui ouvrit. Un petit homme avec une moustache grise à la Dalí, le crâne rasé et de fines mains de pianiste. Il faisait largement moins que son âge. Ses yeux d'un bleu incroyable étaient perçants et, sur le coup, Florence pensa au regard magnétique de Houdini. Il portait une tenue plutôt négligée, un pull rouge en laine sans forme et un pantalon de velours côtelé. L'inspectrice présenta sa carte et expliqua brièvement qu'elle souhaitait lui parler au sujet d'une affaire en cours.

Il l'invita à entrer dans un salon encombré d'un juke-box, de piles de trente-trois tours et de cassettes qu'il ne savait apparemment plus où ranger. Florence trouvait l'ambiance sinistre et préféra rester sur le seuil de la pièce. Une curieuse appréhension l'enveloppa soudain : cette maison semblait figée dans le passé.

— J'ignorais qu'il y avait des femmes dans la police criminelle, s'étonna son interlocuteur en reprenant l'arrosage délicat d'un bonsaï avec un vaporisateur. Et si on me l'avait dit, je ne vous aurais pas imaginée ainsi…

— Comment alors ? Moche et vieille ?

Il lui adressa un sourire.

— Plus masculine, peut-être. Racontez-moi plutôt ce qui me vaut votre charmante visite.

— Une histoire complexe.

Elle lui montra une photo du verrou à molette.

— Dans un premier temps, j'aimerais savoir si vous fabriquez ce genre d'objet. C'est un verrou qui se ferme automatiquement au bout d'une minute.

Rafner acquiesça, l'air grave.

— En effet, il y a mon poinçon, en haut à droite. C'est un gimmick destiné aux magiciens qui pratiquent l'escapologie. Je l'ai appelé le « cadenas miraculeux ». Pourquoi vous intéresse-t-il ?

— Il a été utilisé sur une scène de crime. Nous sommes certains que ce… « cadenas miraculeux » appartient à l'assassin.

Rafner posa son vaporisateur, sous le choc.

— Mon Dieu…

— Il a pris le soin de l'installer avant ou après avoir commis un meurtre effroyable, tranquillement. Vous vous doutez du désarroi qui a été le nôtre lorsque nous avons été confrontés à cette énigme : un massacre perpétré dans un lieu dont l'unique issue était verrouillée de l'intérieur, et sans possibilité de fuite… On a mis plusieurs jours à comprendre comment le tueur était sorti.

— Je veux bien vous croire.

Florence ne le lâchait pas des yeux et scrutait ses réactions.

— À qui l'avez-vous vendu ?

— Malheureusement, je ne peux pas répondre à votre question, car ce n'est pas un modèle unique. J'ai dû en concevoir une bonne cinquantaine, il y a environ dix ans déjà. Quand on invente un gimmick, on essaie d'en faire l'article dans des festivals ou on le confie à des boutiques de magie, ce qui fut mon cas. Et mon cadenas miraculeux a eu pas mal de succès, puisque aucun exemplaire ne m'a jamais été retourné.

— Et ces boutiques s'adressent à n'importe qui, je présume. Elles ne sont pas exclusivement réservées aux professionnels.

— Il fut un temps où les marchands de trucs demandaient à l'acheteur de réaliser un tour, pour s'assurer qu'ils avaient affaire à un magicien. Mais il faut réaliser du chiffre avant tout. Alors oui, n'importe qui a pu s'en procurer un.

Florence pinça les lèvres. Encore une piste qui risquait d'engendrer d'interminables recherches.

— Vous pourrez me fournir la liste de ces commerces ?

— Je dois avoir ça quelque part. Mais ça remonte à loin et je sais que certains d'entre eux ont fermé depuis.

— Ça m'intéresse quand même. Afin de régler ce point tout de suite, j'aurais aussi besoin de savoir où vous étiez, la semaine du 2 décembre. Et plus précisément les jeudi 5 et vendredi 6 décembre.

— Parce que vous me… ?

— Simple formalité, ne vous inquiétez pas. On a retrouvé un objet que vous avez fabriqué à quelques mètres d'un cadavre, vous pouvez comprendre que cette petite vérification s'impose.

Après un temps où il resta immobile, Rafner finit par acquiescer.

— Ça va. Je ne le prends pas mal. Vous faites votre boulot. Mais je suis un vieil homme, au cas où vous n'auriez pas remarqué.

Il alla feuilleter un carnet sur la table. Puis fouilla dans un tiroir et revint avec des billets d'avion.

— J'étais en Angleterre, du lundi 2 au samedi 7. À la convention annuelle Blackpool. Vous n'avez là que mes dates aller et retour, mais j'ai aussi conservé les factures d'hôtel, de restaurants, et une bonne centaine de personnes pourront attester de ma présence sur place.

— Blackpool, c'est…

— La plus grande réunion autour de la magie. Elle se tient dans la ville du même nom, Blackpool. On y croise des magiciens professionnels, des étudiants, des amateurs, des marchands de trucs, des collectionneurs d'appareils… Bref, tout ce qui se fait de mieux dans le domaine.

Florence vérifia les billets et les lui rendit.

— Merci, gardez le tout précieusement, vous les apporterez lors de votre déposition officielle au Quai des Orfèvres. Vous savez s'il y a moyen de récupérer une liste de tous les participants à cet événement ?

— Sûrement en vous rapprochant de la FFAP, la Fédération française des artistes prestidigitateurs. Mais nous étions plus de trois mille, et les gens viennent du monde entier pour y assister. Vous soupçonnez quelqu'un du milieu de la magie, n'est-ce pas ? Pourtant, je vous l'ai dit : n'importe qui aurait pu acheter et utiliser mon cadenas, même vous.

— Il n'y a pas que ce verrou, mais tout un faisceau d'éléments qui nous orientent vers un magicien…

Elle jeta un rapide coup d'œil vers une horloge dont la trotteuse tournait dans le mauvais sens, puis revint vers son interlocuteur.

— … L'homme qu'on cherche a peint le mot « pagode » sur les lieux du crime. Dans la maison où la victime a été enlevée, le mot « Houdini » était tracé sur une cloison. C'est l'association de ces deux mots qui m'a menée jusqu'à vous.

Rafner accusa le coup. Il sembla ailleurs un instant, puis il répondit enfin :

— Je suis désolé, je ne vois pas ce que je peux faire pour vous.

— La piste autour de la provenance de votre cadenas miraculeux risque de ne pas beaucoup m'aider, elle ne fait que lancer d'autres investigations compliquées qui aboutiront sans doute à des impasses. Mais il y a peut-être quelque chose d'autre à découvrir ici, avec vous.

Dans une lettre que nous a laissée l'assassin, il évoque une porte du secret...

Elle sortit une copie de la lettre de sa poche.

— Il a écrit très exactement : « Je vous souhaite de former la paire, car à travers elle vous atteindrez celle qui vous ouvrira la porte de l'ultime secret. » On a trouvé la paire, mais auriez-vous la moindre idée de ce que peut signifier ce « celle » ?

Cette fois, Rafner réagit positivement. Un éclat passa dans son regard.

— Oui, oui. Peut-être. Il faut que je vous montre, venez.

Il l'invita à le suivre. Ils parcoururent d'étroits couloirs sombres où se succédaient une multitude de cadres, d'affiches de spectacle et de cabaret, des photos jaunies. On voyait Rafner sur scène, beaucoup plus jeune, au milieu d'une troupe de danseuses ou seul dans une veste en queue-de-pie, en train d'avaler des sabres.

Florence avait l'impression de s'enfoncer dans un bunker, au fur et à mesure qu'elle descendait des marches. Les murs en béton brut se rapprochaient, le plafond s'abaissait, et il faisait désormais beaucoup plus froid. Où l'emmenait-il ? Peut-être avait-elle fait une bêtise en débarquant seule ici. Certes, l'homme était âgé, mais il était encore vif et capable de lui planter une lame dans le ventre avant qu'elle ait le temps de dégainer.

Ils s'arrêtèrent devant une lourde porte métallique.

— N'allez pas croire que je sois paranoïaque, mais il y a là derrière pour des millions de francs de matériel, ainsi qu'une collection unique au monde.

Il fit tourner une molette graduée dans un sens, puis dans l'autre. Il y eut un déclic, et il poussa le battant.

— Je n'ai jamais fait entrer dans mon antre quelqu'un qui ne soit pas du métier. Dans un autre contexte, je vous aurais dit que vous êtes une sacrée privilégiée.

Tu parles, songea-t-elle. *Je préférerais dix mille fois être ailleurs.*

Sitôt à l'intérieur, il referma. Florence frissonna, mal à l'aise. Ils venaient de pénétrer dans une immense pièce qui ressemblait à un atelier. Y étaient entreposées d'incroyables machines en réparation, que l'inspectrice identifia au premier coup d'œil. Il y avait là une boîte transpercée d'épées, plusieurs de ces fabuleuses armoires où le magicien disparaissait à un endroit pour réapparaître à un autre. Elles étaient en partie démontées, entourées de marteaux, de scies, de clous. Florence remarquait les trappes dévoilées, les cloisons dissimulées, les miroirs qui ne renvoyaient aucun reflet. Elle comprit également comment, à la voir ainsi exposée, fonctionnait la table de lévitation, cette grande illusion qui faisait fantasmer des milliers de personnes. *Tellement évident*, se dit-elle, *mais tellement astucieux...*

— Tout a l'air simple, quand on connaît le tour, n'est-ce pas ? fit Rafner comme s'il lisait dans ses pensées. Mais accéder au secret n'est pas suffisant, parce qu'un secret seul ne vaut pas grand-chose. Encore faut-il le maîtriser.

Il désigna une photo encadrée.

— Richard Turner, le plus grand manipulateur de cartes de notre histoire, s'entraîne seize heures par jour.

Il répète ses mouvements jusqu'à un niveau de perfection inimaginable. Houdini était de cette trempe-là. Un bosseur acharné prêt à mourir pour son art.

Il l'observa quelques secondes en silence.

— Un peu comme vous, finalement. Dans votre métier, à chacun de vos pas peut surgir un danger mortel.

Il lui tourna le dos et continua à avancer, laissant la flic en proie à l'angoisse. Ces plafonds écrasants, cette absence de fenêtres, tous ces engins… Son regard s'attarda sur le petit chalumeau qui était posé par terre près d'une armature en fer aux allures de corset. Sa vigilance redoubla lorsqu'ils arrivèrent dans une autre salle, plus saisissante encore que la première. Un bond cent ans en arrière, dans l'univers de Harry Houdini. Partout, des camisoles, des centaines de paires de menottes, de chaînes, de cadenas, des affiches qui ornaient les murs, appelant les gens à venir assister aux exploits du « plus grand roi de l'évasion du monde ».

— J'ai racheté la plupart de ces objets à Theodore Hardeen, le frère de Harry Houdini. Je l'avais rencontré dans le Massachusetts en 1935 lors d'une convention ; j'étais encore jeune et je donnais moi aussi dans l'escapologie, à mon petit niveau. On est devenus de grands amis. Un jour, étant dans le besoin, il a décidé de vendre la collection de son frère. J'étais là, et j'ai sans doute réalisé l'affaire de ma vie. Ce matériel est aujourd'hui inestimable. On me harcèle pour que je l'expose dans un musée, mais il ne sortira pas d'ici.

À côté d'une série de bobines d'un film dans lequel avait joué le magicien hongrois, toutes sortes de caisses se succédaient, affublées d'écriteaux : « La caisse

truquée », « La caisse d'acier », « La caisse clouée »…
Ils passèrent devant une roue géante de torture où subsistaient des liens, et Florence pensa à la façon dont Hélène Lemaire avait été attachée aux montants du lit. Son malaise s'accrut. Elle se sentait enfermée, prisonnière de ce lieu irréel.

Rafner s'arrêta devant « Le pot de lait miraculeux », plus haut que lui, et désigna la grande publicité collée à la cloison, sur la droite.

— Selon toute logique, votre paire mène ici, affirma le vieil homme, devant l'endroit où se trouvait, il y a encore quelques années, la pagode chinoise de torture. Il ne me reste plus que ce poster. Et celle qui pourrait vous ouvrir la porte du secret, c'est certainement Circé.

— Circé ?

— Une femme illusionniste avec qui j'ai eu l'occasion d'échanger pour la première fois il y a environ cinq ans dans une salle de banlieue. Elle était extrêmement douée. Une connaissance impressionnante de l'univers de la magie, une gestuelle fluide et précise. Sa technique de *quick-change* était à couper le souffle.

Le *quick-change… Comme Arturo Brachetti*, songea la flic. Elle avait vu ce type à la mèche de cheveux dressée en pointe à la télé, lors du dernier concours de l'Eurovision, passer d'un smoking à une robe de gala plus vite qu'un éternuement.

— Circé était elle aussi fascinée par Houdini, elle connaissait tout de lui, expliqua Rafner. Lorsque je suis allé la saluer après son spectacle et que je me suis présenté, elle m'a mis au défi : si je la laissais une semaine dans cette pièce, avec de quoi dormir et manger, elle me livrerait le secret de la pagode à mon retour. Une seule exigence : je ne devais en aucun cas entrer avant le temps écoulé. Elle m'a immédiatement plu, alors je l'ai prise au mot. Je lui ai même fait la promesse stupide que, si elle perçait le mécanisme de la pagode, je la lui offrirais. Je pensais ne prendre aucun risque, évidemment. Personne n'y était jamais parvenu.

— Mais elle, elle y est arrivée…

— Oui. Aussi incroyable que cela puisse paraître, cette toute jeune magicienne sortie de nulle part a vaincu la machine. Elle a surpassé tous ceux qui avaient tenté leur chance avant elle, et surmonté les dangers que cela impliquait. Naturellement, j'ai été désespéré de devoir tenir mon engagement, mais heureux que cette grande illusion finisse entre des mains qui assureraient la relève. Houdini continuerait à exister.

Il poussa un soupir.

— Ce cercueil de métal et de verre est un piège infernal qui peut tuer si on ne le maîtrise pas. Avec Circé, nous sommes les deux seuls individus au monde à savoir comment il fonctionne…

Sa voix vibrait de nostalgie. Florence se demanda quelle étrange relation avait pu se nouer entre le vieil homme et cette Circé, au milieu de tous ces engins diaboliques. Il faudrait sans doute approfondir la question au 36, quand Rafner viendrait déposer.

— Je ne comprends pas grand-chose à votre histoire, ajouta-t-il, mais Circé est intimement liée à la pagode. Elle est peut-être celle que vous cherchez.

L'inspectrice hocha la tête. Selon toute vraisemblance, l'assassin connaissait la magicienne. La réciproque était-elle vraie ?

— Qui aujourd'hui est au courant que Circé possède la pagode ?

— Toute notre communauté, bien sûr. Les nombreux spécialistes de Houdini aussi. Les collectionneurs… Bref, un paquet de monde !

— Et quel est le vrai nom de Circé ?

— Je n'en sais rien, désolé. En ce qui me concerne, elle a toujours été l'enchanteresse de la mythologie grecque.

— Une idée, au moins, de l'endroit où je pourrais la trouver ?

— Je l'ai croisée au dernier Blackpool. J'ai cru comprendre qu'elle vivait à Paris et qu'elle se produisait deux ou trois fois par semaine au Millionnaire, l'ex-Strip… Elle y fait des numéros qui ne nécessitent pas beaucoup de matériel, la scène est trop exiguë pour faire le show…

Ce lieu n'était pas étranger aux flics, surtout à la Brigade des mœurs. Le cabaret du 8e arrondissement, où se succédaient strip-teases, numéros de magiciens inconnus et d'artistes de cirque, était tenu par des anciens de Pigalle. Malgré le standing plutôt sélect de l'établissement, il n'était pas rare que des proxénètes, des maquerelles et des entraîneuses de bars y traînent.

— Circé est très douée, mais elle n'a jamais percé, poursuivit-il d'un air attristé. On a fini par ne plus vouloir d'elle. Il faut dire que ses tours sont particulièrement glauques.

— Du genre ?

— Elle a par exemple remis au goût du jour le numéro de la femme coupée en deux, dans une version tellement sanglante que les spectateurs croient à un véritable accident. Certains ne supportent pas et quittent la salle. Circé n'a pas su faire rêver comme se doit de le faire un illusionniste. C'est dommage, elle aurait été une grande, mais cette noirceur a pris le dessus. Aujourd'hui, pour gagner sa croûte, elle n'a pas d'autre choix que de se limiter à des tours classiques qui ne cassent pas trois pattes à un canard. C'est ainsi…

Florence observa une dernière fois la photo de la pagode, qu'elle aurait aimé voir en vrai. Cette machine la fascinait.

— Elle ne peut pas se servir de la pagode pour accéder au succès ?

— La pagode est inutilisable. Elle est beaucoup trop lourde, elle pèse pas loin d'une tonne à cause des vitres. Et puis, elle est vraiment dangereuse. Elle est plus vieille que moi, ses mécanismes ne sont plus fiables.

— Comment elle marche ?

— Ah, ça… Pour rien au monde je ne vous révélerai ce secret. À moins d'y être contraint et forcé.

— Peut-être serez-vous amené à l'être. Qui sait ?

Les yeux de son interlocuteur la transpercèrent. Elle eut du mal à soutenir son regard. Alors, pour se donner une contenance, elle lui remit une convocation en le priant de venir déposer au plus vite. Puis ils remontèrent. Elle respira un bon coup quand, enfin, elle retrouva la lumière du jour. Ça avait été éprouvant, là-dessous…

En regagnant le RER, l'inspectrice réfléchit à tout ce que lui avait raconté Rafner. Elle repensa aux tableaux sinistres de Delphine Escremieu, au caractère cauchemardesque de ses œuvres. Circé était-elle, elle aussi, une ancienne victime d'André Escremieu ? Figurait-elle sur les clichés d'enfants nus ? Était-elle une nouvelle proie pour le Méticuleux ?

Le mystère s'épaississait, mais Florence savait que, d'ici peu de temps, elle aurait les réponses à ces questions-là. Il suffisait d'aller à la rencontre de Circé.

47

La distribution de tracts par Sharko avait porté ses fruits.

Un homme et une femme se tenaient assis l'un à côté de l'autre face au Glaive, qui tapait un résumé de la situation sur sa machine à écrire, tout en poursuivant leur audition.

L'homme avait appelé la permanence le jour de Noël, après être tombé sur le tract dans un débit de tabac. La femme, quant à elle, avait téléphoné tôt dans la matinée. Tous les deux avaient reçu la lettre du Méticuleux.

Alain Glichard comptait bien s'occuper de ces témoins en urgence et leur avait demandé de passer au plus vite pour déposer, munis d'une photo d'identité et de leur carnet d'adresses. Ils étaient arrivés presque en même temps. Le procédurier avait alors organisé une audition groupée. Il avait ressorti les PV de Philippe Vasquez et Marc Lampin. À présent, il fallait trouver le point commun entre ces quatre personnes et comprendre pourquoi elles avaient été choisies par le tueur.

— Donc vous, Catherine Martinage, vous habitez un appartement au 8, rue de Navarin, dans le 9e. Vous avez trente-neuf ans, vous êtes mariée et avez deux enfants. Vous êtes dentiste et avez découvert le courrier à votre nom le mardi 10 décembre.

— Oui, c'est ça.

— Vous, Bruno Laroche, vous avez cinquante et un ans. Vous êtes veuf, et vivez au 23, rue Eugène-Varlin, dans le 10ᵉ, à deux pas de la gare de l'Est. Vous êtes chef de chantier dans le bâtiment. Comme Mme Martinage, vous avez trouvé le courrier le 10.

— Au soir en rentrant chez moi, oui.

— Et vous m'assurez que vous ne vous êtes jamais vus, tous les deux.

Ils se scrutèrent l'un l'autre, puis secouèrent la tête. Le Glaive termina sa saisie et leur montra deux photos d'identité.

— Et eux ? Déjà vus ? Lui s'appelle Philippe Vasquez, et lui, Marc Lampin. Prenez votre temps.

Même réponse négative. Le policier s'intéressa à la femme.

— Expliquez-moi ce qui s'est passé avec l'enveloppe qui vous était destinée. Allez-y doucement, le temps que j'écrive.

— Mon mari l'avait posée sur la table… J'ai lu la lettre. Quand il a fallu deviner un prénom, j'ai pensé à « Thérèse » et j'ai suivi les instructions. J'ai ouvert le livre à la page indiquée, cherché le vers… Ça parlait d'une Delphine et d'une Hippolyte. Je dois vous avouer qu'on n'a pas compris grand-chose non plus quand on a lu la seconde lettre… Mon mari a cru à une mauvaise plaisanterie et a tout jeté à la poubelle, même le livre, puis on a vite oublié cette histoire. Jusqu'au tract que j'ai vu ce matin chez mon boulanger… Alors, je vous ai appelés, comme indiqué…

— Vous avez bien fait, répliqua le Glaive quelques instants plus tard. Et vous, monsieur Laroche ?

Contrairement à sa voisine, l'homme avait tout gardé et tout rapporté : les lettres, l'exemplaire des *Fleurs du mal* neuf, les timbres de collection « Albertville 92 », oblitérés dans un bureau de poste du 3ᵉ, le samedi 7 décembre à 11 h 49.

— Je me souviens de m'être dit que c'était bizarre, mon adresse tapée à la machine, comme ça… Ensuite, en lisant, j'ai eu le sentiment que l'auteur du courrier me connaissait… Pour le prénom, c'est « Simone » qui m'est venu en tête, c'était celui de ma femme… Comme Mme Martinage, la suite m'a paru obscure et j'ai imaginé que ça devait être une espèce d'arnaque… J'ai tout mis de côté, et voilà…

Alain Glichard se leva et ajouta deux croix rouges sur le plan de Paris punaisé au mur. À ce jour, en comptant Vasquez et Lampin, ils avaient identifié quatre destinataires. Et les quatre adresses se trouvaient dans la même zone de la capitale : 9ᵉ, 10ᵉ et 18ᵉ. Des arrondissements voisins dans les alentours de la gare du Nord. Quant aux croix bleues représentant les bureaux de poste où les lettres avaient été oblitérées, elles étaient situées dans d'autres arrondissements – 3ᵉ, 11ᵉ, 20ᵉ –, eux aussi mutuellement limitrophes. Deux groupes de croix distincts, comme si le Méticuleux avait déposé ses courriers loin de ses cibles, histoire de brouiller les pistes. Le Glaive réfléchit : il n'était pas stupide de penser que leur assassin puisse habiter dans l'un de ces deux secteurs. Finalement, ils avançaient peut-être…

Il revint vers ses interlocuteurs.

— Vous êtes dans l'annuaire, je présume ?

— Pas moi, répondit Catherine Martinage. On est sur liste rouge. Avec mon métier, c'est une nécessité pour éviter que mes patients n'appellent à mon domicile ou n'obtiennent mon adresse.

Glichard se rassit au ralenti, heurté par cette information primordiale. Le Méticuleux n'avait donc pas choisi des gens au hasard dans le Bottin.

— Très bien, exposa-t-il avec calme. Vous ne vous connaissez pas, mais je crois qu'il y a néanmoins un point commun qui vous unit, non seulement vous, mais aussi les hommes dont je vous ai montré les photos. Ça peut être un endroit que vous fréquentez, un club, un établissement bancaire, une école dans votre jeunesse, un magasin où vous faites vos courses, un contact dans votre répertoire… Vous voyez, le champ est vaste. Je vais donc vous poser tout un tas de questions pour essayer de trouver ce point commun. Répondez au plus court chacun votre tour, ça sera plus efficace. Si ce n'est pas concluant, il est possible que j'aborde des sujets de l'ordre de l'intime, auquel cas je vous entendrai individuellement. Vous avez bien compris ?

Ils acquiescèrent. Glichard ouvrit le PV de Philippe Vasquez et s'en servit comme ligne directrice pour son interrogatoire. Cette fois, il n'allait pas taper à la machine, il déclencha un magnétophone pour gagner du temps.

— Allons-y. Vos lieu et date de naissance.

— Saint-Laurent-du-Var, le 6 juillet 1952.

— Poitiers, le 25 avril 1940.

— Depuis quand vivez-vous à votre adresse actuelle ?

— Euh… Il vous faut la date exacte ?

— Faites au mieux.

— Ça remonte à… sept ans. Printemps 1984.

— Hiver 1979 pour moi.

— Donnez-moi les différentes villes et départements où vous avez vécu depuis votre naissance.

Le Glaive poursuivit inlassablement. Souvent, ses interlocuteurs ne savaient plus, leur mémoire leur jouait des tours. Au bout d'une heure, Bruno Laroche éprouva le besoin de fumer la pipe et de se dégourdir les jambes. Le procédurier en profita pour apporter des cafés et des verres d'eau, et ils reprirent après une pause.

— À présent, passons aux répertoires. Prenez le vôtre, madame Martinage, et énumérez chaque nom en indiquant le rapport que vous entretenez avec cette personne. Si un de ces noms vous suggère quoi que ce soit, monsieur Laroche, vous le signalez.

Le Glaive savait que ce serait fastidieux, mais ça en valait la peine. Ces calepins contenaient toute la vie sociale et professionnelle des gens. Et pourtant, l'heure et demie qui s'écoula à tout passer en revue ne révéla aucun lien entre cet homme et cette femme. Ils vivaient dans deux mondes distincts, sans connexion.

On approchait déjà de midi, les interrogés se tordaient sur leurs chaises inconfortables, dans un bureau qui ne l'était pas moins, soupiraient de plus en plus, mais Alain Glichard ne voulait pas les lâcher. Quelque chose les unissait. Il devait mettre le doigt dessus.

Comme ils vivaient dans des appartements – à l'instar de Vasquez et Lampin –, le procédurier fouina de ce côté-là : voisinage, événements remarquables dans l'immeuble. Ça ne donna rien. Il leur demanda ensuite de lister leurs activités, les lieux où ils partaient en vacances. Avaient-ils un animal de compagnie ? Un véhicule ? Dans quel garage emmenaient-ils ce dernier pour son entretien ? Rien. Il fit alors sortir l'homme, referma la porte, coupa l'enregistrement et rassura Catherine Martinage.

— Je suis inspecteur de police, et ce que vous me direz restera entre vous et moi. Il est important que vous répondiez honnêtement.

Il la questionna sur des sujets plus délicats. Elle n'avait aucune aventure extraconjugale, pas de problèmes sexuels particuliers. Elle ne reconnut aucun des enfants nus sur les photos qu'il lui présenta.

Il fit de même avec Bruno Laroche, mais ne décela pas de piste concrète. Et il devait bien l'admettre, lui aussi commençait à fatiguer.

— Ça n'a peut-être rien à voir, fit Laroche, mais je me suis souvenu d'un truc en attendant dans le couloir. Tout à l'heure, quand vous avez parlé des immeubles…

Le Glaive se pencha en avant, soudain tout ouïe.

— Oui ?

— J'ai vu les calendriers accrochés au mur plus loin, près des toilettes. Dessus, il y a le nom d'une entreprise de serrurerie…

— Et ?

— Ça m'a rappelé que, il y a au moins trois ou quatre ans, j'avais eu un souci de cet ordre. Mon verrou était grippé, il ne fonctionnait plus correctement. J'ai contacté un professionnel.

Glichard eut l'impression qu'un feu d'artifice explosait dans son ventre. Un serrurier. Bien sûr !

— Ne bougez pas.

Il quitta le bureau d'un pas vif et, se postant devant la femme qui patientait avec son gobelet d'eau à la main, alla droit au but : avait-elle fait appel à un serrurier pour son logement rue de Navarin ? Elle leva les yeux, silencieuse durant une poignée de secondes, puis acquiesça.

— Oui, c'est vrai, maintenant que vous le dites. Ça m'était complètement sorti de la tête. C'était un été… L'été 1988, je crois. Oui, c'est ça, juillet 1988, mes enfants étaient en colonie de vacances à Arcachon et mon mari était en déplacement plusieurs jours… Bêtement, j'avais oublié mes clés dans l'appartement et j'étais restée bloquée à l'extérieur.

Le Glaive l'entraîna dans son antre. Elle regagna sa chaise et jeta un regard satisfait à son voisin : ils allaient enfin pouvoir reprendre le cours de leur vie. Le policier glissa un nouvel ensemble de feuilles dans sa machine, tapa rapidement et s'adressa à eux :

— On a trouvé. L'homme qu'on cherche, votre point commun, c'est un serrurier. Ce qui va suivre est extrêmement important : est-ce que vous connaissez son identité ?

— J'ai toujours un tas de prospectus de réparateurs chez moi, répliqua l'homme. À l'époque, il devait y avoir un serrurier dans le lot, et je l'ai appelé… Mais c'est sûr que je n'ai plus ce papier ; ces trucs-là, ça va, ça vient.

Glichard interrogea Mme Martinage du regard.

— Je… C'est loin, tout ça… J'étais coincée dehors, je suis allée sonner chez une voisine… On a consulté les Pages jaunes… En réalité, pour être franche avec vous, je ne sais plus bien. Je n'avais jamais été confrontée à une telle situation, alors j'ai certainement pris un nom au hasard…

— Quelles Pages jaunes ? Celles du 9e arrondissement ?

Elle haussa les épaules.

— Il faudrait demander à ma voisine. Mais, habitant le 9e, ce serait logique en effet, c'est le Bottin qu'on reçoit tous les ans. Et puis, il y a plein de boutiques de serrurerie dans le quartier. Autant que de boulangeries. À croire que c'est un business qui marche.

— Comment avez-vous payé ce serrurier ?

— Je paie très peu par chèques, donc ça devait être en liquide.

— Il vous a laissé une facture ?

— Je pourrais pas vous dire. Mais même si c'était le cas, c'est sûr, je ne l'ai pas gardée. Pas trois ans plus tard.

Laroche, lui non plus, ne se souvenait plus de tout. Le Glaive tenta de contenir son entrain. Il savait, par expérience, à quel point la mémoire pouvait être volatile et sélective. Ce qui leur semblait important, à eux les flics, n'était, chez les auditionnés, que des faits parmi des dizaines de milliers d'autres.

Il nota l'identité de cette voisine et posa des questions au sujet de la personne qui s'était présentée à leur domicile. Caractéristiques physiques. Comportement. Bruno Laroche était simplement en mesure de dire qu'il s'agissait d'un homme. Catherine Martinage, elle, se rappelait un individu qui devait avoir autour de vingt-cinq, trente ans. Assez jeune en tout cas.

— Je suis incapable d'être plus précise et de vous le décrire, ajouta-t-elle, mais il avait une barbe toute noire.

Je ne sais pas pourquoi j'ai retenu ça, sans doute parce que mon mari est barbu.

Le procédurier consigna l'information. Il rageait de ne pas posséder davantage de détails, mais il avait néanmoins fait un pas de géant dans l'enquête. Il s'adressa à Laroche :

— Il faut que vous jetiez un œil à vos relevés bancaires de l'époque, afin de vérifier s'il y a la trace d'un paiement par chèque qui pourrait correspondre. Vous les avez toujours ?

— Je les conserve, oui. Comme les souches de tous les chèques que je remplis. Je vais ressortir tout ça.

— Faites-le aujourd'hui, s'il vous plaît.

Le flic tourna la tête vers Catherine Martinage.

— Vous pouvez voir avec votre voisine au sujet de l'annuaire dès votre retour chez vous ? Discutez avec elle. Regardez de nouveau la liste des serruriers, peut-être que le nom du type ou de sa société vous reviendra. Et recontactez-moi directement.

Il écrivit son numéro de téléphone sur deux morceaux de papier et les leur tendit. Il leur fit signer les dépositions, leur serra la main et les raccompagna jusqu'à l'escalier. Après quoi il passa une tête au 514 pour annoncer la nouvelle au reste de l'équipe, mais la pièce était vide.

Le Glaive regagna alors son bureau, et tenta aussitôt de joindre Marc Lampin, qui ne répondit pas. Il laissa un message sur le répondeur. Il eut plus de chance avec Philippe Vasquez. Lui aussi avait sollicité les services d'un serrurier, mais, comme les autres, ça remontait à au moins cinq ans et il se souvenait juste d'avoir utilisé son Minitel pour le trouver...

Alain Glichard aligna les photos d'identité de ses quatre témoins face à lui. Un serrurier… Ça expliquait la facilité avec laquelle leur homme entrait dans les propriétés sans fracturer les issues.

— Ça y est, on te colle aux fesses et on ne va plus te lâcher, mon gars…

Il se posta devant le plan de Paris et observa les croix autour de la gare du Nord. Bruno Laroche avait parlé de prospectus. Il imagina le Méticuleux, quelques années plus tôt, parcourant les rues et glissant des affichettes dans les boîtes aux lettres pour faire la publicité de l'entreprise de serrurerie pour laquelle il travaillait. C'était ainsi que procédaient la plupart de ces artisans. Et ça signifiait, en toute logique, qu'il œuvrait dans ce coin-là. Ou y habitait. Voire les deux. Au fil du temps, il s'était constitué une liste de clients qu'il avait précieusement gardée.

Le Glaive avait eu raison de s'acharner. L'expérience lui avait enseigné qu'il fallait souvent creuser profond pour déterrer l'os qui allait révéler le reste du squelette.

En attendant ses coéquipiers, à qui il était impatient de faire part de ses découvertes, il alluma son Minitel et se connecta…

48

Bureau 514. Les touches des machines à écrire claquaient, le fax crachotait ses sempiternelles langues de papier, les voix s'élevaient au téléphone. Santucci et son équipe étaient revenus de chez Scotti dans l'après-midi et mettaient les rapports à plat. Cette fois, le Corse ne s'était pas battu pour récupérer l'affaire. La zone de la découverte du cadavre était sous la compétence de la PJ de l'Essonne. Les collègues du département voisin allaient donc enquêter sur le meurtre de Félix Scotti et les tenir informés de leurs avancées.

Ce qui était sûr, c'était que le trafiquant d'animaux n'avait pas été épargné par son assassin. Le légiste dépêché sur les lieux avait relevé quatorze morsures sur l'ensemble du corps, ce qui signifiait que le serpent avait été excité pour attaquer alors même que Scotti refroidissait sans doute déjà. Le reptile avait ensuite eu la tête fracassée. Sharko essayait encore d'imaginer la façon dont le criminel s'y était pris pour tuer le mamba et l'enfoncer sur plus de quarante centimètres dans la gorge de sa victime, jusqu'à l'estomac. Un tel acte dépassait l'entendement.

La présence de la poupée vaudoue était une signature, elle désignait la *bokor* comme auteur du crime. Comment la sorcière avait-elle pu être au courant si rapidement ? Scotti avait-il paniqué après leur visite et lui avait-il, d'une manière ou d'une autre, mis la puce à l'oreille ? Ou y avait-il quelque chose de l'ordre du mysticisme qui impliquait que la prêtresse vaudoue *avait su* ?

En tout cas, elle ne s'était pas donné la peine de faire croire à un accident. Elle voulait que eux, les flics, comprennent à qui ils avaient affaire : une adversaire qui ne les craignait pas, capable des pires sévices et prête à éliminer tous ceux qui se dresseraient sur sa route.

Le Glaive entra dans le bureau au pas de course. Il punaisa son plan constellé de croix au mur, à côté des photos des gamins, ainsi qu'une feuille noircie de lignes tapées à la machine. En guise de titre, il avait inscrit : « SERRURERIES ».

— Où est le patron ?

— Il ne va pas tarder. Un de ses anciens collègues a des infos pour nous, répliqua Florence qui mangeait un yaourt.

— Bon… J'ai ici quarante et une adresses de serruriers, répartis dans les 9e, 10e et 18e, les arrondissements où est intervenu le Méticuleux sous cette casquette. Malheureusement, des quatre personnes que j'ai pu interroger, aucune n'a conservé de facture.

De la pointe de son stylo, il indiqua la rue de Navarin sur le plan.

— Catherine Martinage, la femme que j'ai auditionnée ce matin, vient de me le confirmer : elle avait, en juillet 1988, cherché un professionnel dans l'annuaire du 9e arrondissement. Ça réduit le nombre d'entreprises à dix-sept…

Il agita son stylo, comme s'il s'adressait à une classe d'étudiants.

— Mais on peut faire encore mieux, car, parmi ces dix-sept entreprises, seules dix figurent dans les Pages jaunes des 9e, 10e et 18e, afin de toucher une clientèle plus large. Ce sont celles-là qui sont à privilégier, je les ai soulignées en rouge.

Il y eut un silence rempli d'ondes positives : c'était une sacrée bonne nouvelle.

— Quel est le profil de notre individu, exactement ? demanda Serge.

— Je n'ai pas grand-chose, la mémoire des témoins est très approximative. Ils ont tous payé en liquide, peut-être parce que le type n'acceptait pas les chèques ? Pas de souvenir de facture, ce qui ne veut pas dire qu'il n'y en a pas eu. C'est un homme, barbe noire à l'époque, mais rien n'empêche qu'il soit aujourd'hui aussi imberbe qu'un bambin. Pour l'un, il avait des lunettes, pour un autre non. Concernant l'âge, on tourne entre vingt-cinq et quarante berges. Finalement, la seule chose dont on soit sûrs, c'est qu'il a effectué des réparations aux quatre adresses que j'ai signalées sur la carte, et qu'il a de bonnes chances d'être employé dans l'une de ces dix sociétés.

Serge s'approcha et parcourut la liste des yeux.

— Ça doit faire un paquet de gens… Il faut organiser un premier tri.

Le Glaive approuva d'un hochement de tête.

— J'y ai pensé. On les visite une par une, on pose les bonnes questions d'abord, on se coltine aussi les registres de comptabilité et les listings clients, si elles en possèdent. En théorie, il doit y avoir une trace des factures. On va vite mettre ça en place. C'est la piste la plus sérieuse qu'on ait.

— On n'oublie pas que le Méticuleux est également relié au monde de la magie, rappela Florence en jetant son pot vide à la poubelle. J'ai appelé le cabaret, là, le Millionnaire. Le patron prétend ne pas avoir les coordonnées de cette Circé, il la rémunère en espèces à chaque prestation et ne semble pas très regardant au niveau administratif. Mais elle s'y produit ce soir de 22 heures à 23 heures. Je compte y faire un tour pour la rencontrer.

Santucci arriva alors, accompagné d'un homme d'une cinquantaine d'années, au crâne luisant en forme de pain de sucre, râblé et vêtu d'un épais gilet irlandais.

— Je ne sais pas si vous connaissez Paul Grimaud, *alias* Polo, fit le Corse. Plus de vingt ans à la Mondaine, dont dix en commun avec moi. Il a des choses à nous raconter sur ces histoires de vaudou...

Santucci gratifia son collègue d'un geste amical dans le dos. Ce dernier tenait une fine pochette sous le bras. Il s'assit sur le bureau du chef de groupe.

— Les sorciers et les grigris sont de retour, j'ai l'impression. On a déjà été confrontés au vaudou dans une affaire bien sordide de traite d'êtres humains. Ça remonte à l'année 1984, juste avant l'enquête d'insalubrité publique dans le quartier de la Goutte-d'Or...

La Goutte-d'Or... Franck en avait entendu parler. L'Afrique à Paris. Maliens, Congolais, Sénégalais, Maghrébins... Tous s'y entassaient dans des conditions déplorables et s'y adonnaient à nombre de trafics.

Une sorte de condensé des pires déviances, entre bordels clandestins et vente de drogue.

— Ça a commencé par une jeune immigrée d'Afrique noire, qu'on avait retrouvée morte et rouée de coups du côté de Saint-Ouen. En plus d'avoir été défigurée, elle avait eu la chatte défoncée avec des tessons de bouteille… La PJ du 93 a été saisie, mais ils se sont vite mis en contact avec nous parce qu'on bossait sur les filières de prostitution africaines. Au fil des semaines, nos investigations nous ont conduits jusqu'à une famille qui tenait une boucherie halal à la Goutte-d'Or. En réalité, ce commerce n'était qu'une façade. Les deux frères, des Africains, s'occupaient de ramener illégalement les filles du pays. La sœur, un engin qui pesait dans les cent kilos, jouait les matrones. Cette garce maintenait leurs victimes enfermées dans un taudis au-dessus de leur boutique et les frappait avec une matraque. Pour compléter le tableau, il y avait le mari, Philomé Zéphirin, un sorcier haïtien. Aussi maigre que sa femme était grosse. Une gueule de monstre tout droit sorti d'un film d'horreur. Pour éviter toute rébellion de la part des filles, il menaçait de lancer des sorts à leurs proches…

Grimaud se leva et sortit des photos de son dossier, qu'il distribua.

— Régulièrement, il organisait des rites avec costumes, masques, transes et tout le tralala. Il réalisait aussi des sacrifices d'animaux. Poules, moutons, pigeons, chèvres. Un vrai bain de sang. Ça peut prêter à rire, mais c'était largement plus efficace que n'importe quelle matraque. Les gosses croyaient dur comme fer en ces choses-là, la plupart étaient issues de tribus où la sorcellerie a une vraie place culturelle. Elles étaient terrorisées et obéissaient ainsi au doigt et à l'œil. Les mecs qui entraient dans la boucherie ne faisaient pas qu'acheter de la viande, vous m'avez compris. Les gamines encaissaient jusqu'à quatre-vingts passes par jour chacune, avec une clientèle d'ouvriers venus du Maghreb ou d'Afrique noire. Pas les plus tendres, si vous voyez ce que je veux dire...

Sharko plissa le nez lorsqu'il découvrit les images. Les carcasses de bêtes mortes... Les chambres insalubres, les matelas tachés de crasse et de foutre où ces pauvres filles avaient morflé toutes les dix minutes... Sur un autre cliché, il observa le portrait de face et de profil de Zéphirin. Des yeux noirs et lubriques plantés dans un visage constellé de cratères et de cicatrices.

— Cette enquête nous a poussés à fouiner du côté des communautés haïtiennes, indiqua Grimaud. Les Haïtiens sont quelques dizaines de milliers en France, dont un bon paquet répartis dans la banlieue et Paris, notamment à la Goutte-d'Or. Le vaudou est bel et bien pratiqué sur notre sol, avec ses codes, sa hiérarchie, mais vous vous en doutez, c'est difficile de savoir précisément de quoi il retourne : c'est une religion initiatique basée sur le secret... En tout cas, il existe de vrais temples destinés aux cérémonies, pour beaucoup planqués dans des caves de maison, à l'abri des voisins, parce que les bestiaux, ça gueule, quand tu les égorges. Pour leurs rituels, ces gens se fournissent surtout dans des boutiques de Belleville ou font importer leurs produits de l'étranger... Des croyants paient cher pour assister à ces offices ou solliciter les services des prêtres pour des ensorcellements, ce genre de conneries.

Bref, une organisation bien ficelée, la plupart du temps clandestine, qui permet à ces populations de pratiquer leur culte en dehors d'Haïti.

Santucci servit un café à son ancien collègue. Alors que celui-ci buvait une gorgée, le Glaive s'approcha de son plan et désigna les croix.

— Si on regarde bien, les adresses de nos témoins sont localisées autour de la Goutte-d'Or. Ma liste d'entreprises de serrurerie en contient même une ou deux au cœur de ce quartier. Pas impossible que notre Méticuleux passe ses journées dans ce coin-là…

— Ça pourrait expliquer sa proximité avec le milieu vaudou, intervint Serge. Il connaît la sorcière, a accès à de la TTX. À mon avis, il n'est pas dans le secteur qu'en journée, il y vit, il habite dans l'une de ces rues. Il côtoie les Haïtiens.

Le Glaive approuva, mais Florence marqua son désaccord.

— Il a dépensé une petite fortune à envoyer tous ses exemplaires des *Fleurs du mal*, et il logerait dans l'un des taudis de la Goutte-d'Or ? Ça colle mal avec l'image que je me fais du personnage.

Paul Grimaud s'éclaircit la voix et reprit la parole :

— Je ne sais rien de votre homme et me garderai bien de vous donner mon opinion sur cette question, mais je suis sûr que vous ne perdrez pas votre temps en creusant par là-bas. Si vous avez encore des doutes, laissez-moi revenir une minute sur mon sorcier haïtien. Zéphirin était ce qu'on appelle un *houngan*, un prêtre vaudou qui n'avait jamais mis les pieds en Haïti. Ses parents, des Haïtiens pur jus, faisaient partie de ces troupes folkloriques qui parcouraient le monde dans les années 1940 et dont certaines se sont installées en France. C'est donc ici, chez nous, qu'il s'est formé au culte vaudou... Quand j'ai voulu découvrir qui l'avait initié, j'ai vu la peur sur son visage. Franchement, un truc pas rationnel. Il racontait que, s'il parlait, la *bokor* viendrait lui prendre son âme, même au fond de sa cellule. Je vous garantis que le gars était pétrifié.

— La *bokor*, répéta Serge, la prêtresse maléfique. C'est elle, la sorcière qu'on cherche. Il t'a donné son identité ?

— Non. On n'enquêtait pas sur le vaudou, mais sur une filière de traite d'êtres humains, alors je n'ai pas poussé plus loin. De toute façon, il n'aurait jamais coopéré, c'était évident.

— Zéphirin est toujours en taule ? demanda Santucci.

— J'ai appris qu'il était dehors depuis un an ou deux. Il a eu une peine plus légère que les autres, il n'était pas l'assassin de la fille retrouvée à Saint-Ouen et ne gérait pas le réseau de prostitution. Non, ce salopard se contentait de terroriser les gamines et de tuer des animaux. Sa femme et les deux frères ont pris cher, par contre.

— Une idée de l'endroit où il crèche ?

— Il est retourné à la Goutte-d'Or, mais je ne sais pas où exactement. Je peux activer l'un de mes indics du quartier. C'est un Cubain qui a l'œil partout. Faudra juste lui sortir un peu de coke pour la rétribution. Trente grammes, ça devrait suffire.

Le Corse fit crisser les poils de sa barbe.

— Vingt.

Grimaud lui adressa un sourire.

329

— Même là-dessus, tu négocies. T'auras le produit pour ce soir ?

— D'ici deux heures…

— OK. Comme vous êtes pressés, on va faire ça en urgence. J'essaie de contacter mon indic tout de suite, savoir s'il peut obtenir l'info avant ce soir. Si oui, on fixe le rendez-vous à 21 h 30, à l'angle de la rue Poulet et du boulevard Barbès, en face de la station Château-Rouge. Devant le coiffeur. Il est méfiant comme un lièvre un jour de chasse et il ne viendra pas si ça sent trop la flicaille.

Santucci jeta un œil à son groupe. Puis il pointa Franck et Florence.

— Il y aura un couple de blancs-becs qui zonera dans le coin. Ces deux-là.

Paul Grimaud acquiesça.

— Parfait. Qu'ils prennent la came sur eux. Je te confirme tout ça rapidement.

— Merci, Polo.

Main sur l'épaule, il le raccompagna jusqu'à l'entrée du bureau. Franck et Florence échangèrent un regard incrédule. Le Corse revint vers son équipe et consulta sa montre.

— On se chargera des serruriers demain. Priorité à la sorcière. Je vais voir les Stups pour la coke.

Il observa le tableau noirci de notes, le plan accroché, les photos, le puzzle complexe de l'enquête, fruit de centaines d'heures de travail, et un petit air satisfait se dessina sur son visage.

— *Bokor* ou pas, on va se la faire…

49

Château Rouge, à 21 h 30. Le monde noir dans la nuit. Ses commerces de tissu, de bagages, ses épiceries, poissonneries, boucheries, ses coiffeurs, dont certains étaient encore ouverts… Les prostituées nigérianes à l'assaut des trottoirs formaient un ballet incessant de silhouettes aguicheuses. Ça riait, criait, se bagarrait parfois entre filles, se lançait des coups de poing et s'arrachait les cheveux.

Puis s'approchaient les ombres trapues, surgies de Barbès ou des rues perpendiculaires. Dix secondes de discussion, et les couples disparaissaient. Quelques-uns besognaient directement entre des poubelles, au fond des impasses. La plupart copulaient dans les cages d'escalier ou les halls d'immeuble. Les habitants excédés ne cessaient d'ôter les cales qui maintenaient les portes entrebâillées, changeaient en permanence les codes d'accès, mais rien n'y faisait. Le matin, ils retrouvaient des Kleenex usagés jusque sur leur paillasson.

En face, au niveau de la bouche de métro, c'étaient les marabouts, les voyants, les guérisseurs en boubou, avec leur chapelet et leur petit chapeau, qui alpaguaient les passants, leurs tracts pleins de promesses à la main. Professeur Moro, Maître Samou ou Keba, dotés de « dons prodigieux », capables de « grande protection » ou de « jeter des sorts ». À la station Barbès, plus loin, se tenait le « marché aux voleurs ». Avant, les vieux du coin y vendaient des fripes ou des marchandises usagées. Désormais, la place appartenait à des jeunes ultra-agressifs qui refourguaient passeports, chéquiers, montres, cartes grises, et dealaient à la vue de tous, effrontément. Les flics affectés au quartier, les îlotiers, évitaient le secteur comme la peste et la RATP bloquait souvent l'entrée du métro aérien.

Collés l'un à l'autre, Franck et Florence traînaient le long des façades, leurs doigts gras de la sauce du kébab qu'ils avalaient. Ils étaient pareils à des amoureux, et cette proximité simulée avec sa collègue mettait le jeune inspecteur mal à l'aise.

— On ferait un couple sympa, qu'est-ce que t'en penses ?

Elle le narguait et en riait. Ça faisait un truc de plus à ajouter à la liste déjà importante des choses qu'il devrait taire à Suzanne. Il imagina aussi sa fiancée en train de l'attendre dans leur appartement, seule. Une situation qui ne serait peut-être pas si exceptionnelle que ça. Supporterait-elle ses absences nocturnes et impromptues, ses week-ends d'astreinte, ses congés qui sauteraient ?

Une voix, soudain, dans leur dos. L'odeur d'une haleine chargée de poivre gris et de rhum.

— Vous avez la blanche ?

Les flics se retournèrent. Le Cubain, taille moyenne, était vêtu d'un blouson en Skaï à la fermeture remontée jusqu'au menton. Un type nerveux, sur ses gardes, qui se dandinait comme un boxeur.

— T'as l'info ? répliqua Florence.

— Restez là, et rejoignez-moi rue de Panama dans dix minutes.

— Où exactement dans la rue ?

Sans répondre, les mains dans les poches, il passa devant eux et disparut d'un pas vif. Les deux équipiers finirent leur sandwich. Florence en profita pour jeter un œil alentour. Le Corse se planquait quelque part, avec un talkie pour seule compagnie. Serge n'avait pas insisté pour venir. Sharko savait qu'il était secrètement parti rendre visite au légiste pour l'affaire des Disparues.

L'inspectrice connaissait le coin, à l'instar de tous les membres de la PJ ayant quelques années de métier dans les pattes. Ils parcoururent la rue Poulet, puis une partie de la rue des Poissonniers, et s'engagèrent rue de Panama. L'indic siffla entre ses dents. Il s'était faufilé dans une bâtisse collée à une boutique de perruques africaines. Il repoussa le battant derrière eux et appuya sur un minuteur sans boîtier pour éclairer. Sharko avait la gorge serrée, il ne se sentait pas tranquille, ainsi confiné dans un hall sordide aux câbles électriques dénudés, et où les entrées des appartements étaient protégées par des portes blindées. Florence aussi était aux aguets.

Le Cubain tendit vers celle-ci ses doigts épais comme des havanes.

— File-la-moi.

L'inspectrice lui remit un sachet attaché avec un élastique. L'homme scruta la poudre cristallisée et la glissa dans son blouson.

— Des immeubles vont bientôt être détruits, à l'angle des rues de la Goutte-d'Or et des Islettes. Ils vont y construire un nouveau bureau de poste et une crèche pour les mômes. Les bâtiments ont été murés il y a quelques semaines, mais il y en a un qui est squatté par des toxicos.

— C'est là-bas que zone Zéphirin ?

— Y a de grandes chances. Je sais qu'il cherchait à se fournir en crack, il y a quinze jours. Et c'est là-bas qu'ils sont, les crackers. Défoncés du matin au soir. Des vrais morpions que les flics ont déjà essayé de déloger. Mais y a que les grues qui les dégageront de là.

— Comment on pénètre à l'intérieur, si c'est muré ?

— Par une fenêtre, vous pourrez pas la manquer. Je me casse. Mes salutations à Polo.

Une fois de plus, il disparut en coup de vent. Florence extirpa son talkie Motorola de son sac et communiqua l'information à Santucci.

— OK, on y est dans dix minutes. On se retrouve sur place…

Elle coupa la conversation, jeta un œil à sa montre, puis s'adressa à Sharko :

— On fait vite. J'aimerais faire un tour au Millionnaire ce soir.

Elle paraissait inépuisable… D'un pas alerte, ils s'enfoncèrent dans les ruelles obscures où erraient des ombres furtives. Les restes des grossistes, et notamment des déchets de viande, rendaient les trottoirs glissants. Des affichettes ornaient les murs : « Goutte-d'Or, goutte de vie ! », « Ne laissez pas notre quartier devenir un ghetto ! », « EGO : Espoir Goutte-d'Or ». Plus loin, une autre annonçait un concert public pour le réveillon du

31, square Léon : « Nabou Dop et son ballet africain Saf Tekekou ».

Ils remontèrent des rues aux façades lépreuses, certaines éventrées à coups de tractopelle. Depuis des années, on évacuait les immeubles en péril, on expropriait des milliers d'habitants des hôtels meublés bon marché, devenus insalubres. L'office des HLM les déplaçait vers des logements sociaux ou des foyers. Le maire de Paris, Jacques Chirac, voulait améliorer l'image de cette zone de Paris pour lutter contre les extrémismes, lui qui avait choqué l'opinion, l'été précédent, en assimilant la Goutte-d'Or à des termes nauséabonds.

Enfin, ils atteignirent la rue des Islettes. Florence désigna le numéro 12.

— Dans ton Nord, t'as *Germinal*. Ici, on a *L'Assommoir*. C'est là que vit Gervaise dans le roman de Zola. Et le 9, juste là, c'est le fameux lavoir du bouquin. La misère à l'état pur existe, mon gars. Elle est plus que jamais présente derrière ces murs, même un siècle après Zola…

Ils rejoignirent Santucci, qui patientait comme convenu. Un groupe de jeunes les épiaient, à une cinquantaine de mètres de là.

— Ils ne nous embêteront pas, fit le Corse. Ils veillent simplement à ce qu'on ne dérange pas leur business.

Il sortit une Maglite, s'approcha d'une ouverture creusée dans les parpaings de l'édifice face à eux, éclaira l'intérieur d'une pièce pour vérifier qu'ils pouvaient y accéder sans danger.

— Entrons en enfer…

50

Flingue en main, Sylvio Santucci s'aventura le premier. Son faisceau rencontra les moustaches luisantes d'un rat au pelage ébouriffé. Les trois policiers gagnèrent l'ancien salon d'un appartement du rez-de-chaussée. Sharko avait l'impression d'halluciner, il peinait à imaginer que des gens aient pu vivre dans ce cloaque il n'y avait pas si longtemps. Depuis des années, les immigrés de la Goutte-d'Or usaient leurs habitats jusqu'à la corde, entassés par dizaines dans une poignée de mètres carrés. Ils y installaient même, avec les moyens du bord, des salles d'eau, des toilettes, des cuisines qui n'existaient pas auparavant. Les infiltrations rongeaient les murs, pourrissaient les boiseries et le plâtre.

Les flics quittèrent le logement, jetèrent un œil rapide aux deux autres de l'étage, inoccupés et proches de l'effondrement.

— Faites attention où vous mettez les pieds…

Il éclaira des seringues vides encore équipées de leurs aiguilles, puis des tas de détritus, de fripes et de morceaux de cartons humides. Ça puait la pisse, une odeur vite remplacée, dans la cage d'escalier, par celle aussi peu plaisante de l'eau de Javel : la signature du crack.

Le chef de groupe renforça sa prise sur la crosse de son arme. Les consommateurs de crack étaient les plus dangereux des toxicomanes. Des morts-vivants qui avaient goûté à tout ce qui s'avale, se fume, se sniffe ou se shoote, y compris la colle. En phase de descente, le caillou pouvait les rendre fous.

Premier palier. Une silhouette tremblait sous un ersatz de couverture. Un Blanc, la quarantaine. Santucci enjamba le type comme s'il s'agissait d'un tronc d'arbre. Sharko découvrit les pupilles dilatées sur le néant, les lèvres gercées, les dents noires : un face-à-face avec la mort. Qui allait s'occuper de lui ? Ramasserait-on seulement son cadavre ?

— Avance et ne te pose pas de questions, murmura Florence en le poussant dans le dos. On ne peut rien faire pour eux.

Partout, d'autres épaves humaines, allongées contre les cloisons, recroquevillées au milieu d'emballages et d'ordures, de bassines d'eau sale, indifférentes à leur présence. Des tags et des peintures étranges habillaient les lieux. Devant eux, par terre, des boulettes d'aluminium grillées, des bombes de désodorisant, des tubes en plastique, des morceaux de tuyauterie et quantité d'autres objets qui pouvaient faire office de pipes, des coupelles crasseuses au fond cramé par les flammes de briquet. Le Corse bougeait les corps avec la pointe du pied, balayant les visages, parfois féminins, de sa lampe.

— On cherche un Haïtien. Philomé Zéphirin. Où il est ?

337

Pas de réaction, juste un grognement. L'odeur d'excréments était tellement insupportable que Sharko enfouit le nez dans le col de son blouson. Il resta quelques secondes devant un homme grelottant qui se bouchait les narines avec ce qui ressemblait à du papier toilette. Il en enfilait dans chaque orifice des quantités ahurissantes.

— Les mouches... Regarde, elles sont là et elles rentrent dans toi si tu fais pas gaffe... T'as jamais remarqué ? Elles te dévorent le foie et le cerveau. Faut boucher les trous. Tous les trous. T'es la plus grosse mouche à merde que j'aie jamais vue et j'aurai pas assez de papier...

Franck s'enfuit en frissonnant et rejoignit vite ses collègues qui se dirigeaient vers les autres étages, leurs lourdes semelles sur le bois pourri, à la limite de rompre. Dans l'une des pièces du troisième, du charbon brûlait au fond d'une Cocotte-Minute, renvoyant une lueur rougeâtre sur un faciès apathique et grêlé.

C'était lui, Zéphirin, écrasé contre le mur, en slip et tee-shirt sans manches, un vulgaire tas d'os qu'un simple courant d'air aurait suffi à briser. Ses bras nus, ses chevilles, ses mollets étaient marbrés d'ecchymoses violacées, ses veines cyanosées par les injections. Santucci s'accroupit à son niveau et fit claquer ses doigts devant le regard vitreux. La barbe épaisse de l'homme avait en partie pris feu, tout comme ses dreadlocks emmêlées. Ses iris donnaient l'impression d'avoir libéré une encre noire dans le blanc de ses yeux.

— Philomé Zéphirin, c'est la police. Fais oui de la tête si tu comprends ce que je te dis.

Le toxico acquiesça au ralenti. Santucci fouilla dans sa poche et lui agita un sachet de poudre sous le nez. La main de l'Haïtien fendit soudain l'air et manqua sa cible de peu. Il bascula sur le côté, emporté par son mouvement. Le Corse le redressa et lui maintint le menton.

— Je vois qu'il te reste encore un morceau de cervelle. Écoute-moi bien : on n'est pas là pour t'emmerder. J'ai deux, trois questions à te poser. Tu réponds, t'as la came. Quinze grammes de coke ultra-pure.

Zéphirin était à présent obnubilé par le sachet. Franck se tenait en retrait. Il lorgna vers Florence, qui pensait comme lui : larguer une telle quantité de drogue à un type dans son état, c'était l'overdose assurée et un aller simple pour la morgue. À quoi jouait leur chef ? Était-il prêt à sacrifier une vie, même minable, pour obtenir son information ?

— T... tout ce que tu veux, répondit Zéphirin en bégayant.

— Est-ce que t'as encore des connexions avec le milieu vaudou ?

— Non. Fini. J'ai plus rien. Plus de... connexions. Regarde, je suis là, j'ai plus de vie. Rien.

Il essayait d'attraper la dope, comme un gamin à la conquête du pompon sur un manège de foire.

— Alors je vais aller droit au but. On recherche une Haïtienne, un mètre soixante environ, la cinquantaine. Elle pratique le culte vaudou. Une jeteuse de sorts. On a de bonnes raisons de croire que c'est elle qui t'a initié, il y a longtemps. Tu nous donnes son nom et je te file ta récompense.

Le toxicomane sembla subitement retrouver sa lucidité. Ses épais sourcils se relevèrent et plissèrent la peau de son front.

— La *bokor*…

Il avait expulsé le mot jusqu'à se vider les poumons.

— Oui, c'est elle, approuva Santucci avec entrain.

Zéphirin gesticula comme s'il chassait des insectes invisibles. Il était clairement affolé, au point que ses globes oculaires sortaient davantage de leurs orbites.

— Allez-vous-en ! Dégagez d'ici !

— On va partir. Mais avant, dis-nous où on peut la débusquer.

Il continua à gigoter frénétiquement. Le Corse l'arracha de terre. Le pied nu du camé, aux longs ongles noirs, manqua de faire valdinguer la marmite de charbon.

— Quinze grammes. Balance le tuyau, fils de pute, et la poudre est à toi.

— Jamais de la vie. Jamais, jamais, jamais…

Le type se mit à vomir et s'écroula dès que le flic le relâcha pour éviter les projections. Mais le mal était fait, Santucci en avait déjà plein les chaussures.

— Espèce de taré.

N'importe quel cracker se serait précipité sur la coke dans une tentative désespérée. Zéphirin, lui, avait plus peur de la sorcière que du manque, même avec le cerveau en compote, même après des années sans l'avoir côtoyée.

— Ça sert à rien d'insister, lança leur chef en rempochant sa drogue, on perd notre temps. Il n'a pas parlé il y a sept ans, il ne parlera pas aujourd'hui. On va réfléchir à un autre moyen de remonter à la sorcière. On se tire. Va brûler en enfer, Zéphirin.

Il s'engagea dans l'escalier, suivi par Florence. Sharko adressa un dernier regard peiné à l'homme qui baignait dans son vomi et s'essuyait la barbe du dos de la main. Leurs yeux se croisèrent. Zéphirin tendit un index tremblant vers lui et éclata d'un rire fou, qui résonna dans le taudis comme les trompettes de l'Apocalypse.

— Tu la cherches, la *bokor*, mais elle, elle t'a déjà trouvé.

Franck sentit un courant d'air froid lui parcourir l'échine. Il se retourna brusquement, avec l'impression que l'Haïtien désignait une présence dans son dos. La voix de Santucci, plus bas, lui enjoignit de se magner. Le jeune inspecteur dévala les marches. Au-dessus de lui, le camé s'était penché dangereusement sur la rambarde instable et riait à gorge déployée.

— Pourquoi tu cours, sale poulet ? C'est trop tard pour toi ! Elle va emprisonner ton âme ! Tu le sais pas encore, mais t'es déjà mort !

51

Sharko avait préféré rentrer chez lui à pied plutôt que d'emprunter le métro. Il n'avait pas le courage de Florence qui avait décidé d'enchaîner sur une soirée au Millionnaire. Lui avait ressenti le besoin de prendre l'air, de s'oxygéner et, surtout, d'aller se coucher.

La Goutte-d'Or et ses démons… Dire qu'il ne vivait qu'à vingt minutes de marche de cet îlot de misère dont il portait encore sur lui l'odeur de crack et de crasse. Ce soir-là, dans le squat, il avait vu à quoi ressemblait l'enfer. Zéphirin et les autres toxicomanes n'étaient plus que des créatures lugubres, des laissés-pour-compte. Tout le monde se fichait d'eux, même les flics.

Stalingrad, Jaurès, leur horde de noctambules, d'immigrés, de paumés qui paraissaient errer sans but. Les sacs de couchage contre les murs, au pied des immeubles, dans ce froid à pierre fendre. Le Paris des démunis…

Troublé, le jeune inspecteur n'arrêtait pas de regarder derrière lui. Il avait la sensation qu'une ombre le suivait. Il traversait, bifurquait, accélérait et ralentissait, mais, bien sûr, il n'y avait personne, hormis ses propres fantômes.

Rue Armand-Carrel, avant d'attaquer la rue de Meaux. Franck n'arrivait pas à se sortir de la tête les yeux fous de l'Haïtien penché au-dessus de lui dans la cage d'escalier. Cette écume blanche au bord de ses lèvres, et les mots terribles prononcés par sa bouche malade : « Elle va emprisonner ton âme ! »

Il avait raison, d'une certaine façon. Sharko pensait à l'enquête, ou plutôt aux enquêtes, jour et nuit. Même sous la couette, même quand Suzanne lui caressait le dos, même dans son sommeil. Tout le temps. Il saisissait de mieux en mieux les confidences que le Glaive lui avait faites lors de sa première autopsie. Personne ne pouvait supporter ce quotidien, mais on apprenait à vivre avec.

Son immeuble, enfin. La chaleur bienfaitrice du hall d'entrée. Il jeta un œil dans sa boîte aux lettres, grimpa les deux étages d'un pas lourd, se faisant la réflexion qu'il n'avait toujours pas repris la course à pied depuis son affectation au 36. Il allait falloir se remotiver, retrouver une hygiène de vie convenable, tenter de garder un équilibre s'il ne voulait pas sombrer dans la mauvaise bouffe et l'overdose de travail. Le kébab baignant dans le gras lui pesait encore sur l'estomac.

Clé dans la serrure, main sur la poignée. Il entra, ôta son blouson et se précipita vers le télécopieur. Le fax quotidien de Suzanne l'y attendait. Son crack à lui...

... lui ai remis ma démission. Ça a été, tu t'en doutes, un moment difficile, pour lui comme pour moi, mais il

comprend parfaitement la situation... Que ne ferait-on pas pour se rapprocher de l'être qu'on aime ?

Franck se passa la langue sur les lèvres. Il ressentait des fourmillements désagréables tout autour de la bouche, comme après une anesthésie chez le dentiste. Était-ce à cause de la brusque différence de température avec l'extérieur ? Il se replongea dans sa lecture, essayant de rester concentré.

J'espère que ton petit circuit te plaît. L'as-tu déjà installé ? Je t'imagine bien, allongé sur le parquet, en train de contempler la locomotive tourner avec tes yeux d'enfant. Puisses-tu toujours avoir ce regard-là, mon chéri. Je t'aime comme tu es, ne vieillis pas trop vite, s'il te plaît, et ne laisse pas ton métier t'accaparer. Il y a d'autres choses importantes dans la vie, ce serait dommage de t'en priver...

Je t'aime. Écris-moi.

Sa main qui tenait le fax tremblait, il ne pouvait rien faire pour la contrôler. Que lui arrivait-il ? Lorsqu'il reposa la feuille, il remarqua l'infime tache rouge sur le papier, à l'endroit où se trouvait son pouce droit.

Il observa alors sa paume. Rien, pas de blessure apparente. Il pressa sur le bout de son doigt et fit éclore un bouton de sang. En se positionnant sous le lustre du salon, il découvrit finalement des surbrillances, un peu partout, même sur ses phalanges. Comme des paillettes incrustées dans sa peau. D'infimes morceaux de verre.

Un signal d'alerte résonna dans son crâne. Sa langue s'assécha. Des picotements gagnaient désormais ses extrémités. Ses bras. Ses jambes. Une vague de panique l'envahit.

Il se rua vers sa porte d'entrée, l'ouvrit et examina la poignée ronde extérieure. Les éclats étaient là, agrippés au métal, perdus dans des traces minuscules de poudre blanche.

Décharge d'adrénaline. Dans la fraction de seconde qui suivit, il s'élança dans son salon pour attraper son téléphone, mais s'écroula sur le flanc gauche, comme si on lui avait fauché les deux jambes. Dans sa chute, il renversa une étagère. Le cri qu'il essaya de pousser resta coincé dans sa gorge. Il ne parvenait déjà plus à déglutir ni à remuer une paupière.

Les sons, en lui, s'estompaient : le bruissement du sang dans ses artères, la circulation de l'air dans ses poumons... Les battements de son cœur ralentissaient. Son esprit, en revanche, tournait à plein régime. Une hyper-vigilance abominable qui lui donnait envie de hurler, de contracter ses doigts sur les lames du parquet jusqu'à s'en casser les ongles. Il était une âme piégée dans un bloc de chair inerte qui, par un simple réflexe de survie, respirait encore. Une proie offerte. Impuissante.

Paralysé, Franck comprenait avec un degré élevé de conscience ce qui lui arrivait : la tétrodotoxine pénétrait son organisme, en colonisait chaque cellule nerveuse.

Une silhouette se dessina au bout de la pièce, une masse qui sembla surgir du néant. Des couleurs dansaient autour d'elle – des vêtements amples venus des îles. Les chaussures en cuir passèrent dans son champ de vision, disparurent sur la gauche, sans qu'il puisse accompagner le mouvement. Le grincement des gonds de la porte, dans son dos. Des murmures, des instructions. Elle, la *bokor*, parlait à des hommes qui entraient chez lui.

Le parquet grinça également et Franck distingua deux paires de bras qui installaient une caisse en bois devant lui. Du genre de celle trouvée dans la porcherie abandonnée.

Non, non, non ! gueulait-il intérieurement, de toutes ses forces. Il vit les faciès hargneux de ses bourreaux, des Blacks d'à peine vingt ans, des gamins, capuches foncées, grosses chaînes autour du cou, survêtements. Ils l'arrachèrent du sol par les poignets et les chevilles, un poids mort qu'ils déposèrent dans le compartiment, les jambes tendues, les bras le long du corps, l'arrière du crâne à plat. La position du mort.

Une fois leur mission accomplie, ils reculèrent en silence. Un autre visage apparut alors, une vision effrayante dans une nuit de cauchemar, de grands anneaux dorés s'agitant aux oreilles tels des attrape-rêves, des yeux comme des gouffres qui l'attiraient dans une chute sans fin. Des mots, crachés des lèvres charnues, semblables à une giclée de clous :

— Je vais te voler ton âme…

Elle s'adressa d'un ton sec aux deux jeunes. Une planche glissa, une lame de guillotine qui coupa la lumière pour ne laisser place qu'à l'obscurité la plus profonde.

52

Le Millionnaire se nichait rue Pierre-Charron, à deux pas de l'avenue des Champs-Élysées. Nombre de petits artistes qui y divertissaient le public, chaque soir, ne rêvaient que d'une chose : se produire un jour au mythique Crazy Horse, à cent mètres de là.

Florence avait fait aussi vite que possible et emprunté le métro depuis la Goutte-d'Or. Elle était ainsi passée, en un claquement de doigts, des bas-fonds de Paris aux dorures et aux paillettes, du jus des abats dégoulinant sur les trottoirs aux fragrances de Chanel N° 5. La journée avait été longue, mais l'inspectrice voulait rencontrer Circé. Elle espérait simplement ne pas arriver trop tard...

Elle pénétra dans le cabaret, avec son plafond en pierre voûté, ses canapés capitonnés en cuir noir, ses tables rondes recouvertes de nappes blanches, de verres et de bouteilles, son velours rouge qui tapissait les murs. Au bar, des aguicheuses légèrement vêtues discutaient avec des gars en costard, les serveuses déliaient leurs longues jambes entre les chaises des clients, des seaux de champagne contre leur poitrine. Sur la scène, un vieil homme en trois-pièces à carreaux installait des perchoirs avec des perroquets et des cacatoès dans l'indifférence générale.

Une femme, seule, en jean et veste style motard, ne choisissait certainement pas ce genre d'endroit pour se distraire ou boire des coupes de dom-pérignon. À peine entrée, Florence avait déjà été repérée par le patron qui, bien qu'en pleine discussion sur une banquette avec un type qui fumait un cigare, ne la lâchait pas des yeux. Elle lui adressa un signe, l'incitant à la rejoindre. Il lui indiqua qu'il serait à elle dans une minute.

La flic en profita pour étudier la clientèle. Le public était plutôt masculin, bourge et de sa génération. Des gens friqués venus chercher du plaisir et, pour une poignée d'entre eux, du sexe. Le Méticuleux s'était-il un jour tenu ici ? Avait-il pu observer Circé ? Appartenait-il à une certaine classe sociale qui le poussait à fréquenter un tel établissement ?

Le patron s'approcha en réajustant son costume. Visiblement, il peinait à déplacer son gros ventre.

— Je ne sors pas ma carte, vous savez qui je suis. Je vous ai contacté dans la matinée au sujet de Circé...

— Ah oui, Circé. Elle a regagné les loges, elle a terminé sa prestation il y a très peu de temps. Qu'est-ce que vous lui voulez, exactement ?

— J'ai un besoin urgent de lui parler.

— Vous êtes de quel service, déjà ?

— La Crim...

Il pointa le menton vers la scène.

— Vous voyez l'homme, là-bas, sur la gauche, au niveau de la porte ? Allez-y, il va vous laisser passer.

Vous ne devriez pas vous perdre, il n'y a que trois loges. Faites-vous discrète, s'il vous plaît.

Florence le remercia et rejoignit le sbire, qui s'exécuta. Après un couloir, elle passa devant des caisses de matériel, des instruments de magie, des cages à oiseaux, des chapeaux, puis trouva les loges. Dans la première, deux effeuilleuses se maquillaient. Celle d'après était vide et, dans la troisième, une grande silhouette lui tournait le dos. Le miroir entouré d'ampoules renvoya un visage d'une blancheur de craie, poudré à l'excès et encadré d'une imposante crinière ondulée. Les yeux d'un vert profond, deux morceaux de jade, se figèrent sur elle une fraction de seconde.

Circé fit volte-face. Le corps nu de la jeune femme était musclé, presque noueux, ses seins semblaient deux petits citrons fermes, cernés de cicatrices qui, sans les spots, n'auraient sûrement pas été aussi visibles. L'inspectrice pensa à des mutilations, de celles qu'on se fait au couteau ou au cutter. Il y en avait également au niveau du nombril et des bras. La trentenaire portait un gros collier en cuir armé de pointes, type sadomasochiste, ainsi que divers pendentifs enfilés sur de simples lacets noirs : pentacle, croix chrétienne inversée, plaque gravée de symboles cabalistiques. Ses ongles étaient vernis de noir, et son eye-liner de la même couleur soulignait son regard. Un vrai look de créature mystérieuse, dont on ignorait si elle était docile ou si elle mordait.

Elle détailla Florence de bas en haut et observa brièvement ses mains.

— Vous cherchez quelqu'un ?

— Vous êtes Circé, je présume.

349

La flic montra alors sa carte tricolore, que Circé scruta.

— La police ?

— On peut discuter ici ? Ce ne sera pas long.

La magicienne acquiesça et repoussa la porte. Elle proposa une chaise à son interlocutrice, tout en continuant à se rhabiller. Un tee-shirt, puis une veste gothique en queue-de-pie par-dessus. Elle glissa des bagues en forme de tête de mort à ses doigts.

— Tout d'abord, j'aimerais m'assurer que tout va bien, entama Florence. Ces derniers temps, vous n'avez pas reçu de menaces ? De coups de téléphone ou de courriers étranges ? Pas d'impression d'être suivie, ou d'une intrusion chez vous ? Pas d'objets qui auraient disparu ?

— Rien de tout ça, non. Pourquoi ? Que se passe-t-il ?

L'inspectrice entreprit de lui exposer la raison qui l'avait amenée jusqu'ici. Elle parla des éléments essentiels de l'enquête : les lettres avec le prénom à deviner, le cadenas miraculeux trouvé sur une scène de crime, les différents indices abandonnés par l'assassin qui l'avaient conduite à Maxime Rafner, puis à elle. Elle n'entra pas dans le détail, mais indiqua qu'ils soupçonnaient un magicien, ou quelqu'un qui gravitait dans le milieu de l'illusion. Après avoir accusé le coup, Circé s'assit à son tour.

— Un magicien, répéta-t-elle. Un magicien meurtrier qui aurait intégré un forçage dans sa démarche criminelle pour vous guider pile dans ma loge. C'est… une utilisation machiavélique de notre art. Je n'ai pas d'autre mot.

— Un forçage ?

— Une technique courante dans notre discipline. Le spectateur ou la cible se croit entièrement libre de ses actions, alors que tout est sous notre contrôle. Quand on vous demande de piocher une carte au hasard, par exemple, ce hasard n'en est pas un. Je vais vous montrer.

La jeune femme s'écarta et s'empara d'un jeu de cartes, qu'elle mélangea et ouvrit un éventail devant Florence, face cachée. Elle lui proposa d'en choisir une, n'importe laquelle, et de la garder secrète. La flic s'exécuta en écoutant son instinct, puis Circé poursuivit son explication :

— Si je veux que vous preniez l'as de pique, vous prendrez l'as de pique. Jetez un œil à votre carte.

Un as de pique. Florence était bluffée.

— Comment vous avez fait ? En plus, j'ai changé d'avis au dernier moment.

— Le truc, c'est que vous ne voyez pas la méthode, mais seulement l'effet produit. C'est exactement, si j'ai bien compris, ce qui s'est passé avec votre histoire de prénom.

Circé tendit la main pour récupérer la carte, qu'elle remit dans son paquet.

— Ce type de forçage lié aux probabilités, c'est une des techniques de base de ceux qui s'intéressent à la branche de la magie qu'on appelle aujourd'hui le mentalisme.

— Parlez-m'en.

— Ça n'a rien à voir avec de la télépathie ou de la voyance, c'est davantage de la compréhension du fonctionnement de l'esprit humain. Si je vous demande de

351

penser très vite à un outil, j'ai toutes les chances que vous me citiez le marteau. Une fleur, la rose. Je peux également, sans que vous vous en rendiez compte, en orientant notre conversation, vous imposer de penser à un objet précis, comme un avion ou un bateau[1]. Votre homme, il n'a rien inventé, il s'est contenté de détourner des routines de mentalisme déjà existantes dans un but criminel. Il vous aurait donc « forcée » à venir jusqu'à moi, en semant ses jalons les uns après les autres…

Soudain, ses pupilles se perdirent dans le vague, comme si elle saisissait enfin la gravité de la situation.

— Mais pourquoi ? Qu'est-ce que j'ai à voir là-dedans ?

— C'est ce qu'on doit essayer de savoir. Si on en croit les propos de l'assassin, vous pourriez nous ouvrir « la porte du secret ». Ça ne vous évoque pas grand-chose, je suppose…

— Disons que c'est un peu flou. J'ouvre des portes du secret tous les jours. C'est mon métier.

— Dans votre milieu, des noms vous viendraient-ils en tête ? C'est délicat, mais imaginez-vous des artistes appartenant à votre cercle de connaissance capables de faire ça ?

— Tous. Aucun. Que voulez-vous que je vous réponde ? Tous les magiciens se cachent derrière un masque, une apparence. Il y a l'homme sur scène, et l'homme dans la vraie vie. Les deux sont souvent très différents… En fait, je ne suis pas certaine de pouvoir vous aider, car je suis plutôt indépendante. Je m'éloigne

---

1. Cher lecteur, rappelez-vous : est-ce l'objet auquel vous aviez librement pensé au début du livre ?

le plus possible de mes confrères sauf pour présenter mes nouvelles illusions, deux ou trois fois par an.

— À Blackpool, par exemple ?

— Je vois que vous êtes renseignée.

— Delphine Escremieu et Hélène Lemaire : ces noms vous évoquent-ils quelque chose ?

Circé tiqua une fraction de seconde, puis finit par secouer la tête.

— Absolument pas.

Florence était pourtant quasi sûre que son interlocutrice avait réagi.

— Prenez le temps de réfléchir. L'une était peintre, et vivait dans le Marais. L'autre habitait Elbeuf, et était standardiste à Rouen... Peut-être les avez-vous côtoyées, plus jeune, lorsque vous étiez enfant ou adolescente...

Circé haussa les épaules.

— Désolée.

— Est-ce que le nom d'André Escremieu ou de l'hôpital Meurin de Brest, ça vous parle davantage ?

Cette fois, la trentenaire se figea. Elle sembla un instant déboussolée.

— C'est de l'histoire ancienne. Je ne veux pas en discuter.

Florence avait visé juste. La magicienne était bien la clé qui leur permettrait d'ouvrir une nouvelle porte sur le passé. De se rapprocher un peu plus du tueur.

— Écoutez, nous avons de bonnes raisons de penser que les agissements de l'homme qu'on traque sont liés à ce qui s'est produit il y a plus de vingt-cinq ans dans cet hôpital. Cet assassin commet aujourd'hui des actes abominables, et nous devons l'arrêter au plus vite. J'ai besoin de savoir, de comprendre. J'ai des photos au bureau que je souhaiterais vous montrer. J'ai besoin de vous, Circé, de votre témoignage. C'est important pour faire avancer l'enquête, et mettre cet individu hors d'état de nuire avant qu'il ne recommence.

La jeune femme prit son temps pour répondre. Elle se pinçait l'oreille droite d'un geste nerveux.

— Très bien. Mais pas ce soir, il est presque minuit. J'ai eu une grosse journée, je suis crevée.

— Demain matin au 36, quai des Orfèvres ?

— Plutôt l'après-midi. J'ai rendez-vous avec le type qui me loue l'espace où je stocke mon matériel. Il y a eu un problème à cause du gel de ces derniers jours et…

— D'accord, ça ira. Je vous demanderais d'être prudente, ce soir. Vous n'êtes théoriquement pas en danger si vous êtes censée faire partie d'un plan, mais restez tout de même sur vos gardes. Où vivez-vous ?

— À Ivry-sur-Seine.

— Et votre vraie identité, c'est… ?

Circé se redressa et se repositionna face au miroir. Elle termina de boutonner sa veste, puis passa une main dans sa chevelure couleur aile de corbeau.

— Je m'appelle Caroline Brandier. Avouez que c'est beaucoup moins glamour que Circé.

Florence lui adressa un sourire et se dirigea vers la porte. La voix de la magicienne résonna dans son dos – le genre de voix à la fois suave et grave.

— Inspectrice ?

La flic se retourna. Circé lui montra les cartes de son jeu : il n'y avait que des as de pique.

— Vous m'avez bien eue, constata Florence, bonne joueuse. Fallait y penser.

— Vous savez, j'aime beaucoup le violon, moi aussi. C'est un instrument qui apaise autant qu'il émeut. Continuez à en faire, quoi qu'il arrive. Je sais que le divorce est une épreuve difficile, mais vous surmonterez tout ça. Une femme dans la police est, me semble-t-il, quelqu'un au tempérament solide.

Florence écarquilla les yeux.

— Comment vous faites ça ?

Circé leva les paumes, un pli malin au coin de ses lèvres surlignées d'un noir profond.

— L'observation, inspectrice. Juste l'observation. Tout est dans les gestes, le regard, les mains… Ces dernières, surtout, sont des livres ouverts. Le prétexte du tour de cartes m'a permis de les observer. Et de remarquer la corne que vous avez au bout de l'index gauche, beaucoup plus épaisse que sur les autres doigts. Sans parler de la montre que vous portez au poignet droit, alors que vous êtes droitière : seuls les accordéonistes et les violonistes font ça pour ne pas être gênés dans leurs mouvements. Et puis il y a d'autres petites choses que je vous laisse deviner. Avec un peu de réflexion, d'observation, vous trouverez par vous-même…

53

La peur. L'un des plus vieux instincts communs à toutes les espèces animales. La peur pouvait pétrifier, décupler les forces, sauver une vie, rendre fou…

Elle consumait Franck Sharko dans un feu intérieur, le dévitalisait. Il allait mourir. Lui, un jeune homme de trente ans, débordant d'énergie, d'envies, de projets. On s'apprêtait à le rayer de la surface de la Terre. Pire, à le piéger dans un univers de ténèbres où la mort n'était qu'un début. À faire de lui un mort-vivant…

Enfermé dans sa caisse, à l'arrière d'une probable camionnette, il sentit une larme se répandre à la surface de son cristallin. Il pensait surtout à Suzanne, à sa souffrance lorsqu'elle se retrouverait face à des flics qui, un de ces matins, lui annonceraient la terrible nouvelle.

Ses yeux paralysés, humides de sel, étaient devenus une source de douleur abominable. Il peinait désormais à respirer – une enclume invisible lui écrasait la gorge – et n'était plus certain d'entendre son cœur battre. Où l'emmenait-on ? Allait-on l'enterrer dans les profondeurs d'une forêt et le laisser s'asphyxier ? Le jeter à l'eau ? Le zombifier pour ensuite l'abandonner au milieu d'un champ, à moitié nu, dans la boue et le froid ?

Il voulait en finir. Là, maintenant. Et vite. Mais ça n'arriverait pas, parce que en finir était l'option la plus douce et que ces gens-là se complaisaient dans la barbarie. « Je vais te voler ton âme. » Franck était incapable de bouger, il ne pouvait pas non plus empêcher un flux d'images insupportables de lui traverser l'esprit. Il voyait une scie lui fendre le crâne en deux, des pinces lui découper des morceaux de cerveau, alors qu'il avait conscience de tout. Il ne fallait pas sous-estimer une femme qui enfonçait un mamba noir dans la gorge d'un homme.

Un brusque virage… Sa tempe droite cognant contre le bois… Des craquements de gravier, sous les roues… L'arrêt du moteur… Puis le coulissement de la porte sur son rail métallique… Combien de temps avaient-ils roulé ? Une heure ?

Il sentit la caisse se mettre en mouvement, vit après quelques instants des rais de lumière jaune, puis rouge sang, qui s'infiltraient entre les planches. Une soudaine inclinaison. Des marches. Les angles du cercueil qui butaient contre les murs. Et toujours ces voix qui grognaient, ce langage de rue qu'il ne comprenait pas. À l'évidence, les sous-fifres au service de la sorcière vaudoue.

On le déposa enfin, puis on retira le couvercle de sa prison. La pénombre. Des gloussements lugubres de volailles… Une odeur de plumes, de terre, de brique humide mêlée à l'encens. Les flammes des bougies dansaient par centaines dans son champ de vision, comme des yeux curieux l'observant, sur des autels où s'empilaient des rangées de crânes tronqués au niveau de la mâchoire supérieure. À côté, un courant d'air s'engouffrait dans des tentures bleues, rouges, noires qui oscillaient telles des capes. Dans des cages suspendues, des canaris bondissaient de perchoir en perchoir. Les geôliers des âmes damnées.

Le silence. Les jeunes étaient repartis. Quelque part au loin, Franck entendit leurs rires. Oui, ces salopards riaient, ils avaient certainement ri aussi quand Delphine Escremieu avait subi le même sort.

Franck devait être enfermé dans une cave, sûrement en banlieue, dans un endroit où on pratiquait des rituels sanglants et des sacrifices. Subitement, la *bokor* apparut. Une sorte de pâte claire séchée formait un H lugubre sur son visage. Elle portait un collier d'os et de plumes. De grosses bagues luisaient à chacun de ses doigts.

— Tu n'es pas encore tout à fait mort, mais plus tout à fait vivant non plus.

Elle lui souleva le bras, le relâcha. Le membre retomba, et Franck cligna une fois des paupières au moment de l'impact.

— Ah, je vois que ça commence à réagir. Ce sont toujours les réflexes qui reviennent en premier... Tu retrouverais toutes tes sensations bientôt si on s'arrêtait là, tous les deux. La poudre qui est entrée en toi ne contenait qu'une infime partie de poison. Elle n'était qu'un avant-goût de l'enfer qui t'attend. D'ordinaire, on s'en sert pour donner des avertissements aux ennemis...

Elle lui montra une feuille de carnet chiffonnée. Sharko reconnut son écriture. C'était le papier qu'il avait remis à Scotti pour qu'il puisse le joindre.

— Faut pas laisser traîner ce genre d'infos, sale flic. Ça peut jouer des tours.

Elle se rapprocha de lui. Très près. Le gouffre de sa bouche… Le rempart hostile de ses dents blanches…

— La deuxième étape, c'est la vraie poudre zombie. Ça va être beaucoup plus puissant, et surtout irréversible. Elle va doucement stopper ton cœur, puis, si tout se passe comme prévu, il repartira au bout de quelques minutes. Avec un peu de chance, tu mourras. Sinon, tu te réveilleras paralysé, cloîtré dans ta caisse, environné d'une nuit noire, sous la terre et plus vraiment toi-même. Quand on te sortira de là, d'ici deux jours, tu ne seras plus rien.

Elle se recula. Il perçut son souffle toujours à proximité.

— D'abord la toute petite incision…

Franck ressentit une pointe de douleur dans la paume de sa main droite. La *bokor* releva la lame au fil couvert de sang et s'éloigna. Tintement de verre, froissements d'ailes, bruits d'objets qu'on déplace. Une poule gloussa. Sharko se concentrait, mobilisait toute sa volonté pour crier aussi fort que possible, mais sa gorge n'émit rien d'autre qu'un râle imperceptible.

Du temps, il lui fallait encore du temps. Chaque fibre musculaire luttait contre les effets du poison. C'était infime, pourtant la chaleur revenait dans ses doigts, sa chair… Mais la sorcière était déjà là, prête à l'entraîner dans les limbes. Elle lui présenta un tube gradué contenant une insignifiante quantité de poudre grisâtre. Franck fit une dernière tentative. Ses cordes vocales ne répondaient pas. Pas assez pour que les lettres se forment entre la langue et le palais. Alors, il le pensa, juste, de toutes ses forces. *PITIÉ*.

La *bokor* tressaillit soudain. Quelque part, il y eut un fracas, des éclats de voix, suivis d'échanges de coups de feu. Dans le brouhaha ininterrompu, la femme disparut de la vue de Sharko. Des pas résonnèrent au-dessus. Une minute plus tard, des halètements, des cliquetis d'armes, une voix dure, autoritaire. Puis un visage. Serge.

Un ressac de chaleur envahit le ventre de Franck. Des uniformes bleu nuit circulèrent, une ronde improbable qui lui semblait surgir du ciel. Les gars de la BRI se déversaient dans la cave.

Amandier se pencha et posa deux doigts au niveau de sa gorge.

— Il est en vie !

Il releva aussitôt la tête.

— Où est passée la sorcière ? On est dans une cave, bordel, elle n'a pas pu se tirer ! Retrouvez-la !

Sharko n'arrivait pas à croire à ce qui était en train de se produire. Il se concentra et lâcha une longue expiration, qui se termina dans un microscopique mouvement de lèvres.

L'esquisse d'un sourire.

54

Vivant.

Sharko avait d'abord recouvré la parole, puis le contrôle de ses mouvements, petit à petit, telle une marionnette en bois prenant vie. Les derniers fourmillements étaient encore perceptibles quand les médecins arrivèrent.

L'inspecteur était désormais assis sur un brancard, à l'arrière du véhicule de secours. Il refusait qu'on l'emmène à l'hôpital.

— Je ne courrais pas un cent mètres maintenant, mais tout va bien. J'ai toutes mes sensations, pas de nausées, rien. Ça va.

— Arrêtez de gesticuler, et laissez-nous au moins nous en assurer, répliqua le toubib qui prenait ses constantes.

Les portes arrière de l'ambulance étaient ouvertes. Franck obtempéra et, pour patienter, se mit à observer les alentours. Des gyrophares silencieux éclairaient par intermittence un jardin à l'abandon et une vieille maison de ville, une dizaine de mètres en retrait. D'après ce qu'il avait entendu, on se trouvait à Marly-la-Ville, à une demi-heure de Paris, dans le Val-d'Oise. Plus loin, Serge discutait avec des hommes en uniforme, alors que d'autres allaient et venaient depuis la rue. Au bout de quelques minutes, son coéquipier jeta sa cigarette au sol et s'approcha.

— Tu devrais faire un tour à l'hosto, dit-il. On s'en sortira sans toi, tu sais ?

— Je me sens bien.

— Tu te sens bien, ouais. Il y a vingt minutes, t'étais dans un cercueil et pas très en forme, je te rappelle.

Franck se perdit un instant dans ses pensées. Ça s'était joué à quelques secondes, en effet. Et ce qui ne faisait aucun doute, c'était qu'il serait dans un sale état, ou mort, si les équipes n'étaient pas intervenues…

— J'ai fait envoyer un technicien de l'IJ en urgence chez toi pour qu'il débarrasse ta poignée de cette merde, l'informa Amandier. Il ne faudrait pas qu'un de tes voisins se prenne une dose de poudre.

Le médecin termina sa prise de sang et rangea les tubes dans une sacoche. Il indiqua à Sharko qu'il en avait fini, lui fit signer un refus de soins en lui glissant quelques recommandations. Mieux valait qu'il évite de rester seul, pendant deux ou trois heures. Au moindre symptôme ou malaise, il devait se rendre aux urgences ou contacter les secours. Le jeune inspecteur le remercia et descendit de l'ambulance. Le souffle du vent le frigorifia, et il croisa ses bras pour se protéger.

— Dis-moi que vous l'avez attrapée…

— Volatilisée.

— Ce n'est pas possible ! Elle était avec moi, à la cave !

— Rien d'extraordinaire, je te rassure : il y avait une issue, au fond, qui donnait sur un autre escalier. Elle est sortie par le côté de la bâtisse et s'est probablement enfuie par les propriétés voisines. À pied, elle ne pourra pas aller loin. Les gars vont la choper.

— Raconte-moi ce qui s'est passé, Serge. Comment vous avez su ?

Ils avancèrent en direction de la maison, qui était cernée par de hauts cyprès. Des collègues de la BRI fouinaient dans les alentours, d'autres encadraient deux individus menottés. Des effectifs du commissariat local occupaient aussi les lieux.

— Dans ton malheur, t'as eu un sacré bol, lança Amandier. Je me suis rendu chez toi parce que je voulais te communiquer les conclusions du légiste au sujet de l'affaire des Disparues. Je venais de me garer quand j'ai vu ces deux salopards et la *bokor* embarquer une caisse dans leur camionnette.

Franck observa le véhicule qu'il avait désormais sous les yeux. Un bahut de chantier gris sans vitre à l'arrière, muni d'une cloison séparant la cabine du reste de la fourgonnette.

— J'ai tout de suite pigé, mais ils ont redémarré et c'était inenvisageable d'intervenir seul, avec toi entre leurs mains… J'ai noté le numéro de plaque que j'ai immédiatement transmis par radio à l'état-major en sollicitant des renforts. J'ai pu les filer à distance jusqu'au périph où je les ai perdus, mais grâce à l'immat, on avait l'adresse et le nom de la proprio : Madelie Souffrant. C'est l'identité de notre sorcière. Elle porte bien son nom, cette garce…

Il se retourna et se laissa distraire, quelques secondes, par l'ambulance qui repartait, avant de reprendre sa marche.

— Heureusement, ils ne roulaient pas vite, ils n'avaient sûrement pas envie de se faire remarquer. On est arrivés à peine dix minutes après eux. La suite, tu la connais.

Sharko s'arrêta à son tour, le regard rivé au sol. Serge revint vers lui.

— Oh, ça va, petit ?

Franck releva les yeux et les planta dans ceux de son coéquipier. Il se serra chaleureusement contre lui et lui tapa dans le dos.

— Merci, Serge. Sans toi, je…

— Te bile pas. À charge de revanche. Pas impossible que t'aies à me rendre la pareille un jour. Viens, il faut que je te montre quelque chose à la cave…

Ils entrèrent dans la maison. Amandier expliqua qu'il avait prévenu Santucci, qui ne tarderait pas à débarquer.

— On dirait qu'elle vit seule dans cette baraque. J'ai collé ses deux complices en garde à vue, ils sont pour nous. D'après leurs papiers, les mecs crèchent tous les deux rue d'Oran, dans le quartier de la Goutte-d'Or, et ont vingt berges. Des Antillais…

Ils passèrent dans le salon, envahi de babioles, mais propre. Des masques tribaux ornaient les murs. Ils ouvrirent une porte et descendirent une dizaine de marches pour accéder à la cave. Les odeurs d'encens planaient encore, entêtantes. Les volailles piaillaient, à moitié déplumées. Sharko se figea devant son cercueil. Au-dessus, les canaris bondissaient toujours de perchoir en perchoir. Franck en dénombra cinq. Lequel d'entre eux était le gardien de l'âme de Delphine Escremieu ?

Serge longea la pièce par la droite, se faufila entre les tentures et arriva dans une salle plongée dans la pénombre. Le battant qui donnait sur l'autre escalier était là. Mais ce n'était pas tout… Le jeune inspecteur y découvrit également une courte chaîne scellée dans le mur, avec un anneau métallique à son extrémité, vraisemblablement destiné à entraver un poignet ou une cheville. À proximité, une assiette de nourriture crasseuse et des bouteilles d'eau vides…

Amandier désigna, dans l'angle opposé, un tas de vêtements féminins, ainsi qu'un sac à main et un portefeuille.

— J'ai jeté un œil au portefeuille. Il s'agit de celui d'Hélène Lemaire. Ces vêtements sont les siens, Sharko…

Franck ne dit rien. Il fixait les marques de griffures et les trous dans les joints entre les briques, autour de l'endroit où le pieu qui maintenait la chaîne était enfoncé. Hélène avait essayé de s'échapper.

— C'est ici qu'on l'a séquestrée, dans cette cave sordide, entre son enlèvement à Elbeuf et son meurtre à Saint-Forget, reprit le vieux flic. Une semaine à subir Dieu seul sait quoi, avant qu'on l'emmène là-bas et qu'on lui crame les organes génitaux au chalumeau, comme si tout ça n'était pas encore assez…

Il serra les poings contre son corps. C'était la seconde fois que Sharko le voyait dans cet état. Ses yeux lui sortaient des orbites et sa bouche tordue le faisait ressembler à un fou.

— On va retrouver cette ordure de *bokor*. Je te garantis que les petits durs qu'on a chopés vont cracher tout ce qu'ils savent. Ouh putain, je te jure qu'ils ne se reconnaîtront même plus dans une glace s'ils jouent les malins.

Il fit demi-tour, d'un pas décidé, s'arrêta au niveau des toiles suspendues et se retourna vers son jeune collègue.

— J'ai oublié de te dire, mais tu t'es planté pour l'affaire des Disparues. Le légiste est formel : tes ciseaux ne concordent pas. Ce n'est pas un urgentiste, petit. C'est un fantôme qu'on n'attrapera jamais.

55

La baffe résonna dans toute la pièce. Les mains menottées dans le dos, Joseph Kavanagh bascula et manqua de tomber. Sharko le redressa d'un geste dur, pas mécontent pour une fois de la dérouillée que son collègue administrait à leur gardé à vue.

— Ton pote, à côté, il est en train de tout déballer, lança Serge. Je te laisse cinq secondes pour écarter les morceaux de pamplemousse qui te servent de lèvres et continuer ton histoire. Alors, on reprend tranquillos : tu t'appelles Joseph Kavanagh, t'as vingt ans et tu crèches rue d'Oran… Avec qui ? Combien vous êtes dans ton taudis ?

On approchait des 3 heures du matin. Franck avait lutté contre un coup de fatigue sur le trajet du retour, mais pas de nausées ni de tremblements. Après leur arrivée à Marly-la-Ville, Santucci et le Glaive étaient restés sur place avec les équipes du commissariat local et de la BRI : on recherchait toujours activement Madelie Souffrant dans le voisinage. Florence et Einstein avaient débarqué aussi vite que possible et s'occupaient du deuxième jeune.

— Je dirai rien, Tidjiane non plus.

Kavanagh fit rouler sa tête. Sa nuque craqua. Il était grand et solide, avait les cheveux aussi noirs que crépus, et était vêtu d'un survêtement Adidas crasseux troué aux coudes.

— Tu n'as pas l'air de piger la gravité de la situation, gamin. Complicité d'enlèvement, sur un inspecteur de police en plus, ça te cause ? T'as déjà un casier long comme le bras : agression, vol à l'arraché, vol de véhicule… Mais là, t'es passé à un niveau supérieur, tu vas en prendre pour dix ans si tu t'obstines.

Serge se baissa, lui serra le menton entre son pouce et son index et parla à deux centimètres de son visage.

— Avant le lever du soleil, on aura chopé la sorcière. Elle a nulle part où aller, elle va finir ses jours en taule et ses incantations à deux balles n'y changeront pas grand-chose. Toi, tu peux encore t'en sortir. Si tu nous racontes tout ce que tu sais, on plaidera en ta faveur auprès du juge. Ça compte, crois-moi.

Kavanagh fit profil bas. Son talon droit battait nerveusement sur le parquet. Amandier estima qu'il était mûr et réutilisa la technique déjà employée avec Félix Scotti. Après les coups, il y eut les menottes enlevées, puis la cigarette. Franck devait admettre que le vieux loup l'impressionnait. Au bout de quelques minutes, Joseph Kavanagh lâcha un peu de lest.

— J'habite tout seul… Mes parents, ils sont partis à La Courneuve il y a un paquet de temps. Moi, je suis resté dans le quartier de la Goutte. Je suis maçon, je bosse sur les chantiers. Je suis réglo, monsieur.

Serge adressa un regard satisfait à Sharko, alla appuyer sur le magnétophone, puis récupéra deux gobelets, dans lesquels il versa du whisky issu de sa flasque. Il en offrit un au jeune, qui ne savait pas sur quel pied danser : accepter ou refuser ? Amandier insista en lui collant le verre en plastique contre la poitrine. Kavanagh trempa ses lèvres dans l'alcool.

— Tu vois, quand tu veux ? fit Serge en l'accompagnant. J'étais sûr que t'étais un bon gars. Tu t'es juste retrouvé embringué dans un truc que tu maîtrisais pas, c'est ça ?

— Ouais, je maîtrisais pas. Elle avait pas dit que… qu'on embarquerait quelqu'un. Et encore moins que c'était un flic. Je te jure.

— Je te crois. C'est pas marqué sur son front, après tout. Hein, Sharko, c'est marqué nulle part, que t'es une saleté de poulet ?

— Nulle part.

— Voilà ! Bon, allons-y mollo, Joseph. Pour commencer, parle-nous de tes rapports avec Madelie Souffrant. Qui elle est pour toi ? Comment tu l'as connue ?

Serge lui tendit le cendrier, sur le bord duquel le suspect tapota sa clope.

— Elle tient une petite boutique de la rue Doudeauville depuis que je suis gamin. Un boui-boui à la vitre tellement dégueu que tu vois pas à l'intérieur. Elle vend des épices, des écorces, des bougies, ce genre de machins. Les Haïtiens et les Antillais du quartier sont de bons clients. Nous, avec Tidjiane, on a acheté du rhum arrangé là-bas dès nos quinze ans…

Il but un coup et tira sur sa cigarette. Le tabac crépita dans la pièce silencieuse. Sharko traîna une chaise par terre et s'assit à côté du gardé à vue.

— Au fur et à mesure, elle s'est mise à nous filer des bouteilles gratos contre des petits services. En gros, on portait des colis à droite, à gauche, et on posait pas de questions. On récupérait aussi du pognon chez les gens qui lui en devaient. Parfois, elle demandait des choses cheloues, comme y a trois semaines, où on a galéré à porter une tonne d'enveloppes, mais c'est que ça qu'on faisait, on jouait les facteurs. Rien de méchant.

— Explique cette histoire d'enveloppes.

— Pas grand-chose à dire. Y avait des centaines de paquets déjà prêts à l'arrière de la camionnette. Fallait les déposer dans les boîtes de tous les bureaux de poste qu'on croisait. On avait deux consignes : les refourguer dans la matinée, avant que ça ferme, et jamais plus de dix paquets à la fois. On s'est fait quatre ou cinq arrondissements.

— À qui appartenaient ces paquets ?

— J'en sais rien. Ils étaient là, c'est tout.

— Combien il y en avait ? Trois cents ? Cinq cents ?

— Ouais, dans ces eaux-là.

Immobile, Franck réfléchissait. Le Méticuleux avait eu besoin de petites mains pour réussir son coup. Ce qui confirmait son rapport étroit avec la sorcière. Serge poursuivit :

— T'étais au courant que Madelie Souffrant pratiquait le vaudou ?

— Plus ou moins. On savait qu'elle faisait des consultations dans sa boutique et qu'elle organisait des genres de cérémonies dans sa cave, chez elle, à Marly… Parfois, elle nous demandait de lui ramener une chèvre, alors on lui ramenait une chèvre… Mais j'avais aucune idée de ce qu'elle foutait exactement. Tu te doutes que tout ça, c'était secret. Le vaudou, c'est sacré, faut pas rigoler avec ça.

Il vida son verre, observa l'extrémité de son mégot et l'écrasa à l'intérieur de son gobelet. Amandier s'appuya sur le bureau, face à lui, les bras croisés.

— Parle-nous d'hier soir.

Kavanagh adressa un regard en coin à Sharko, qui le fusillait des yeux, puis détourna vite la tête.

— Mercredi, elle nous a dit qu'elle avait un truc pour nous et qu'on devait la retrouver dans son boui-boui le lendemain après-midi. Là, on a pris sa camionnette, on est allés chercher avec elle une caisse en bois chez Marlier, un gars qui bricole des meubles du côté de Barbès, puis on s'est garés dans la rue de Meaux, aux alentours de 18 heures. C'est à ce moment qu'elle nous a expliqué pourquoi on était là : y aurait un mec à embarquer dans la caisse dès qu'elle nous ferait signe depuis la fenêtre d'un immeuble...

Il haussa les épaules.

— C'est aussi simple que ça. On a juste obéi. On a glandé cinq heures dans la fourgonnette avant que... Enfin, si on avait su de quoi il s'agissait, on n'aurait pas accepté. On croyait que c'était un type qui réglait pas ses dettes et qu'elle voulait lui foutre les jetons...

Sharko en frissonnait encore. La *bokor* avait réussi à pénétrer dans son appartement sans qu'il s'en aperçoive. Était-elle, elle aussi, capable de déjouer les systèmes de fermeture, ou quelqu'un l'avait-il fait au préalable pour elle ?

Amandier sortit des photos d'un dossier, et les étala sur le bureau. Il pointa les différents portraits d'Hélène Lemaire et de Delphine Escremieu.

— Tu connais ?

— Jamais vu.

Le vieux flic lui donna une grosse tape à l'arrière du crâne.

— Attention, Joseph. Je veux bien être sympa avec toi, te filer de mon bon whisky et de mes cigarettes, mais ma patience a des limites.

— Je les ai jamais vues, je te dis !

Autres clichés. La scène de crime à Saint-Forget. Le corps recroquevillé de Delphine. Le cercueil de fortune à côté de son trou, à Saclay. Joseph Kavanagh pâlit face à l'horreur des images que lui imposait l'inspecteur de police.

— T'es malade ? C'est quoi, ce bordel ? Je suis pas mêlé à ça. Je suis pas un assassin.

— Cette caisse dans la boue, c'est le même genre que celle qui a servi chez mon coéquipier, Joseph. On a des empreintes dessus, tu te doutes. Il suffit donc d'une comparaison avec tes paluches pour qu'on soit assurés que t'es impliqué. Si tu continues à nier, on peut légitimement penser que tu nous mens pour tout le reste, et que c'est toi qui as commis ces crimes ignobles.

— J'ai rien fait, je te jure. T'as vu ce que cette femme a subi ? Putain, c'est pas nous !

— C'est pas vous… Vous avez juste fait les transporteurs, hein ?

Il acquiesça timidement :

— Ouais, c'est ça. Que du transport.

— Explique… Quand ? Où ? Avec qui ?

Le jeune désigna la photo de la résidence de Delphine Escremieu.

— Là-bas, dans cette drôle de maison dans la forêt. Une nuit… Madelie nous avait embarqués à l'arrière de la camionnette avec Tidjiane. La caisse était déjà là, vide. Y avait quelqu'un d'autre sur le siège passager.

— Qui ?

— Un homme.

Les yeux de Serge s'enflammèrent.

— Qui ? répéta-t-il. Donne son nom.

— Je n'ai pas de nom. Pas même de visage. Dans son fourgon, à Madelie, il y a qu'une minuscule vitre qui permet de jeter un œil à l'avant. Ce mec, il avait les cheveux courts et noirs, une casquette foncée sans marque, et je crois qu'il avait une barbe. Mais c'est tout ce que je pourrais te dire. Lui et Madelie parlaient pas. Il s'est jamais tourné vers nous. C'est sûr, il voulait pas qu'on le voie.

Serge lança un regard à Sharko. C'était lui. Le Méticuleux.

— Grand ? Petit ? Costaud ? Quel âge ?

— J'en sais rien. Pas costaud, non. Enfin, j'ai pas fait gaffe. Quand on est arrivés sur place, ils sont sortis, nous on n'a pas bougé… Il s'est passé environ une heure avant que Madelie réapparaisse. Elle nous a ordonné d'apporter la caisse dans la baraque et de patienter ensuite dans la fourgonnette en attendant les instructions. Et encore vingt minutes plus tard, on s'est tapé un autre aller-retour pour charger la caisse. Elle était fermée et beaucoup plus lourde.

— Tu m'étonnes, tu trimballais la propriétaire… Où était le type à la casquette, pendant ce temps-là ?

— Dans la maison. Toujours loin de nous, mais il nous observait, planqué dans l'ombre. À l'intérieur, y avait toutes ces peintures bizarres, je me souviens de ça. Et de l'ambiance cheloue dans la forêt, juste éclairée par la lampe torche de Madelie. Sinon, il faisait noir comme dans le cul d'une poule. Après, on s'est tous remis en route. Une longue route silencieuse…

Sharko n'eut pas de mal à imaginer le calvaire vécu par Delphine : il avait subi la même chose. Kavanagh s'empara de la photo de la ferme abandonnée.

— On s'est retrouvés là-bas, dans cet endroit merdique au milieu des champs… Madelie nous a demandé de transporter la caisse derrière la vieille porcherie. Puis il a fallu creuser, la mettre dans le trou, et reboucher. Mais je te jure sur ma mère, on savait pas ce qu'il y avait dedans. Ça aurait très bien pu être des marchandises, ou de la drogue.

— De la drogue, j'y avais pas pensé, tiens… Vous êtes retournés déterrer le cercueil plus tard ?

— Jamais. On n'y est jamais retournés.

— Qu'est-ce que vous avez fait, après ?

— On est rentrés… Madelie nous a largués du côté de la gare du Nord, et c'était terminé.

— Quand, précisément ? Un lundi ? Un mardi ? Novembre ? Décembre ? File-nous la date exacte.

Kavanagh réfléchit.

— Attends… On était encore en novembre… Un samedi dans la nuit… Ouais, c'est ça, on devait être le dernier jour de novembre. Le 30.

Serge termina son gobelet et alla le jeter à la poubelle. Sharko, lui, moulinait tout ça dans sa tête : Delphine Escremieu avait donc été enlevée à Saint-Forget le 30 novembre, probablement « poudrée » comme il l'avait été… Il bouillait de l'intérieur.

— Combien de fric pour ça, espèce de petit enfoiré ? fit-il en se rapprochant. Combien elle t'a donné pour nos vies ?

— Cinq cents balles, chaque fois. Je suis désolé, mec, mais…

Franck se précipita soudain sur lui, l'agrippant par le col de sa veste de survêtement. La chaise bascula, et le flic l'écrasa de tout son poids.

— Tu riais ! Tu riais pendant qu'elle s'apprêtait à me tuer !

Amandier le tira en arrière, alors qu'il mettait ses mains autour de la gorge du jeune. Ses yeux étaient révulsés.

— Laisse-le, Sharko. Ça va ! Ça va…

Franck reprit son souffle. Il se redressa, haletant, les poings serrés. Serge releva Kavanagh sans délicatesse et le rassit. Il se tourna ensuite vers son collègue, lui tapa amicalement sur l'épaule et lui tendit ses clés de voiture.

— Prends ma bagnole, rentre un peu chez toi te reposer. Vu ce que tu t'es mangé ce soir, personne t'en voudra, crois-moi.

À ce moment, Einstein frappa un coup et passa sa tête dans l'embrasure. Il fit signe au numéro 2 du groupe de sortir. Ce dernier menotta son suspect et se rendit dans le couloir, tout en gardant un œil sur l'intérieur de la pièce : il s'agissait de ne pas répéter le fiasco du père Escremieu.

— Je viens d'avoir Santucci au téléphone, marmonna Einstein. Ils ont retrouvé Madelie Souffrant morte dans un fossé, à quelques centaines de mètres à peine de la baraque. Elle s'est ouvert la gorge.

56

Sharko suivit les conseils de Serge et rentra chez lui pour se poser quelques heures. Même si un technicien était passé, il toucha la poignée seulement après avoir enfilé ses deux gants en cuir sur la même main. Puis il se débarrassa de ceux-ci dans le vide-ordures de sa cuisine et usa la moitié d'un rouleau de Sopalin pour désinfecter la surface arrondie à l'eau de Javel. Sa serrure n'avait pas été forcée, mais il décida malgré tout d'en changer dans les meilleurs délais. Peut-être même ferait-il installer une porte blindée.

Il ferma à clé, glissa la chaînette dans son compartiment et cala une chaise sous la poignée. Madelie Souffrant n'était plus de ce monde, certes, mais Franck sentait encore sa présence entre ses murs. Il lorgna autour de lui en silence. Sa gorge se serra. Il se revit, chutant, gisant au sol. Son impuissance…

Il remit l'étagère renversée en place. Il vérifia toutes les pièces et découvrit, sous la table basse de son salon, une grosse mouche morte, sur le dos, les pattes recroquevillées. Une *Calliphora vomitoria*, comme sur la scène de crime. Qu'est-ce que cette espèce fichait dans son appartement en plein hiver ? *C'est elle qui l'a déposée là*, songea-t-il, *la sorcière. Elle a voulu me jeter un mauvais sort...*

Il la saisit du bout des doigts et la balança par la fenêtre. Après quoi il se lava, ou plutôt se récura, jusque sous les ongles, et quand le morceau de savon eut disparu entièrement tant il avait frotté, il se dit que son esprit ne tournait plus rond.

À 5 heures du matin, il s'effondra finalement, en caleçon, sur son matelas. Son cerveau se déconnecta en moins d'une seconde, comme un appareil électrique qu'on débranche d'un geste sec. Un sommeil profond s'empara de lui, dont il n'émergea qu'en milieu de matinée, la tête en vrac. Il eut alors besoin d'un peu de temps pour prendre conscience que les événements de la veille s'étaient bien produits. Ce n'était pas un cauchemar. Il avait failli y rester. Tout était allé si vite... Si loin...

Une fois habillé, Franck regarda dehors, écartant le rideau de la vitre. Un pâle soleil d'hiver inondait la rue de lumière. Les trottoirs avaient repris vie, des voix et des coups de klaxon s'élevaient, et toute cette agitation lui réchauffa le cœur.

Il se prépara un café, puis se dirigea vers le fax. Rien de neuf. Il décida qu'il ne parlerait pas de ce qui s'était passé à Suzanne. À quoi bon l'effrayer ? Comment pourrait-elle vivre dans cet endroit si elle apprenait que des intrus avaient tenté de l'y tuer ? Non, il préserverait leur cocon.

Sharko ferait tout son possible pour protéger sa fiancée de toute cette crasse, de cette misère, de ces ténèbres. Pour ça, il cloisonnerait sa vie professionnelle et sa vie privée. Ni Serge ni les autres ne viendraient ici. Et lui n'irait jamais chez eux accompagné de celle qu'il aimait.

Il rangea avec les autres le fax qu'il avait parcouru alors que la menace de la *bokor* planait déjà et adressa un regard lourd aux photos des Disparues. Déçu que cette piste en laquelle il avait tant cru ne soit pas la bonne.

Mais en était-on certain ? D'après Amandier, le légiste avait été formel : des ciseaux d'urgentiste ne pouvaient pas être l'arme du crime. En tout cas, pas le modèle qu'il lui avait présenté. Mais pouvait-il s'agir d'un autre genre ? Le personnel des urgences avait-il du matériel différent de celui des ambulanciers ? Existait-il plusieurs déclinaisons de ciseaux, plusieurs tailles et courbures de lame ?

Franck referma le tiroir avec un soupir. Des hypothèses, encore et toujours. Il s'était peut-être simplement planté depuis le début. Ces histoires d'interventions dans les immeubles des victimes n'étaient peut-être que le fruit du hasard.

Mais peut-être pas. Et ce doute lui était insupportable. Il refusait d'abandonner, il devait aller au bout de son idée, malgré les discordances. Il consulta le Minitel, décrocha son téléphone, se présenta à son interlocuteur et, peu de temps après, il parlait avec un responsable du service technique de Gaz de France. Sa requête était simple : il voulait connaître la date exacte à laquelle des équipes avaient été envoyées rue de Julienne, dans le 13e arrondissement, aux alentours du 3 mai 1987 – date de la mort de Dalida.

L'informatisation d'une partie de leur système depuis le milieu des années 1980 permit à l'opérateur d'obtenir cette information en cinq minutes : l'incident s'était produit le mercredi 6 mai en début d'après-midi. L'homme précisa que, selon la procédure, deux camions de la brigade des sapeurs-pompiers du boulevard de Port-Royal, ainsi que le SMUR de la Pitié-Salpêtrière, avaient été sollicités pour sécuriser le travail des techniciens. Il ne put fournir davantage de détails, mais c'était suffisant.

La Pitié-Salpêtrière, l'un des plus gros hôpitaux de Paris... Franck se rappelait la note de Titi, dans la bulle. Elle disait que la personne brûlée par l'incendie dans le bâtiment où logeait la troisième victime, en 1988, avait été emmenée à Saint-Antoine, dans le 12ᵉ, et non à la Salpêtrière. Ce qui remettait complètement en cause ses intuitions. À moins que le tueur n'ait été employé dans deux établissements différents, à un an d'écart... Ou alors qu'une ambulance de tel hôpital puisse déposer un patient dans tel autre hôpital...

« Ce n'est pas un urgentiste, petit. C'est un fantôme qu'on n'attrapera jamais. » La sentence résonnait encore dans la tête du jeune inspecteur. Il ne savait plus à quel saint se vouer. Sans doute avait-il tort de s'acharner ainsi.

Il finit par lever le camp et rejoignit le 36. Là-bas, il régnait une sorte d'effervescence dans les couloirs. Ses aventures de la nuit avaient déjà fait le tour des bureaux. Sharko se prenait des tapes amicales dans le dos, on demandait de ses nouvelles. En deux semaines, il était passé du statut de bête noire à celui de collègue à qui on avait envie de serrer la main. *S'il faut presque crever pour ça...*, songea-t-il avec un soupir.

Il débarqua au 514 avec des viennoiseries encore tièdes. Santucci se tenait debout, côté salon, face à son groupe. Manquait seulement le Glaive. Franck proposa ses victuailles à son chef, qui piocha un croissant et maugréa un vague merci. Puis il tendit le sachet aux autres. Malgré le brief tardif, ses coéquipiers affichaient tous des gueules de lendemain de fête. Ils n'avaient pas dû beaucoup fermer les yeux...

— T'es remis ? fit le Corse entre deux bouchées.

— Ça a l'air, répliqua Sharko. En tout cas, si je suis ici, c'est que je ne suis pas mort.

— Ça m'arrange, parce que c'est aujourd'hui qu'on se fait les entreprises de serrurerie. On va sérieusement se rapprocher de cet enfoiré. Ah, au fait, j'ai un petit surnom pour lui : le Serrurier.

Franck adressa un regard à Florence, qui haussa les épaules. Le Serrurier... Au moins, ça voulait dire ce que ça voulait dire. Santucci indiqua le tableau avec son croissant. Son ton envers le jeune inspecteur, et envers eux tous, d'ailleurs, avait changé. Plus de mépris ni de haine. Juste des flics menant le même combat.

— On venait de commencer un point sur les nouveaux éléments de la nuit dernière, poursuivit-il. Alors vite fait, pour résumer : Glichard est toujours à Marly-la-Ville avec les gars du SRPJ de Versailles. Ils prennent le relais. Quant à Madelie Souffrant, c'est aux alentours de 3 heures que la BRI a retrouvé sa trace. Elle s'était planquée au bord d'un champ. Elle était piégée comme un rat. Elle a préféré s'ouvrir la gorge avec un couteau qu'elle avait sur elle plutôt que de se faire choper.

— Pas une grande perte, dit Serge avec nonchalance, tout en mâchant.

— Ça aurait été mieux qu'on l'attrape vivante, mais je ne la pleurerai pas non plus. Ce dont on est sûrs, pour l'instant, c'est qu'elle avait cinquante-deux ans, qu'elle vivait seule et qu'elle était propriétaire de la boutique de la Goutte-d'Or. Apparemment, elle faisait un ou deux allers-retours par an en Haïti. Pas d'antécédents judiciaires.

Santucci écrasa la pointe de son marqueur sur deux noms : Joseph Kavanagh et Tidjiane Senely.

— Leurs discours s'accordent : ils n'étaient que des besogneux que Souffrant appelait quand elle avait besoin de bras. Ce qu'ils nous ont raconté est précieux, et permet d'établir une chronologie plus précise des événements.

Comme pour illustrer son propos, il traça un trait horizontal et inscrivit des dates.

— Si on reprend tout depuis le début, on sait, d'après son calendrier, que Delphine Escremieu quitte son appartement parisien pour sa résidence de Saint-Forget le 15 novembre. Elle s'installe là-bas, peint, mène sa petite vie tranquille. Le 30, la camionnette débarque en pleine nuit. Nos gus sont à l'arrière, Souffrant et le Serrurier à l'avant. Ils empoisonnent Escremieu avec la poudre zombie, puis l'enferment dans un cercueil qu'ils emportent à Saclay. Enfin, ils l'enterrent…

— Un vrai cauchemar, soupira Florence en versant du jus d'orange dans un gobelet.

— Exact. Et son cauchemar ne fait que débuter. Plus tard, ils la sortent de son trou et l'abandonnent dans la porcherie, à moitié nue. Son cerveau est en compote, elle est incapable de s'enfuir. On peut supposer que le Serrurier lui rend visite de temps en temps pour jeter un œil, la nourrir un minimum, lui raser le crâne et le sexe, la violer avec son matos... Nous, on la découvre dans un état squelettique le 17 décembre...

Il nota ces informations.

— Autre pan de l'affaire, autre victime : Hélène Lemaire. Elle habite Elbeuf. Selon les gars du SRPJ de Rouen, elle est au boulot jusqu'au vendredi 29 au soir, mais ne s'y présente pas le lundi 2 décembre. Autrement dit, ils s'occupent probablement d'elle juste après s'être chargés de Delphine.

— Mais sans Kavanagh et Senely, compléta Amandier. Il n'y a pas de caisse à transporter, cette fois.

Santucci acquiesça.

— Notre Serrurier pénètre chez Lemaire, sans doute la nuit, seul ou avec la sorcière. La jeune femme lutte dans la chambre. Mais ils la forcent à s'habiller, puis ils la conduisent dans la cave de Marly, où ils la retiennent prisonnière...

Il fit glisser son marqueur vers la droite, et plaça de nouvelles croix sur sa frise.

— Ensuite, le jeudi 5 ou le vendredi 6, direction Saint-Forget, où ils lui font subir les pires saloperies avant de la tuer. Les lettres sont déjà prêtes dans le fourgon, et postées par nos gardés à vue le samedi 7. On tombe sur son corps dans la nuit du 10 au 11.

— Une putain d'organisation millimétrée, lâcha Serge en s'arrachant de son fauteuil et en s'approchant du Velux, où il s'alluma une clope.

Sharko s'appuya contre le mur, pensif.

— Je crois que le Serrurier était seul à Saint-Forget quand il a assassiné Hélène.

— Qu'est-ce qui te fait dire ça ?

— C'est *son* crime, le résultat d'un plan qu'il élabore avec méthode depuis longtemps. Pour rien au monde il ne partagerait ce moment-là. Rappelez-vous, les yeux, la bouche dessinés sur le sac en papier. Les photos d'enfants nus. Toute cette mise en scène, avec les casseroles d'eau, les radiateurs à fond. Tout ça ne concernait pas Souffrant. C'était beaucoup trop intime...

Les visages étaient tournés vers lui. Cette fois, on l'écoutait religieusement.

— Je parierais qu'il était seul aussi lors de l'enlèvement d'Hélène Lemaire. Ces choses qu'il a peintes sur les murs, ces gamètes, « Houdini », là encore c'était très personnel... Tout comme il s'occupait certainement seul de Delphine dans la ferme abandonnée de Saclay. À mon avis, la *bokor* n'était qu'un outil, un fournisseur de drogue, un sbire prêt à aller très loin pour de l'argent.

Un silence plana un instant. Serge ouvrit le Velux, et un courant d'air glacé s'invita dans la pièce.

— Dans ce cas, pourquoi notre Méticuleux, ou Serrurier, nommez-le comme vous voulez, aurait enfermé Hélène Lemaire dans la cave de Souffrant ? demanda-t-il.

— Tout simplement parce qu'il vit en appartement et qu'il n'a pas la place chez lui ? Parce que c'était trop risqué de la maintenir vivante à Saint-Forget pendant toutes ces journées où, peut-être, il devait parfois s'absenter ? Ses allers-retours ne seraient pas passés inaperçus dans le village. Et puis, des gens se promènent dans les bois aux abords de la maison. Quelqu'un aurait pu l'entendre crier, ou elle aurait pu se libérer et s'enfuir...

Santucci fit claquer son marqueur contre le tableau pour attirer l'attention.

— Tout ça nous conduit maintenant à nous intéresser précisément à lui : le Serrurier. D'après les deux auditions, on sait qu'il porte toujours la barbe, potentiellement une casquette, que ses cheveux sont courts, plutôt foncés.

— D'après Senely, il serait svelte, de taille moyenne, intervint Florence. Il ne l'a jamais vu de face, mais il estime, à son allure, qu'il est jeune. Vingt-cinq, trente-cinq ans… Ah, et il porterait des lunettes.

Le Corse approuva d'un mouvement du menton.

— Il en porte, il n'en porte pas… Enfin bref, tout ça, ce n'est pas grand-chose, mais ça devrait suffire.

Il décrocha la liste des entreprises établie par le Glaive et poursuivit :

— Je vous rappelle que nous avons dix adresses à visiter en priorité, toutes situées dans le 9e.

Il agita la feuille devant lui.

— Sharko et Amandier, on bouge. Je vous accompagne, on ne sera pas trop de trois. Et on ne se sépare pas.

Franck regarda en direction de Florence et Einstein, il lut une forme de déception sur leur visage. C'était peut-être le jour où ils allaient attraper l'homme qu'ils traquaient, et chacun voulait en être. Évidemment, le Corse ne se gênerait pas pour s'en attribuer toute la gloire.

— Ne négligeons pas l'hypothèse selon laquelle on pourrait se retrouver face à lui, recommanda Santucci. Mais possible aussi qu'il soit en congé, ou qu'il ne travaille plus dans l'une de ces sociétés… De toute façon, on devrait récolter des infos. Et si ça ne fonctionne pas, on élargira aux autres arrondissements.

Santucci scruta le reste de l'équipe.

— Fayolle, tu continues avec les GAV, on presse encore un peu les jeunes pour être sûrs qu'ils n'ont plus rien à cracher avant de les balancer au dépôt. Et toi, Ferriaux... tu t'occupes de cette magicienne, c'est ça ?

— Oui, Caroline Brandier... Elle m'a dit qu'elle passerait dans l'après-midi. Il y a moyen qu'elle ait eu affaire à André Escremieu quand elle était gamine. Elle connaissait l'hôpital Meurin. Bref, elle a des choses importantes à raconter.

— OK, le Glaive sera rentré et prendra la déposition avec toi.

Le Corse eut un air satisfait.

— Les pièces s'emboîtent... Je sens que ça va être une journée fructueuse. On va la lever, cette affaire. Ça serait une belle manière de finir l'année 1991.

Il frappa dans ses mains et enfila son blouson.

— Allons faire tomber la tête de cet enfoiré.

57

Sur les six entreprises proposant des services de serrurerie déjà approchées, une seule avait son rideau baissé. Deux étaient tenues par un unique artisan au fond d'un local poussiéreux et encombré qui ressemblait plus à un garage qu'autre chose. Les trois autres salariaient entre cinq et dix personnes, dont la plupart se trouvaient alors en intervention.

Les flics avaient fait des vérifications administratives, avaient consulté les carnets de comptabilité et posé des questions : qui portait la barbe parmi le personnel ? Qui avait une taille moyenne, une morphologie plutôt svelte ? Des employés avaient-ils démissionné ces dernières années ? Jusque-là, rien de probant.

Il ne restait plus que quatre établissements dans le 9e, et les policiers de la Brigade criminelle commençaient à perdre espoir. Leur excitation du début laissait place à la lassitude. Serge râlait, comme à son habitude, enchaînant les cigarettes pour se calmer les nerfs. Il toussait de plus en plus, au fil des heures, pareil à une vieille locomotive à vapeur épuisée. Franck éprouvait de la peine pour lui, à le voir ainsi s'étouffer dans ses sécrétions.

Rue Victor-Massé, à proximité du métro Pigalle, Santucci se gara sur une zone de livraison, le badge en évidence sur le tableau de bord. Les trois hommes sortirent et s'orientèrent vers une serrurerie-vitrerie-cordonnerie, coincée entre une brasserie et un immeuble haussmannien. Une grosse inscription orangée, « SERRURERIE FLAMIN », habillait une façade vert bouteille surchargée d'indications fourre-tout : devis gratuit, blindage de porte, dépannage sept jours sur sept, badge magnétique, rideaux métalliques…

Un bruit de clochette retentit lorsqu'ils entrèrent avec prudence les uns derrière les autres. Ils scrutèrent l'intérieur de la boutique, à l'image de l'extérieur : bordélique. Des cadenas partout, des clés par milliers et de toutes les formes, suspendues à des tiges en fer, des coffres-forts entassés. Ça sentait le cuir, le cirage, la ferraille. Un gars d'une soixantaine d'années ferrait des semelles sur un établi. Une femme confectionnait une plaque d'immatriculation. Au fond, celui qui devait être le patron, la cinquantaine, papotait au téléphone et épinglait en même temps des morceaux de papier sur un grand planning mural. Il finit par raccrocher et les considéra d'un œil interrogateur. Son crâne chauve luisait sous les néons.

Santucci montra sa carte. Le silence s'était soudain répandu dans le magasin.

— Nous faisons le tour des serrureries du coin, expliqua le Corse. Nous recherchons un homme qui est potentiellement l'un de vos employés. Combien de personnes travaillent ici, monsieur… ?

— … Flamin, comme sur l'enseigne. Actuellement, neuf, dont sept qui sont en intervention. Il y a beaucoup de cambriolages en période de fêtes.

— Nous savons de source sûre que notre individu s'est déplacé au 8, rue de Navarin, à quelques centaines de mètres d'ici, en juillet 1988.

— Juillet 1988 ? Ça fait un bail.

— Vous pourriez vérifier dans vos registres de comptabilité ? Nous possédons aussi d'autres adresses où il s'est rendu. Rue Sampaix et rue Eugène-Varlin dans le 10e, rue Custine dans le 18e… On sait que vous couvrez ces arrondissements, car vous êtes inscrit dans les Pages jaunes de chacun d'eux. Vous tenez un listing de l'ensemble de vos clients ? Parce que nous avons également des noms, si c'est plus pratique.

— J'ai ces informations dans l'arrière-boutique, oui. Enfin, normalement.

— Très bien. Mais avant que vous alliez voir, histoire de gagner du temps : est-ce que, parmi vos salariés, quelqu'un porte la barbe ? Assez longue, noire. L'homme qui nous intéresse doit avoir entre vingt-cinq et trente-cinq ans, taille moyenne, plutôt mince. Éventuellement, une casquette et des lunettes.

Son interlocuteur fronça les sourcils, marqua une hésitation.

— Je reviens…

Il disparut derrière un rideau de lanières en plastique. Serge trépignait d'impatience.

— Vous avez vu sa tête ? Ça lui a dit quelque chose. On est bons, cette fois. Putain, ça serait trop beau…

Franck aussi voulait y croire. Dans leur dos, le travail avait repris. Le maillet du cordonnier battait le fer, la femme actionnait sa presse. Le patron réapparut au bout de cinq minutes, un gros classeur gris et un autre plus fin, rouge, entre les mains. Il leur tendit ce dernier.

— J'envisage de m'équiper d'un ordinateur l'année prochaine, ça me simplifiera la tâche et ça sera l'occasion de mettre à jour mes fiches clients parce qu'il doit bien y en avoir un tiers d'obsolètes là-dedans. Enfin, voici toutes les personnes chez qui on est intervenus au moins une fois. Vous pouvez y jeter un œil…

Tout en poursuivant ses explications, il ouvrit ses archives, en tourna quelques pages.

— Sur dix ans, on n'a pas chômé, on dénombre plus de mille cinq cents clients. Ils sont rangés par ordre alphabétique. Je fouille dans la comptabilité de mon côté, pour juillet 1988. Rue de Navarin, vous avez dit ?

— Oui. Au nom de Martinage.

Santucci feuilleta les documents, se rendit à l'intercalaire indiquant la lettre M. Ce qu'il espérait lui sauta à la figure dès la première page.

— Elle y est. Catherine Martinage, 8, rue de Navarin.

Amandier s'était collé à lui. Le Corse, fébrile, se précipita sur la lettre V. En quelques secondes, il tomba sur Philippe Vasquez. Le chef de groupe abandonna le classeur à son collègue et s'approcha du patron.

— On a notre confirmation : notre individu est bien l'un de vos employés…

Le chef d'entreprise acquiesça, l'air grave, et posa son index sur une ligne de son registre.

— J'en ai l'impression. J'ai ici votre facture. 16 juillet 1988, Catherine Martinage…

Les flics se tenaient à présent devant lui telle une meute de chiens fébriles. Il poussa un soupir.

— Le serrurier qui s'est déplacé s'appelle David Merlin… Je n'en reviens pas.

Le nom était lâché. Cette forme qu'ils traquaient depuis des semaines, cette ombre insaisissable qui se jouait d'eux, avait désormais une identité.

— Vous avez une photo de lui ?

— Non, désolé.

— Dites-nous tout ce que vous savez sur lui.

Le patron garda un instant le silence, visiblement bouleversé…

— Il a un peu plus de trente ans. Barbe noire, physique très fin, cheveux noirs et courts, lunettes à grosse monture et casquette vissée sur la tête en permanence. Je le surnommais Houdini, vous voyez qui c'est ?

Les flics échangèrent un regard de connivence.

— On voit, oui. Mais vous parlez au passé. Il ne travaille plus pour vous ?

— Non, ça doit faire deux ans. David Merlin était capable d'ouvrir n'importe quelle serrure. Même des cadenas à numéros ou des coffres-forts. Il était fasciné par ces mécanismes. Un gars incroyable. C'est pour ça que j'aurais aimé l'embaucher en CDI. Un type comme lui vaut de l'or, mais il préférait que… Enfin… Il travaillait ici juste de temps en temps. Il se pointait, demandait si j'avais du boulot pour lui. On s'arrangeait, quoi.

— Vous êtes en train de me raconter que vous l'employiez au noir, c'est ça ?

— Pas vraiment, mais… il n'y avait pas de contrat strict.

— Pas de contrat strict… Vous le payiez donc sous le manteau et en liquide, je suppose, non ?

Son interlocuteur baissa les yeux, les lèvres pincées.

— On n'est pas là pour mettre le nez dans vos comptes, ajouta Santucci, agacé, on ne va pas vous envoyer la Brigade financière non plus. Ce qu'on veut, c'est des infos fiables. Qu'est-ce que vous pouvez nous dire d'autre sur lui ?

— Pas grand-chose. Il avait le regard fuyant, il était timide. David Merlin était le garçon le plus discret que j'aie jamais rencontré. Il ne parlait presque pas. Il faisait le taf, vite et bien. Jamais un pas de travers, rien.

— C'est ça, jamais un pas de travers… J'espère au moins que vous avez son adresse…

— Et son numéro de téléphone, oui.

Il alla chercher un cahier qu'il feuilleta. Nota les renseignements sur un morceau de papier et le tendit au Corse.

— Voilà. Aux dernières nouvelles, il habitait au 41, avenue de la Porte-des-Poissonniers, dans le 18e. Un coin où je ne m'installerais même pas si on me filait du fric…

— Qu'est-ce qui vous certifie que ce n'est pas une adresse bidon ?

— C'est celle qu'il m'a donnée, en tout cas. Et le téléphone, c'est vraiment le sien, je l'ai déjà appelé. S'il n'a pas menti sur ça, il n'y a aucune raison qu'il ait menti sur le reste.

Avenue de la Porte-des-Poissonniers, entre le boulevard périphérique et le quartier de la Goutte-d'Or. Ça collait avec toutes leurs pistes. Serge ne tenait plus en place, il s'engageait déjà vers la sortie, prêt à foncer. Le Corse referma le classeur qui traînait près de lui d'un coup sec.

— Vous mettez tout ça de côté. On va revenir.

L'homme acquiesça, encore un peu sonné.

— Qu'est-ce qu'il a fait, David ?

— Croyez-moi, il vaut mieux que vous ne sachiez pas.

La clochette tinta de nouveau. Cinq secondes plus tard, les flics avaient disparu et la boutique retrouva son calme. Comme si rien ne s'était passé.

58

— J'ai compris comment vous avez su pour le divorce, fit Florence en agitant sa main gauche. C'est subtil, mais mon annulaire porte encore la marque de mon alliance. Vous avez donc estimé que je l'avais enlevée il y a peu. C'était bien vu, vous avez un sacré coup d'œil.

L'inspectrice essayait de mettre à l'aise Caroline Brandier, assise dans le bureau du Glaive qui avait au préalable réclamé son identité, sa date et son lieu de naissance. Tous les regards s'étaient tournés vers elle lorsqu'elle avait parcouru les couloirs de la Crim, avec son look à la The Cure, son collier en cuir et son épaisse crinière de lion. Derrière sa machine à écrire, Alain Glichard lui-même était subjugué par la trentenaire aux yeux de jade. Elle semblait nerveuse et n'arrêtait pas de tricoter avec ses doigts.

— C'est mon métier…

— Par contre, pour la pagode de Houdini, je n'ai pas la réponse, poursuivit la flic. Maxime Rafner n'a rien voulu me dire, et je dois avouer que ça m'obsède. Comment vous l'avez ouverte ?

— C'est un secret de magicien, et il doit se mériter. C'est seulement quand on estime son interlocuteur à la hauteur qu'on le lui transmet. C'est de cette manière que se véhicule notre art.

Florence lui adressa un sourire.

— Je ne le mérite pas, c'est ça ?

— Vous n'avez rien à voir avec notre milieu. Donc non. Désolée…

— J'aurais au moins tenté ma chance. Pourquoi la magie, au fait ?

— Ça m'a toujours fascinée, depuis toute petite.

La jeune femme répondait au plus vite, sans donner de détails, comme si elle voulait en finir. L'inspectrice s'empara d'une pile de photos posées sur le bureau.

— Bon, entrons dans le vif du sujet… Je vous en ai parlé hier soir, nous pensons que vous êtes l'une des pièces du puzzle qui pourrait nous permettre de remonter à l'individu que nous traquons. Il est fort possible que notre enquête soit liée à des événements passés qui le concernent lui, et qui vous concernent également. D'où votre présence ici.

Elle lui montra un premier cliché.

— Tout d'abord, est-ce que vous reconnaissez cet homme ?

Circé observa le visage, les lèvres serrées. Elle hésita longuement.

— Je ne sais pas. Je… je n'ai pas l'impression.

— Il s'agit d'André Escremieu. Ancien chirurgien et chef de service en urologie à l'hôpital Meurin de Brest. Un établissement pour enfants.

Caroline Brandier fixa de nouveau le portrait qu'on lui présentait.

— Je me souviens de cet endroit… Oui, bien sûr. Mais ce médecin… Peut-être… Ça fait longtemps…

— Vous avez été patiente là-bas ?

Florence prenait des pincettes. La veille, elle avait vu le corps meurtri. Les cicatrices. Ces couches de maquillage. Cette apparence derrière laquelle l'illusionniste se réfugiait.

— Oui. Mais c'est très personnel. Je suis obligée de discuter de ça avec vous ? Ça va être noté dans vos rapports ?

— Tout cela est confidentiel, ça ne sortira jamais du cadre de nos procédures, ne vous inquiétez pas. On entend des personnes nous livrer des choses intimes quotidiennement. Vous savez garder vos secrets. Nous aussi.

Circé chercha le regard du Glaive, qui acquiesça sobrement.

— Très bien. Mes problèmes ont commencé vers l'âge de sept ans. Je me suis mise à uriner au lit, la nuit, alors que je n'avais jamais eu ce genre d'accident avant. Une fois, deux fois, puis c'est devenu presque systématique. Je vous épargne la période des punitions infligées par mes parents pour que ça s'arrête, comme si j'y pouvais quelque chose. Après des semaines, ils se sont quand même décidés à en parler à un professionnel, qui les a orientés vers un pédiatre de l'hôpital Meurin…

Son pied battait le sol avec nervosité. Le Glaive préféra passer à l'enregistrement sur cassette, moins perturbant pour l'auditionnée.

— Je ne sais plus combien de fois j'y suis allée, tout ça est très loin, mais ça a duré des jours et des jours. Il y a ensuite eu un tas d'examens médicaux qui ont été pratiqués par votre docteur Escremieu. C'est lui qui a fini par découvrir que je souffrais d'une DVS. Une dyssynergie vésico-sphinctérienne.

La magicienne observa un moment ses mains ouvertes devant elle.

— Pour simplifier, tout ça était lié à un mauvais fonctionnement du muscle à la sortie de la vessie. Parfois l'urine s'échappait trop et de manière incontrôlée, d'autres fois pas assez. J'ai été soignée grâce à un traitement, mais j'ai dû porter un cathéter pendant plus d'un mois pour… enfin, pour réapprendre à ce fameux muscle à faire son boulot correctement. J'ai également suivi ce qu'on appelle une éducation comportementale avec le pédiatre afin d'acquérir de bonnes habitudes aux toilettes. Ce ne sont que des souvenirs douloureux. Tous ces allers-retours, ces journées interminables à l'hôpital… Je n'allais même plus à l'école. C'était une période très pénible…

Ses yeux se perdirent dans le vague. Au bout de quelques secondes, ils revinrent se planter dans ceux de Florence.

— Voilà, je vous ai tout raconté. Je ne sais pas si ça aide.

— Ça aide, ça aide, bien sûr, répliqua la flic. Donc, s'il fallait donner une année précise où vous avez été prise en charge à Meurin ?

— 1967 ou 1968. Entre mes sept et huit ans.

— Parfait. Il n'y a pas eu d'actes, comment dire, abusifs de la part du docteur Escremieu ? Des actes d'attouchements ?

Circé croisa les bras, comme subitement enveloppée par le froid.

— Non. Enfin… C'était son travail de… de faire tout ça. Mes parents en parlaient en bien, il était réputé. Pour moi, être nue devant lui, ou me faire ausculter, c'était normal.

L'inspectrice garda son calme. Elle se revoyait face à Escremieu, la première fois, à l'annonce de la mort de sa fille. Son austérité, son contrôle. Elle tendit à son témoin une photo de Delphine, adulte.

— C'est la fille du docteur. Vous la connaissez ?

— Je ne crois pas.

— Elle non plus ? questionna-t-elle en lui dévoilant un autre visage. Elle se prénomme Hélène Lemaire, elle a à peu près votre âge.

— Non.

— Je vais vous montrer plusieurs clichés. J'aimerais que vous les observiez attentivement. Prenez le temps qu'il faudra. Vous voulez un verre d'eau, un café, quelque chose ?

— Non, ça va. Finissons-en, s'il vous plaît.

Elle s'empara du paquet que lui donna Florence et découvrit un à un les enfants dénudés, debout devant le mur bicolore. Elle ne marqua aucun intérêt pour le portrait de Delphine. Mais se figea ensuite brusquement. Elle tremblait.

— C'est moi… Je… je ne me souvenais plus qu'on avait pris cette photo de moi. C'est… abominable. Où l'avez-vous trouvée ?

La flic saisit le papier glacé, nota les longs cheveux noirs qui cascadaient jusqu'aux épaules, le corps de brindille, pas encore formé, les genoux un peu disproportionnés par rapport à la finesse des jambes, les mains grandes ouvertes pour cacher l'entrecuisse. Sept ans…

— Elles appartenaient toutes au docteur Escremieu, expliqua-t-elle. Il les conservait chez lui… Vous pouvez regarder jusqu'au bout, et me dire si vous identifiez certains enfants ? Eux aussi ont dû être des patients du docteur. Et nos investigations nous laissent penser que l'homme qu'on recherche pourrait faire partie de ces jeunes victimes.

Circé s'exécuta avant de rendre son verdict :

— Non, non, je n'en connais aucun…

Florence mit le tas de côté.

— D'accord. Et il y a eu d'autres séances photo ou celle-là était la seule ?

Caroline Brandier secoua la tête.

— Je ne sais plus. Ma mémoire a comme effacé tout ça.

Les réponses fusaient, sèchement. Florence acquiesça pour montrer qu'elle comprenait. Ça faisait plus de vingt ans. De surcroît, les cerveaux des personnes qui subissaient des actes pédophiles ou des sévices répétés faisaient souvent obstruction à leurs propres souvenirs pour les protéger. C'était classique.

— Je suis désolée de ne pas pouvoir vous aider davantage, dit la magicienne.

— Ne vous inquiétez pas. Tout est utile. Chaque nouvel élément nous permet d'y voir plus clair et d'avancer. Vos parents seraient-ils en mesure de témoigner ?

— J'ai fui le foyer familial au bras d'un mec à l'âge de dix-sept ans. Ça n'allait plus. Mon père buvait et ma mère… elle acceptait. J'ai coupé les ponts. J'ai appris il y a quelques années que mon père était mort et que ma mère avait quitté la maison. Je ne sais pas où, je ne sais pas avec qui. Je m'en fiche.

L'inspectrice réfléchit et tenta une approche différente :

— L'individu qu'on traque a réussi à faire le lien entre l'enfant de sept ans sur le cliché et la femme que vous êtes aujourd'hui. Et il vous a incluse dans son schéma meurtrier. D'après vous, comment vous a-t-il retrouvée ?

— Aucune idée. J'ai commencé à bosser à vingt ans, comme serveuse dans un café brestois, puis dans une discothèque. J'ai fini par m'installer ici, à Paris, toute seule. Il y avait du boulot dans le milieu de la nuit. En parallèle, j'ai travaillé ma passion, j'assistais à tous les spectacles des magiciens qui se produisaient, je passais mes soirées avec eux. C'est ça, en gros, ma vie… Rien d'incroyable…

— Et les cicatrices ? Je les ai vues hier, confessa Florence.

Circé haussa les épaules.

— Elles remontent à l'adolescence. Je me sentais mal dans ma peau. Vous venez de me parler de ce qu'avait fait le docteur Escremieu… Je crois que vous avez vos réponses… Et moi aussi.

Elle baissa les yeux, les releva après un temps.

— Possible que votre tueur, il m'ait croisée par hasard. Et qu'il ait percuté. J'ai eu une sale période à mon arrivée à Paris : j'ai fait un peu n'importe quoi et fréquenté n'importe qui. Selon vous, ce type exerce la magie. C'est peut-être l'un de ceux que j'ai rencontrés à mes débuts. Un gars qui sort gentiment des lapins de son chapeau devant des gamins le jour, et qui commet des horreurs la nuit.

— C'est pourquoi il va falloir faire appel à votre mémoire et nous livrer une liste de noms, madame Brandier, intervint le Glaive. Des illusionnistes que vous connaissez, que vous avez connus, professionnels ou pas. Des hommes qui ont fait partie de votre vie, votre entourage. Celui qu'on recherche est un expert en nœuds, en serrures, en chimie…

— Des domaines que tous les bons magiciens maîtrisent, soupira-t-elle. Mais je veux bien essayer de réfléchir à tout ça. Vous aurez votre liste…

De nouveau, Circé fixa son regard sur les photos reposées par Florence deux minutes plus tôt.

— Dans le fond, votre assassin, il n'est peut-être pas si mauvais, s'il s'en prend à des ordures qui ont fait du mal à des mômes.

— C'est plus compliqué que ça.

Circé acquiesça et se pencha sur le bureau. Elle prit les clichés, isola le sien et tapa plusieurs fois dessus avec son index.

— Il y a un truc qui me chiffonne depuis tout à l'heure. Je me souviens de cette pièce, à l'arrière-plan. Je m'en souviens parce que la ligne horizontale qui sépare le gris du blanc, sur le mur, était située à peu près à ma hauteur. Juste un peu au-dessus, en fait. Chaque fois que j'entrais dans le cabinet, je vérifiais si j'avais grandi. Je me racontais que, le jour où je la dépasserais, ça voudrait dire que tout serait fini, que mes problèmes auraient disparu.

Elle chassa une mèche de cheveux de son front.

— C'est dingue, de se remémorer un tel détail, et pas le reste… Enfin bref, tout ça pour vous dire qu'on ne parle que du docteur Escremieu, mais ce cabinet, il appartenait au pédiatre.

Le Glaive et Florence échangèrent un regard surpris. Escremieu n'était pas seul aux commandes. Il y avait un deuxième pervers dans l'histoire.

— Vous auriez son nom en tête ? demanda Alain Glichard, en alerte.

— Non, je ne sais plus. Mais en tout cas, même si c'est très flou, un peu comme dans un rêve, je me rappelle la présence des deux médecins pendant les consultations. Escremieu et le pédiatre.

Un rouage du mécanisme venait de s'emboîter. Par l'intermédiaire de Circé, le Serrurier leur ouvrait une autre porte. Et les orientait, assurément, vers la prochaine victime. Florence se tourna vers son collègue et l'interrogea :

— On a eu un retour du conseil de l'ordre des médecins du Finistère à la suite de notre requête au sujet de Meurin ?

— C'est Santucci qui s'en est occupé, mais à mon avis, il n'a toujours rien. T'avais pas annoncé quinze jours avant d'espérer des nouvelles ?

— On ne peut pas se permettre d'attendre. Il faut les pousser au cul. Il y a urgence et, désormais, on sait ce qu'on cherche : un pédiatre qui exerçait à Meurin à ce moment-là, au milieu des années 1960, et qui était en relation avec le service urologie d'André Escremieu.

Le Glaive regarda sa montre : l'après-midi était trop avancé, inutile de compter joindre quelqu'un, et le week-end à venir n'arrangerait rien. Son téléphone sonna. Il répondit. Lorsqu'il raccrocha, son expression avait changé.

— Quoi encore ? fit l'inspectrice en remarquant son trouble.

Il s'excusa auprès de Circé et invita sa collègue à le suivre à l'extérieur du bureau.

— Pour une fois, c'est une bonne nouvelle. Excellente, même. La visite des serruriers a été fructueuse. Ils ont un nom et ils vont taper d'un instant à l'autre.

59

Une forêt de barres d'immeubles était coincée entre le périphérique au niveau de la porte de Clignancourt et les voies de chemin de fer, si bien que, de leurs fenêtres, les habitants voyaient les passagers des trains d'un côté, et ceux des voitures bloquées dans les embouteillages de l'autre. Un quotidien rythmé par des bruits incessants de freins crissants, de roulis de wagon et de coups de klaxon. Avec pour seul rempart, entre les blocs et les rails, des parkings bétonnés et une pauvre rangée d'arbres sans feuilles. En cette fin de journée, pas loin de la gare du Nord, au milieu de nulle part, c'était un paysage de désolation et de misère qui s'abîmait dans l'obscurité froide et monotone.

Garés le long d'un trottoir, à proximité d'une cabine téléphonique en sale état, Santucci, Sharko et Amandier attendaient une équipe de la Brigade d'intervention. Le Corse était allé vérifier lui-même sur les boîtes aux lettres dans le hall du bâtiment qu'ils ciblaient : David Merlin logeait dans l'appartement numéro 48, au quatrième étage.

— Nerveux, Sharko ? lança-t-il en se retournant dans l'habitacle.

— Difficile de ne pas l'être.

— La première enquête que tu lèves, tu t'en souviens toute ta vie.

— J'en doute pas une seconde. D'autant que j'ai quand même failli y rester…

— Peut-être qu'ils te fileront une médaille, un jour.

— Ne compte pas là-dessus, répliqua Serge avec lassitude. C'est des conneries. Tout ce qu'on te donnera, c'est le droit de continuer à risquer ta peau, jusqu'au moment où tu foireras. Là, on oubliera tous tes bons et loyaux services, et on ne te ratera pas. Regarde Titi…

Les renforts débarquèrent, mettant fin à l'ambiance électrique qui crépitait dans le véhicule. Cinq gars en tenue, lourdement armés, boucliers sarcophage et bélier portatif en main. Santucci et ses collègues les rejoignirent aussitôt.

Après un rapide échange d'informations, une file de silhouettes s'engagea en courant dans la cage d'escalier du numéro 48, la BRI devant, la Crim derrière. Pendant ce temps, l'un des policiers faisait le guet au rez-de-chaussée.

Partout, ça sentait le shit à plein nez. Des canettes vides et des mégots traînaient sur les paliers aux murs tagués ou sur les rebords des lucarnes grillagées. Sharko fermait la marche, traversé par un sentiment ambivalent. Pas mécontent qu'on puisse en finir avec le Méticuleux, mais insatisfait de la façon dont ils étaient parvenus jusqu'à lui, par cette piste des serruriers. La vérité, c'est qu'ils allaient arrêter un assassin dont aucun d'entre eux n'était capable de déterminer avec certitude le mobile.

Autrement dit, ni Franck ni ses coéquipiers ne savaient à quel genre d'individu ils avaient affaire.

Froissements de Nylon, couinements de semelles, gestes vifs, murmures. Les flics cagoulés se positionnèrent en colonne devant une porte rouge en tout point identique à ses voisines, fusils et lampes torches brandis. Il fallut plus de dix coups de bélier pour venir à bout du système de fermeture renforcé par une barre d'acier. Puis ils se déversèrent dans l'appartement en criant. La Crim avait été priée de patienter en retrait, à l'extérieur. Ils entendirent des « Bouge pas ! » à plusieurs reprises, ainsi que des « Fausse alerte ! ». En moins de trente secondes, la Brigade d'intervention avait sécurisé toutes les pièces : personne.

La tension redescendit d'un cran, les hommes se tapèrent mutuellement sur l'épaule. Leur mission était déjà terminée, mais une expression indéfinissable se lisait sur leur visage quand ils regagnèrent l'entrée. Le chef de colonne s'adressa à Santucci :

— On s'installe en bas une demi-heure, au cas où il reviendrait. Après, vous prenez le relais et on vous laisse gérer le truc comme des grands. Vous ne vous êtes pas trompés de cible, ce mec a une case en moins.

— Je pige pas, il n'y a vraiment personne, là-dedans ? Pourquoi vous avez gueulé « Bouge pas ! » ?

— Vous allez vite comprendre.

60

Serge avait déjà franchi le seuil et s'était engagé dans le couloir de l'habitation. Une paire de gants enfilée, Franck observa les nombreux verrous sur la porte défoncée – le Méticuleux avait une obsession manifeste pour la sécurité – et s'avança à son tour dans l'appartement. Ils étaient chez lui. Enfin. Dans l'antre du monstre. Rien qu'à cette idée, Sharko sentit ses poils se dresser.

La puissance des lampes allumées était étrangement faible. Le carrelage se décollait par blocs dans la cuisine, en raison de l'humidité manifeste des murs. Un frigo ronronnait dans un coin, à côté d'une dizaine de piles de conserves, de paquets de pâtes et de riz. Au milieu de la table traînaient une boîte de gants en latex neufs, ainsi qu'une large ceinture en cuir aux pochettes remplies d'outils de précision : tournevis, crochets de poche, rossignols artisanaux, extracteurs de cylindres... David Merlin s'apprêtait-il à un nouveau passage à l'acte ?

Sharko ouvrit le réfrigérateur – jambon, saucisses, yaourts nature... – et se dirigea vers la fenêtre qui offrait une vue plongeante sur les voies, les caténaires, le fouillis des câbles électriques en contrebas. Un train de banlieue circulait au ralenti, gorgé de la masse des travailleurs. Ce logement, c'était le repaire d'un invisible, d'un oublié, d'un individu noyé parmi d'autres dans le gris des tours et des HLM alentour. La tanière parfaite d'un tueur anonyme.

L'inspecteur ressortit de la pièce, frigorifié. Il posa une main sur le chauffage qui ne diffusait presque aucune chaleur. Santucci se tenait juste là, à sa gauche, figé devant la salle de bains. Une lueur couleur de lave donnait une étrange texture à son visage creusé de rides.

— Une chambre noire, fit-il.

Odeurs de solvants. Partout, au sol, sur le lavabo, en hauteur, des liquides dans des bouteilles, des bacs, du papier photosensible. Une ampoule rouge à lumière inactinique pendait au plafond. Des pinces pour accrocher les photos pendaient à des fils tendus au-dessus de la baignoire à l'émail jaunâtre. Franck fouilla l'armoire, qui contenait des savons, des produits de toilette, des rasoirs jetables, observa les différents flacons. Plusieurs d'entre eux, tous identiques, attirèrent son attention. C'étaient de tout petits échantillons remplis d'une substance marron. Il en déboucha un avec prudence et renifla.

— C'est quoi ? demanda Santucci.

— On dirait de la colle.

Le Corse huma à son tour et acquiesça. Sharko repéra un cliché qui avait dû tomber et se perdre, coincé entre le mur et la poubelle. C'était le gros plan d'une bouche tordue, des lèvres masculines qui semblaient pousser un interminable cri. L'objectif se situait à quelques centimètres seulement du sujet. Il tendit la photo à son chef.

— C'est lui, tu crois ?

— Je n'en sais rien. Probable. On est ici dans sa tête. Dans son esprit dérangé.

Santucci abandonna la photo dans le lavabo, et ils gagnèrent le salon, tout aussi mal éclairé. Les volets roulants étaient baissés. Serge circulait déjà entre des dizaines de mannequins, de ceux qu'on contemple dans les vitrines des magasins. Une foule silencieuse, pétrifiée, comme dans un cauchemar. Les faces en plastique des hommes étaient maquillées, leurs silhouettes vêtues de robes ou de chemisiers, leurs pieds chaussés d'escarpins à talons. Les mannequins féminins, en revanche, avaient tous, sans exception, le visage, la poitrine et l'entrecuisse brûlés.

— Quel taré, grommela Amandier. Quel putain de taré !

Franck ne répondit rien. Malade, dégénéré, sans doute, mais aussi réfléchi, organisé. Et c'était en soi assez illogique. Comment pouvait-on être psychiquement à ce point déséquilibré, pour vivre ici au milieu de mannequins mutilés ou travestis, et demeurer si lucide, si méticuleux... En tout cas, tant qu'ils ne l'avaient pas attrapé, il ne fallait pas le sous-estimer.

Sur une petite table se trouvaient un verre d'eau, un emballage de sandwich et un paquet de chips entamé. Le sol était encombré de caisses bondées de masques effrayants, de poupées nues et empilées dont certaines avaient la tête séparée du tronc, d'appareils photo et de leurs objectifs. Un mini-chalumeau ainsi que deux recharges de gaz reposaient sur un tabouret. Et le reste du mobilier était envahi d'objets : des Vénus au corps difforme, des fétiches à la bouche immense, des statuettes de divinités, des personnages en tissu piqués d'aiguilles comme on en trouvait sur les terres haïtiennes. Franck remarqua des tableaux appuyés contre une chaise : des animaux hybrides, des formes cauchemardesques. David Merlin avait dû les prélever chez Delphine Escremieu en guise de souvenirs.

Serge poursuivit sa fouille en explorant les tiroirs d'un meuble, tandis que le Corse et Sharko allaient explorer la seule chambre. Étonnamment épurée. Juste un lit fait au carré et une armoire. Des murs beigeâtres, vierges de toute décoration, dont la peinture s'écaillait. Des piles ordonnées de vieux livres alignées le long d'une plinthe, directement par terre. Le jeune inspecteur en piocha quelques-uns : des classiques de science-fiction, mais aussi des ouvrages anciens de magie. *Les Secrets de Theodore Annemann* ; *Houdini, la légende* ; *Les Clés de la manipulation* ; *Réussir vos forçages…* À l'intérieur, des passages soulignés ou stabilotés avec soin. Franck découvrit également des manuels techniques de chimie, de biologie, de médecine légale…

Dans le placard, des jeans, des chemises, des pulls en laine et des sous-vêtements rangés à la perfection. Il dénicha même plusieurs casquettes. Couleurs sombres, passe-partout. L'ordre qui régnait ici contrastait avec la pagaille du salon.

— Continue à fouiner avec Amandier, annonça Santucci. Je redescends pour contacter l'état-major, solliciter l'IJ et organiser la planque. Le Serrurier va finir par se pointer. On doit à tout prix le serrer. Hors de question qu'il nous file entre les doigts.

Franck resta un instant dans la pièce. Il visualisa David Merlin allongé sur ce lit à une place, dans la chambre aveugle d'une barre d'immeubles affreuse. Le brouhaha de l'extérieur, à rendre dingue. L'horreur... Néanmoins, quel meilleur endroit que celui-ci pour attiser la colère, la haine ? Pour se consacrer à plein temps à son plan sordide ?

Il retourna dans le salon, au milieu des longues silhouettes immobiles. Il scruta cet étrange agencement – des regards qui ne se croisaient jamais, des mains levées, comme si cette tribu maléfique avait été stoppée en plein mouvement. Le Méticuleux avait travesti les hommes sans les violenter. Mais il avait cramé le visage et le sexe des femmes.

Sharko essayait d'y voir clair. Leur assassin détestait visiblement ces dernières. Non pas leur apparence, sinon il n'aurait pas habillé ni maquillé les hommes de cette manière. Non, c'était le fait même d'être une femme qui lui répugnait. Il ne supportait pas les individus dotés d'organes sexuels féminins, et il les détruisait. Le renvoyaient-elles à l'image d'une mère qu'il exécrait ? Y avait-il un lien avec les actes pédophiles d'André Escremieu ? Avaient-ils engendré chez lui un profond traumatisme ?

Un bip le tira de ses pensées. Son équipier venait d'appuyer sur le bouton du répondeur téléphonique. Ils écoutèrent la bande préenregistrée par le tueur. Un timbre assez grave, un débit lent : « C'est David Merlin, je suis absent pour l'instant, laissez un message et je vous recontacterai. »

Immédiatement après, une voix numérique prit le relais : « Vous avez un message. » Puis quelqu'un se mit à parler. Des syllabes jaillirent à un rythme délirant.

Le monologue dura vingt secondes, et les flics n'en comprirent pas un traître mot.

— C'est complètement incohérent, ça n'a pas de sens. C'est quelle langue ?

Franck observa l'heure et la date indiquées sur l'écran.

— Aucune idée. L'appel a eu lieu la nuit dernière. Au moment où je passais un sale quart d'heure avec Souffrant. On dirait une femme.

— Pour moi, c'était plutôt un mec.

Les deux flics réécoutèrent de nombreuses fois le message, dubitatifs, et ne parvinrent pas à se décider. Ça allait trop vite et la voix était trop ambiguë. Un nouvel élément qui s'ajoutait à l'incongruité de la situation.

Ils finirent par abandonner et se rendirent au fond de la pièce. De sa main gantée, Serge désigna les tiroirs ouverts d'un vieux vaisselier.

— J'ai jeté un coup d'œil dans tous les meubles. Il n'y a rien de personnel dedans. Pas de factures, de courriers, pas même un ticket de métro. Ni photos ni souvenirs… C'est bizarre, j'ai jamais vu un truc pareil. Comme si le Méticuleux habitait là, mais pas vraiment non plus. Tu comprends ce que je veux dire ?

Amandier avait raison. Hormis les bouquins, Franck n'avait pas aperçu la moindre paperasse dans la chambre ou la cuisine. Et pourtant, ils se trouvaient chez lui, sans l'ombre d'un doute. Qu'est-ce qui clochait ?

Le jeune inspecteur s'orienta vers l'angle le plus proche de la fenêtre, où un coin bureau avait été aménagé. Sur une table ronde en bois s'amoncelaient des quantités d'exemplaires neufs des *Fleurs du mal*, des enveloppes vierges, des rames de papier accolées à une machine à écrire Underwood. Il y découvrit aussi une pile de prospectus et de lettres au nom et à l'adresse de Delphine Escremieu dans le Marais.

— C'est lui qui a vidé sa boîte aux lettres pendant qu'elle peignait à Saint-Forget. Il voulait être certain que celui qui devinerait le bon prénom en premier tomberait uniquement sur le cliché de la scène de crime en ouvrant la boîte…

Sharko se pencha vers la corbeille : vide. Puis il parcourut un ensemble de feuilles agrafées, posées près des livres, et se tourna vers son coéquipier.

— Je l'ai : la liste de ceux qui ont reçu le recueil de poèmes.

— Fais voir !

Son collègue s'empara du document avec empressement.

— Vasquez, Martinage, Lampin… Et un tas d'autres, avec les adresses. Il a dû photocopier ça dans le registre de la serrurerie Flamin.

Sharko s'intéressa au cahier rangé à droite de la machine à écrire et d'un pot de matériel de bureau. Des centaines de bouches avaient été prélevées dans des magazines, et collées pêle-mêle jusqu'à en faire disparaître la couverture rigide.

Il l'ouvrit. Sur la page qui se dévoila à lui, une affichette de spectacle qui avait selon toute vraisemblance été arrachée à son support, vu l'état. Elle représentait un visage de femme, dont les yeux et la bouche avaient été découpés. Autour de l'ample chevelure noire volaient des cartes de jeu et des pétales de rose. Pas de date, mais une légende : « Circé la magicienne, soirée mentalisme au Millionnaire. Retrouvez-la mardi dans votre cabaret. »

— Regarde ça…, lâcha-t-il à voix basse, comme s'il avait peur que les mannequins puissent l'entendre. C'est la magicienne que Florence a rencontrée hier et convoquée au 36. Celle vers laquelle David Merlin nous a progressivement orientés.

Serge se pressa contre Franck alors que celui-ci continuait de feuilleter le cahier. Les deux policiers, médusés, contemplèrent des schémas griffonnés, des flèches qui reliaient des têtes à des photos de lieux… Ils reconnurent Delphine Escremieu et ses logements de Saint-Forget et du Marais, Hélène Lemaire et son pavillon d'Elbeuf, Madelie Souffrant et sa boutique, André Escremieu et sa maison de Chatou. Il y avait aussi un homme, la soixantaine, crâne dégarni, stries verticales aux joues comme des branchies de requin, associé à une belle demeure de campagne. Il avait été positionné à côté d'André Escremieu, et un trait de stylo noir indiquait clairement qu'il existait un lien entre eux. Sharko le désigna de l'index.

— Tu sais de qui il s'agit ?

— Jamais vu.

Ces collages et fléchages avaient dû aider David Merlin à élaborer son scénario, à planifier les enlèvements, les meurtres. Franck tomba ensuite sur de longues pages de texte entrecoupées de clichés plus ou moins flous : des rues anonymes, des gens, des rames et des couloirs de métro, des immeubles… L'écriture était nerveuse, en pattes de mouche. Il en lut des passages.

— Écoute ses divagations : « Aujourd'hui, un type, dans la rue, a tiré sa fille par le bras d'un coup sec

413

quand ils traversaient. La petite s'est mise à pleurer, et plus elle pleurait, plus il la tirait fort. J'ai eu envie de lui planter un couteau dans le ventre… » Et là, tout autour d'une image de l'église de Saint-Forget : « Il faisait bon vivre à Saint-Forget, une jolie ville nichée dans un beau parc naturel, avant que tout cela n'arrive. Les habitants se croyaient à l'abri, protégés de la crasse. Ils se croyaient différents. Mais la crasse comme les ombres sont partout, et ces ombres les ont rattrapés. »

Serge se fit une place pour lire lui-même par-dessus l'épaule de son collègue.

— Il est vraiment dingue…, souffla-t-il. Et il y a des dizaines et des dizaines de lignes de ce style… « Nous sommes tous pareils à des cafards entassés dans des boîtes à chaussures. La plus grande difficulté est d'éliminer les mauvais cafards et de garder les bons. Mais comment distinguer la bonne merde de la mauvaise merde ? » Putain. J'ai vraiment hâte qu'on le chope. Je veux voir sa tête et comprendre comment on peut être barge à ce point-là.

Plus loin, de nouvelles prises de vue étaient collées avec soin. Delphine Escremieu de face, de profil, de dos, en train de monter dans sa voiture, à la sortie d'une boutique de chocolat du Marais ou en bas de chez elle. Une copie de la photo où elle était enfant, nue, trônait au beau milieu.

Pages suivantes : le père, cette fois, André Escremieu. Des portraits récents, mais pas seulement, car un cliché plus ancien occupait le centre. Sur ce dernier, le médecin avait une quarantaine d'années, il était en blouse et accompagné de collègues. Serge plissa les yeux puis désigna l'un d'eux.

— L'inconnu au crâne dégarni est juste à côté de lui. Les deux hommes bossaient visiblement ensemble…

Franck observa attentivement.

— À l'hôpital Meurin, sans doute.

Et on retrouvait le même individu ensuite. À son tour, il avait été immortalisé dans diverses situations de la vie courante : sur un terrain de tennis, marchant au bord d'un lac, promenant un chien en laisse… Et pour lui aussi, la photo de groupe occupait le centre.

Le cahier se terminait sur Hélène Lemaire. Comme les autres, David Merlin l'avait traquée avec son appareil. Et à ce travail s'ajoutait, là encore, une référence au passé : sur une vieille photo de classe jaunie, les visages de tous les élèves avaient été découpés, excepté un, dans la première rangée. Une jeune fille souriante. On devinait des montagnes au fond.

— C'est Lemaire… Elle a quoi ? Treize, quatorze ans ?

Franck se pencha, frôla du bout des doigts les cercles vides qui remplaçaient les autres figures.

— Il les a tous fait disparaître, sauf le sien…

Serge fixa l'étrange cliché. Il n'y avait aucune indication, ni de lieu ni de date, mais si Hélène Lemaire était aux portes de l'adolescence, ça devait remonter au milieu des années 1970. À court d'idées, ils retournèrent en arrière dans le cahier, jusqu'à l'inconnu au crâne dégarni.

— J'ai bien peur que ce type ne soit sa prochaine victime.

— Prochaine, dans le meilleur des cas. Parce qu'il est peut-être déjà trop tard. Attends deux secondes…

Franck alla chercher le gros plan de la bouche tordue dans la salle de bains, cette bouche qui paraissait hurler au secours au cœur des ténèbres, puis le plaça à côté d'un des portraits de l'anonyme.

— À ton avis ? questionna Sharko.

— J'en sais rien, difficile à dire. Mais c'est pas bon signe, tout ça.

61

Tour à tour, excepté le Glaive et le Corse, chaque inspecteur de l'équipe s'enfermait dans une camionnette qui changeait régulièrement de place et gardait l'entrée de l'immeuble en ligne de mire. En renfort, deux brigadiers les accompagnaient durant ces longues heures, à guetter sans relâche à travers les fenêtres fumées d'un vieux véhicule banalisé.

Sans succès pour le moment. On avait passé la nuit et une partie du samedi dans le fourgon, soit plus de vingt heures, et David Merlin n'avait pas encore pointé le bout de son nez. Mais la surveillance se poursuivrait tant que l'individu n'aurait pas été interpellé.

Dans la matinée, Serge avait interrogé quelques voisins. Les uns décrivaient David Merlin comme une silhouette anonyme. Les autres disaient qu'il vivait totalement en décalé, tel un oiseau nocturne. Et ils étaient catégoriques, puisqu'ils entendaient chaque fois ses multiples verrous résonner dans le couloir.

L'intérieur de l'appartement avait été photographié et fouillé par les policiers, ainsi que par les techniciens de l'Identité judiciaire. L'absence de paperasse s'était confirmée. Pour l'instant, on avait laissé en plan le matériel lourd et encombrant pour n'embarquer que les documents importants, et le cahier listing. Un planton, en liaison radio avec la planque, s'était installé devant la porte de l'appartement.

En ce début d'après-midi, tandis qu'Amandier s'ennuyait dans le sous-marin, Einstein et Santucci se trouvaient dans les locaux de l'Identité judiciaire. Franck et Florence étaient, quant à eux, assis chacun à leur bureau, au cinquième et dernier étage du 36, le nez dans les photocopies des pages du cahier de leur tueur. Pour l'heure, c'était la meilleure chose à faire puisque les mairies et autres administrations étaient fermées. Autrement dit, impossible de retrouver la trace du pédiatre qui avait exercé à Meurin aux côtés d'Escremieu.

L'inspectrice se levait de temps en temps, et elle punaisait les informations essentielles sur leur tableau. Franck la sentait à cran, comme eux tous, d'ailleurs. Ils étaient à deux doigts d'en finir, mais deux doigts, c'était encore beaucoup trop. L'attente était longue. Bientôt, Sharko irait prendre le relais de Serge dans le soum et rempilerait pour quatre heures. Il ne rentrerait pas à son domicile avant minuit. Et le lendemain, dimanche, il faudrait recommencer. Jusqu'à ce que le filet se rabatte enfin sur leur proie.

Le Corse et Fayolle arrivèrent au bercail en fin de journée. Leurs têtes de croque-morts n'auguraient rien de bon. Romuald regagna sa place sans un mot. Avec un soupir, Santucci ferma la porte et posa un paquet de clichés sur la table basse.

— Ce sont les photos de l'IJ. Les mannequins, les objets, et tout le toutim. Vous viendrez vous servir, c'est cadeau. Quand l'affaire sera terminée, je crois que ces femmes en plastique aux parties intimes brûlées auront un bel avenir dans notre musée des horreurs.

Il se plaça face à son équipe.

— Avant que j'annonce des nouvelles réjouissantes, dites-moi que vous avez quelque chose qui permette de savoir où cet enfoiré se terre.

Franck secoua la tête. Florence s'approcha du tableau, l'air renfrogné.

— On a tout lu. Il n'y a que des pages et des pages de délires haineux, de scènes de vie où Merlin décrit les comportements déviants d'anonymes qu'il croise dans la rue ou le métro. Il immortalise ces situations quotidiennes avec son appareil photo et, en gros, il vomit sur la société. Pas de dates, aucune mention de lieux. Rien sur ses intentions ni sur les meurtres.

Elle montra l'affiche du spectacle de Circé, accrochée en haut de la feuille.

— J'ai rassemblé là tous les éléments du cahier qui concernent notre enquête. Jusqu'à présent, le plan du Méticuleux nous a menés à elle, Circé. Mais, selon toute vraisemblance, la prochaine étape, c'est lui.

Elle pointa l'homme au crâne dégarni.

— Photographié à son insu dans son quotidien, comme les autres victimes, ce qui laisse présager qu'on risque de le retrouver dans un sale état.

Comme pour appuyer son propos, l'inspectrice désigna la bouche tordue qui hurlait. Puis un autre rectangle de papier glacé.

— On le voit ici sur un vieux cliché, en blouse, en compagnie d'André Escremieu. Il y a donc de fortes chances qu'il soit le pédiatre dont nous a parlé la magicienne. Celle-ci nous a en effet confié avoir été soignée par le père de Delphine et un autre médecin à l'hôpital Meurin, à la fin des années 1960. Selon elle, la photo sur laquelle elle s'est reconnue, enfant et entièrement nue, a été prise dans le cabinet de ce dernier. Et Escremieu était là, à ses côtés. Il est probable que les deux hommes aient abusé des mômes ou, en tout cas, leur aient fait du mal d'une façon ou d'une autre.

— Cette Circé pourrait nous confirmer que le type chauve est le pédiatre en question ?

— Sa mémoire est sélective, c'est courant, dans les affaires d'abus sexuels. Il y a ceux qui se souviennent parfaitement de tout et ceux qui occultent pour se protéger. Étant donné qu'elle ne s'est pas rappelé le visage d'Escremieu, j'ai peu d'espoir qu'elle nous aide là-dessus. Mais c'est lui, j'en suis certaine. Dès lundi, il faudra que je fasse le forcing par téléphone auprès du conseil de l'ordre des médecins du Finistère. Ils ont dû recevoir notre requête écrite depuis plusieurs jours. Nous avons besoin à tout prix de l'identité de ce pédiatre.

Florence marqua une courte pause, mais elle n'en avait pas fini.

— Revenons-en au cahier. Sur chacune des pages consacrées aux protagonistes de notre dossier, il y a une référence au passé. Delphine Escremieu, âgée de huit ans et nue. Son père et le pédiatre inconnu sur une photo de groupe datant vraisemblablement de cette époque-là. Et puis Hélène Lemaire, adolescente, entourée de camarades sans figure. Pourquoi ce choix ? Regarde, on voit des montagnes en arrière-plan.

Santucci approuva d'un mouvement de tête.

— D'après les gars de Rouen, Lemaire a vécu en Haute-Savoie quand elle était jeune, rappela-t-il.

— Oui, ses parents étaient de vrais montagnards. Selon les collègues, ils n'ont aucun rapport avec la Bretagne ni l'hôpital Meurin... Si personne n'a encore trouvé de lien entre Hélène Lemaire et toute cette histoire, c'est tout simplement parce qu'il faut sans doute remonter plus loin...

Le chef de groupe réfléchit.

— Si Lemaire n'est pas allée en Bretagne enfant, ça impliquerait que notre tueur était, lui, en Haute-Savoie dans sa jeunesse. C'est possible, ça, en tenant compte de tous les éléments qu'on possède ?

Florence acquiesça.

— David Merlin a pu vivre en Bretagne et se faire soigner à Meurin aux alentours de ses huit ans, puis déménager en Savoie quelques années plus tard. Hélène Lemaire était âgée de trente ans. Et, si on s'en réfère aux descriptions qu'on a obtenues, David Merlin est de la même génération. Lui et Lemaire étaient-ils dans la même classe au collège ? Auquel cas, il est peut-être l'un de ces élèves au visage découpé. Comme il est, peut-être, l'un des gamins nus qui sont devant nous depuis le début...

Santucci jeta un coup d'œil vers Sharko, qui hocha la tête : il partageait l'avis de sa collègue. Le Corse se posta une nouvelle fois devant les photos des mômes. Douze garçons, disposés en deux rangées de six, le fixaient, nus et effrayés.

— D'accord, d'accord. On sait dans quel bled a vécu Hélène Lemaire ?

— Non. J'allais appeler le SRPJ de Rouen pour avoir plus de précisions.

— OK, tu récupères l'info, mais tu la joues discrète. Évoque des mises à jour de paperasse. Je ne veux pas d'eux dans mes pattes pour le moment. Cette enquête est déjà suffisamment compliquée.

— Très bien…

Florence retourna à sa place. Le Corse, lui, revint au centre de la pièce. Il échangea un regard contrarié avec Einstein, poussa un soupir, puis s'adressa à eux tous :

— Bon, maintenant, passons aux réjouissances. On a un problème, et pas des moindres. David Merlin n'existe pas.

62

L'annonce du chef de groupe fit l'effet d'une bombe. Comme après une explosion et son souffle, il y eut un long silence, de ceux qui donnent l'impression que le monde s'est écroulé.

— On a trouvé deux David Merlin à Paris, mais aucun n'est le bon, expliqua-t-il. L'un est âgé de quatre-vingt-trois ans, l'autre de quatorze ans. On n'a rien de plus dans les fichiers de la police sur la totalité de la France. Du côté des cartes grises, au niveau national, la liste des David Merlin est beaucoup plus longue, mais mon petit doigt me dit qu'il est inutile d'espérer quoi que ce soit. Ma théorie ? « David », comme David Copperfield, et « Merlin », comme Merlin l'Enchanteur...

Sharko venait de recevoir un coup de matraque sur le crâne.

— De grands magiciens..., souffla-t-il. Bien sûr. Mais il a forcément communiqué des informations administratives à son propriétaire, non ?

— Justement, on l'a contacté : location au noir, pas de bail, juste une tape dans le dos. Je l'ai convoqué pour qu'on éclaircisse tout ça, mais notre homme se serait installé dans ce trou il y a environ deux ans.

— Deux ans…

— Chaque 1er du mois, il déposait dans la boîte aux lettres de son logeur une enveloppe avec le montant exact du loyer en liquide. Jamais de chèque, jamais un retard, jamais un problème. Les factures de gaz, d'électricité, tout ça, c'est au nom du proprio. Le mec dit qu'il ne sait même plus à quoi David Merlin ressemble, tellement il est transparent. Le locataire idéal.

Florence se recula d'un coup sur sa chaise, les mains sur la tête.

— C'est pas vrai ! pesta-t-elle.

— Et si…, répliqua Einstein. Tu déniches quelqu'un qui accepte de louer au noir – et ce n'est pas ce qui manque –, tu travailles aussi au noir, et tu disparais des radars. Même pas besoin de faux documents. Selon ce qui t'arrange le plus, tu bascules d'une identité à l'autre. Tu te fais contrôler en voiture ? Tu montres ton vrai permis. Tu peux faire des chèques dans les magasins avec ton vrai compte en banque. Aucun souci. Deux vies séparées : l'une où on te connaît en tant que David Merlin, serrurier, habitant une barre d'immeubles du 18e, et l'autre où on te connaît sous ta véritable identité, à savoir celle du magicien, sans doute.

— Un caméléon…

— Un caméléon, un fantôme, un parasite, appelle-le comme tu veux. Mais un gars sacrément malin, en tout cas.

— Et les bonnes nouvelles ne sont pas terminées, lâcha Santucci, les mâchoires serrées. Les flacons qui traînaient dans sa salle de bains, c'est de la colle à postiche. Fausse barbe, et faux sourcils, je présume. Souvenez-vous aussi de l'hésitation des personnes qu'on a interrogées au sujet des lunettes. Parfois il en porte, parfois pas… La casquette, la barbe : des éléments qu'on remarque, qu'on est capable de décrire, et qui de surcroît sont pratiques pour cacher ce qu'il y a dessous…

Sharko était secoué, frappé par cette impression qu'on remettait les compteurs à zéro, que tout recommençait du début, comme dans un manège infernal.

— Un fantôme… Donc, une fois sa vengeance accomplie, il pourrait quitter l'enveloppe de David Merlin pour reprendre celle d'avant. En un coup de baguette magique. Abracadabra…

Le fax situé à côté de lui se mit à crachoter. Franck se laissa distraire un instant par l'appareil avant de poursuivre :

— Florence ne le voyait pas vivre dans un coin aussi sordide, mais ça révèle au contraire jusqu'à quel point il est dans ce délire de fausse identité. Il a tout dévoué à l'exécution parfaite de son plan… Maintenant, il faut espérer qu'il ne soit pas déjà trop tard et qu'il revienne à son appartement. Parce que s'il est arrivé au bout de son histoire et qu'il a déjà changé de carapace, on va avoir beaucoup de mal à l'attraper.

— Il comptait repasser, assura Florence, sinon, il n'aurait pas laissé son cahier avec toutes ses notes intimes. C'est précieux pour lui. En plus, la photo de classe d'Hélène Lemaire le compromet, elle nous offre un moyen de remonter à lui. S'il n'a pas pointé le bout de son nez, c'est parce que, d'une manière ou d'une autre, il sait que nous sommes là. Ou il nous a repérés, ou on a été balancés par quelqu'un de l'immeuble.

Il y eut un long silence. Mines plombées. Soupirs. Santucci essaya de redonner le moral à ses troupes, mais même lui s'était pris une sacrée claque.

— Il n'y a pas que du négatif. Les premiers résultats sont tombés concernant les traces papillaires prélevées dans son appartement. Elles sont identiques à celles découvertes sur les poignées de portes de la résidence de Saint-Forget ou dans la chambre d'Hélène Lemaire. Au moins, on a des preuves concrètes qu'il est le tueur. Si on le chope, il est tout cuit pour le juge. On a ses empreintes digitales, son ADN, son groupe sanguin.

— Mais on n'a aucune idée de qui il est, souffla Florence. Ça me rappelle quelque chose, tiens.

Tous surent immédiatement à quoi elle faisait allusion : l'affaire des Disparues. Sur ce dossier-là aussi, ils avaient des éléments précis pour confondre l'assassin, et pourtant, presque trois ans après son dernier meurtre, l'homme courait toujours.

— On va coincer notre Serrurier, affirma Santucci avec énergie. Ferriaux a raison : cette photo de classe surgie du passé, c'est une belle piste. Et puis... des gens ont forcément composé son numéro de téléphone personnel pour discuter avec lui ; il est temps de les retrouver, un à un.

— Peut-être qu'ils se sont fait piéger comme nous et croyaient avoir affaire à David Merlin, répliqua Florence.

— Peut-être, oui. Ou pas. Je pense notamment à celui qui a laissé ce drôle de message sur son répondeur à un moment qui, comme par hasard, coïncide avec l'enlèvement de Sharko… Bref, je ne sais pas si vous connaissez l'Oreille. C'est un technicien qui est responsable d'un petit labo récent d'analyse du traitement du signal, à l'IJ. Un mec doué. Il s'occupe de tout ce qui est comparaisons sonores, identifications de corbeaux, de criminels par la voix, authentifications ou montages de bandes audio… Il est en train de bosser pour nous, et je suis optimiste. Enfin, avant d'oublier : le patron de la serrurerie Flamin dressera un portrait-robot de notre homme dès lundi matin. Même un visage grimé pourrait nous être utile…

Einstein, qui avait décroché à un appel entre-temps, reposa le combiné et se gratta la tête, comme s'il était confronté à un problème mathématique particulièrement complexe. Santucci l'interrogea du regard.

— C'était mon contact à France Télécom, annonça Romuald. Je lui avais demandé de me donner en urgence les coordonnées de la personne qui a laissé le message vocal chez Merlin. Il a obtenu un résultat facilement.

— Et ? s'impatienta Santucci, gonflé d'espoir.

— L'appel vient d'une cabine téléphonique. Donc, là encore, aucun moyen de remonter la piste. Mais le plus étrange, c'est que cette cabine, elle se situe au pied de l'immeuble de David Merlin.

Une chape de plomb s'abattit sur la pièce, une fois de plus.

— Qu'est-ce que c'est que ce bordel, encore ! gueula le Corse en furie.

63

L'hôpital universitaire de la Pitié-Salpêtrière était une ville dans la ville. Un pavillon central, des annexes, en tout une dizaine de bâtiments, dont une grande partie était classée aux monuments historiques. Franck terminait tout juste un nouveau tour de planque – de midi à 16 heures, ce dimanche, à grignoter des chips et des sandwichs – et profitait de son temps libre pour, l'espérait-il, trouver la réponse à la question qui l'obsédait : faisait-il fausse route en soupçonnant un urgentiste dans l'affaire des Disparues ?

Hormis les roulements devant le 41, avenue de la Porte-des-Poissonniers, Santucci avait accordé un peu de repos à tout le monde. Et d'une, les administrations et laboratoires étaient fermés, rendant inutile leur présence au 36, et de deux, il avait besoin de toute leur concentration dans ce sous-marin. Le Corse gardait une once d'optimisme, il se persuadait que le Méticuleux allait finir par retourner à son appartement.

Mais s'il ne revenait pas, qu'est-ce que cela signifiait ? Qu'il avait été averti de l'intervention de la BRI par un habitant du coin ? Le même qui avait laissé l'incompréhensible message téléphonique depuis la cabine située au pied de son immeuble ?

Franck ne pouvait s'empêcher de penser à l'ingéniosité de David Merlin. Finalement, n'avait-il pas réalisé son plus grand tour de magie en s'évanouissant dans la nature, alors qu'ils croyaient le tenir ? Il s'était volatilisé sous leur nez, purement et simplement. Comme David Copperfield. Jusqu'à quel point les flics avaient-ils pu contrecarrer les plans du Méticuleux en débarquant chez lui ? Quand leur homme avait-il réellement planifié de leur fausser compagnie ?

Après quelques tâtonnements et errances, le policier trouva l'accueil des urgences. Il expliqua qu'il recherchait des renseignements au sujet des déplacements en ambulance, et fut orienté vers une unité qui portait le nom de « structure mobile d'urgence et de réanimation », SMUR. Le chef de service, alerté par une infirmière, vint à sa rencontre.

Il s'efforça de s'exprimer de la manière la plus claire possible : dans le cadre d'une enquête qu'il qualifia de routinière, il devait savoir quel personnel avait été affecté à des missions en ambulance à des dates et des adresses bien précises.

— Et vous menez une enquête de routine un dimanche ? questionna son interlocuteur.

Le docteur Rotten était tout en verticalité, voûté sous sa blouse, et avait un nez si fin qu'il réajustait en permanence ses lunettes à monture ronde.

— Le crime, comme la maladie, ne sait pas ce qu'est un dimanche, malheureusement.

Le médecin rendit sa carte tricolore à Sharko et se mit à avancer dans le couloir, incitant le jeune inspecteur à le suivre.

— Je veux bien discuter et vous aider, mais je ne vous révélerai rien de confidentiel sur d'éventuels patients sans papiers adéquats, fit-il.

— Ne vous inquiétez pas, ce ne sont pas les patients qui m'intéressent… En fait, je me demandais : comment fonctionnez-vous ? Est-ce que votre périmètre s'étend à plusieurs arrondissements ? 13e, 12e et 14e par exemple ?

— Bien sûr. Nous sommes dix-huit à nous relayer, et nous tournons vingt-quatre heures sur vingt-quatre. Nous disposons de deux unités mobiles hospitalières capables de couvrir tout Paris, et pas seulement les arrondissements du sud. Nos missions sont souvent déclenchées par la régulation du SAMU, le 15. Au total, nous effectuons plus de deux mille interventions par an, ce qui est considérable. D'ailleurs, vous l'avez sans doute remarqué, les véhicules ne sont pas là.

— Autre interrogation, et excusez-moi d'avance si elle est triviale, mais est-ce que vous ramenez toutes les personnes que vous prenez en charge à la Salpêtrière ?

— Absolument pas, vous imaginez aisément que, si nous avons une urgence au nord, on ne va pas retraverser toute la ville. Les patients peuvent être traités dans tous les établissements de la région, directement dans le service adapté et en fonction des places disponibles. En général, on se rend au plus près.

— Donc, pour résumer, on peut solliciter l'une de vos ambulances pour un cas de brûlure grave dans le 12e, cas qu'on soignera ensuite à Saint-Antoine, par exemple.

— Vous avez compris.

Franck sentit la flamme se ranimer. Le médecin l'entraîna dans son bureau, le pria de s'asseoir et alluma l'écran de son ordinateur IBM d'un mouvement de souris.

— Vous êtes sacrément mieux équipés que la police, constata Sharko. Ces engins arrivent à peine chez nous et, d'après ce que j'ai pu en voir, c'est loin d'être du haut de gamme.

— Il y a encore un tas de données en double ou en triple, car les services ne sont pas encore tout à fait reliés entre eux, mais ça va un peu mieux qu'avant. Tout ça finira par fonctionner correctement un jour. Beaucoup disent que l'informatique, c'est l'avenir.

Il pianota sur son clavier.

— Donc, vous souhaitez savoir…

Franck piocha un papier dans la poche de son blouson et le déplia.

— Il y a deux choses que j'aimerais que vous vérifiiez. La première, c'est si l'un de vos véhicules est intervenu le… 6 mai 1987 pour une fuite de gaz, rue de Julienne, dans le 13e.

Rotten opéra quelques clics, entra des critères, et patienta.

— Vous parliez de routine. Mais je peux connaître les raisons précises qui conduisent un policier de la Brigade criminelle jusqu'ici ?

— Je recherche des témoignages. Ça fait des années qu'on traque un individu qui provoque des événements aussi dangereux qu'une fuite de gaz ou un incendie dans des immeubles. Récemment, il y a eu une victime, dans le 2e. Et on a découvert que notre homme restait

431

sans doute dans le coin après ses méfaits, glissé parmi la foule, et qu'il prenait du plaisir à voir les secours se démener.

— Je vois. Et donc, ça vous intéresserait d'interroger mon personnel.

— Ceux qui étaient sur place ces jours-là, oui. On a des profils de suspects, des visages qui s'empilent dans des dossiers. Peut-être que ça nous aiderait à avancer.

Deux carrés bleutés se dessinèrent sur les verres de lunettes de son interlocuteur lorsque celui-ci orienta le regard vers son écran. Puis plusieurs secondes s'écoulèrent, interminables.

— 6 mai 1987… rue de Julienne… Voilà, je l'ai. C'était bien nous, en effet. Ils étaient quatre sur le terrain : notre médecin urgentiste, un infirmier, un ambulancier et un étudiant en médecine.

Franck essaya de rester cohérent avec son histoire : hors de question de réclamer une description physique ou une photo des intervenants.

— Je peux avoir leurs noms et leurs coordonnées ?

— Alors… Fabrice, l'ambulancier, est encore dans nos murs, mais il est en repos aujourd'hui. Les trois autres, je ne sais pas ce qu'ils sont devenus, ils ne sont plus dans mon équipe. Pourtant, je n'ai pris mes fonctions ici que l'année dernière. C'est vous dire si ça tourne, dans le service… Pour leurs adresses, je vais être obligé de consulter un autre fichier et…

Il se concentra sur ses manipulations, puis redressa la tête.

— Je le craignais. Comme ils ne sont plus dans nos effectifs, ils n'apparaissent plus. Il faudrait que je contacte les ressources humaines, mais un dimanche…

— Vous pourriez récupérer ça pour moi dès que possible ? C'est très important. Ça me ferait gagner un temps précieux.

Le médecin acquiesça, lui demanda son numéro de téléphone – Sharko lui donna sa ligne personnelle par souci de discrétion – et le nota sur un Post-it qu'il colla sur son écran.

— Ainsi, je n'oublierai pas.

— Parfait. Je peux vous importuner encore un peu ? Je dispose d'autres informations, mais c'est moins précis sur la date. Il s'agit d'un incendie qui se serait déclaré dans un appartement rue Édouard-Robert, dans le 12ᵉ, fin mars 1988.

Rotten sollicita de nouveau son disque dur sans tarder.

— Tout ce que je sais, compléta Franck, c'est que la victime brûlée a été amenée à Saint-Antoine, mais j'ignore à quel hôpital appartenait l'ambulance qui l'y a conduite. Au pire, si vous ne trouvez rien, j'irai là-bas. Mais ça m'éviterait un déplacement, si…

— J'ai.

Le cœur du jeune inspecteur palpita. Un véhicule de la Salpêtrière, envoyé à deux des endroits où avaient eu lieu les kidnappings… Le flic se pencha en avant, tentant de garder son calme. Était-il possible qu'il ait vu juste ? Y avait-il la moindre chance pour qu'il mette un nom sur l'individu qui avait enlevé et sauvagement assassiné trois femmes ?

— 27 mars 1988, fin d'après-midi, précisa le médecin. Ils étaient trois, cette fois, pas d'étudiant. Hormis l'ambulancier, c'était la même équipe que pour l'autre intervention. En général, les duos médecin/infirmier qui s'entendent bien s'arrangent pour bosser ensemble. Il y avait donc...

Rotten attrapa un bloc-notes ainsi qu'un stylo, et écrivit tout en révélant les identités de chacun à voix haute :

— Pascal Herbier, l'ambulancier, Richard Jumont, l'infirmier, et Dominique Tournel, le toubib.

Sharko prit le papier d'une main tremblante. Le chef de service remarqua son état de nervosité.

— Vous tremblez. Un problème ?

Franck se leva, fébrile.

— Trop de café. Vous m'appelez demain pour les adresses de ces personnes ? N'hésitez pas à laisser un message sur le répondeur si je ne suis pas là.

— J'essaierai, oui.

Franck le remercia et se dirigea vite vers la porte. Mais avant de sortir, il se retourna et demanda :

— Un dernier petit truc qui me turlupine : qui découpe les vêtements des patients, en cas de nécessité ? L'infirmier ou le médecin ?

Son interlocuteur fronça les sourcils.

— Vous avez de drôles de questions. Les deux sont en mesure de le faire. Dans l'urgence, on ne réfléchit pas à ça. C'est le premier qui saisit les ciseaux qui coupe...

— Merci encore pour tout, docteur.

Une fois dehors, le jeune inspecteur emplit ses poumons d'air frais et observa le morceau de papier qu'il tenait dans le creux de sa main. Un infirmier et un médecin. Il y avait de fortes probabilités pour que l'un de ces types soit le tueur...

Quand il arriva chez lui, Sharko bouillonnait toujours, incapable de se calmer. Il tenta une recherche sur son

Minitel, se cantonnant à Paris. Sans succès. Soit les deux hommes étaient sur liste rouge, soit ils n'habitaient pas la capitale.

Ce soir-là, après un coup de fil à Suzanne, il se coucha avec satisfaction. Il n'avait rien dévoilé à sa fiancée sur ses avancées, et il ne dirait rien à Serge non plus. Il irait d'abord au bout, seul. Quand il aurait une certitude, alors il livrerait à son équipe l'identité de l'assassin.

64

La barbe tombait frisottante, d'un noir de jais et épaisse comme une cascade fougueuse, si bien que le trait de la bouche se révélait imprécis. Le visage était « de contour plutôt carré en haut, mais allongé en bas », avait décrit le patron de la serrurerie Flamin au portraitiste de l'Identité judiciaire. Pour les yeux, le dessinateur avait cherché parmi des centaines de jeux de bandes découpées dans de véritables photographies, mais les lunettes à grosse monture rectangulaire, en acétate gris, ou marron, que portait David Merlin, avaient rendu le témoin hésitant.

« Ils étaient presque noirs, ou même carrément noirs, et un peu enfoncés, je crois. Relativement ronds. Je ne sais plus trop. Un regard fuyant, il ne vous parlait jamais en face. Vous pouvez retranscrire ça, cette espèce de timidité ? »

Concernant le front, il ne s'était pas prononcé : une casquette à la visière fort courbée le dissimulait en permanence. Et les cheveux ? « Courts et châtains, ou noirs, mais je ne pourrais pas vous dire s'il en avait beaucoup ou pas. Par contre, j'ai remarqué une fois qu'il avait de gros sourcils, noirs aussi, et droits comme des poutres. »

La forme des oreilles demeurait flottante, à l'image de la mémoire défaillante de Flamin, qui avait affirmé n'avoir pas prêté attention à cette partie du corps de son employé. Quant au teint, que le professionnel de l'IJ avait caractérisé en coloriant avec plus ou moins d'insistance, il était « normal, plutôt foncé ». Il n'avait pas le souvenir de marques particulières – cicatrices, grains de beauté.

Des photocopies du portrait-robot ainsi établi de David Merlin circulaient désormais de main en main dans le bureau 514, et il ne faisait pas sauter de joie les policiers. D'ordinaire, on considérait déjà ce genre de documents peu efficaces – ils ne permettaient même pas de résoudre 5 % des affaires criminelles –, alors là…

Où David Merlin se planquait-il à présent ? Sous quelle identité ? Sa véritable, ou avait-il opéré une nouvelle mue ?

L'ambiance n'était pas exceptionnelle dans l'équipe. Après l'euphorie des derniers jours, ce lundi matin ressemblait à une douche glacée. Einstein était enfermé dans le soum, mais les relèves s'arrêteraient là : grâce aux tractations de Santucci auprès de la direction, la surveillance allait être dédiée à plein temps à un autre groupe. À cet instant même, le Corse se démenait d'ailleurs en réunion hebdomadaire avec les grands pontes pour tenter d'expliquer l'incompréhensible.

Florence, quant à elle, restait collée à son téléphone : on avait bien reçu leur requête dans les locaux du conseil de l'ordre des médecins du Finistère et on la traiterait bientôt. Mais il était contraire au protocole de fournir ces informations de vive voix. Il fallait donc attendre un courrier signé par le président du conseil, actuellement en congé.

— C'est une urgence, bon sang ! La vie d'un homme est en jeu ! On n'a plus besoin d'une liste complète, juste du nom d'un pédiatre. Ce n'est pas compliqué, si ?

Son interlocuteur prit son numéro de ligne directe, les données nécessaires – pédiatre, hôpital Meurin, milieu des années 1960, service urologie, André Escremieu –, et lui annonça qu'il « allait voir ce qu'il pouvait faire ».

— Mon cul ! s'écria-t-elle après avoir raccroché. Tu vas plutôt courir te gaver de champagne et de foie gras ! Étouffe-toi avec, connard !

Serge et Sharko levèrent un sourcil. Leur coéquipière se jeta sur le réfrigérateur et ouvrit un pot de fromage blanc, qu'elle dévora à la petite cuillère après avoir ajouté des pelletées de sucre. Ces types la rendaient folle. Elle revint à son bureau avec son pot et lorgna la copie du portrait-robot posée dessus. Fausse barbe, faux sourcils – ils étaient énormes –, fausses lunettes. Des yeux d'un noir abyssal. L'inspectrice trouvait le résultat étrange, pas naturel du tout. *Encore une belle merde.*

En début d'après-midi, sa quête d'informations concernant Hélène Lemaire se révéla plus fructueuse. D'après les collègues de Rouen, leur victime aux parties intimes brûlées était née en 1961 dans un bled du nom de Sallanches. Florence avait alors joint un employé de la mairie en question. Des actes de décès stipulaient que les parents de la jeune femme habitaient toujours la commune lorsqu'une avalanche les avait engloutis en 1983. Donc Hélène y avait grandi, et probablement suivi sa scolarité. Il n'existait qu'un seul collège dans la ville, fermé à cause des fêtes, mais la policière avait pu récupérer, toujours auprès de l'employé, le numéro de la principale actuelle, Magalie Forestier. Elle avait appelé cette dernière et laissé un message, demandant à ce qu'on la recontacte dès que possible.

— On va s'en sortir, se répétait-elle nerveusement à intervalles réguliers. On va s'en sortir.

Peu après, Amandier s'étira avec mollesse, fourra un portrait-robot dans sa veste et adressa un signe à Sharko tout en quittant sa chaise.

— Amène-toi, je viens d'avoir l'Oreille au téléphone. Il a du neuf sur la bande du répondeur de Merlin.

Ils descendirent au rythme du vieux flic : lentement. Une fois devant le 36, celui-ci alluma une cigarette et s'assit deux minutes sur le parapet du quai. La météo était idéale : un froid sec avec un ciel dégagé. Le soleil leur réchauffait la peau, et l'inspecteur s'en délecta quelques instants.

— Faut pas courir tout le temps, petit. Faut savoir profiter, aussi. Le Méticuleux nous a baisés, et bien profond. Alors on n'est plus aux pièces…

Franck trépignait d'impatience, le col mouton de son blouson relevé, les mains dans les poches. Il n'avait qu'une hâte : rentrer chez lui, en espérant y trouver un message du chef du SMUR avec les adresses qu'il attendait.

— Ce genre d'échec, ça arrive, poursuivit Serge en fixant une péniche qui fendait les flots. T'es certain de tenir ton gars et… *pfuitt*, il te glisse entre les doigts. Ensuite, t'en entends plus jamais parler.

Au bout d'un moment, il se redressa et tapa sur l'épaule de Sharko.

439

— Je sais que t'y croyais, à ton histoire d'urgentiste, et c'est bien d'y croire, ça prouve que t'es un bon flic. Mais malheureusement, on ne gagne pas à tous les coups. Ça s'appelle les fantômes, mais pas des fantômes qui disparaissent comme David Merlin. Ceux-là, ils sont différents. C'est le contraire, ils t'encombrent en permanence la tête, ils te hantent et tu dois te les coltiner.

— T'en as beaucoup, toi, des fantômes ?

— De quoi remplir un stade de foot.

Désormais silencieux, ils se mirent en route le long du quai de l'Horloge. Franck resta pensif. Peut-être parviendrait-il à soulager son collègue d'un de ses fantômes. Et peut-être que ça l'apaiserait, lui aussi, qu'il songerait un peu moins à Brigitte.

Suzanne avait raison. Il finirait probablement par se pardonner de ne jamais avoir arrêté son meurtrier, s'il mettait derrière les barreaux le monstre qui avait tué trois jeunes femmes innocentes…

65

Christian Alouane accueillit Amandier et Sharko à l'entrée de l'IJ. L'homme, pourtant d'une quarantaine d'années, ressemblait à un étudiant à peine sorti de l'école, avec sa chevelure bouclée, sa longue blouse ouverte sur un tee-shirt des Stones et ses baskets à scratch. Contrairement à ce à quoi s'attendait Franck, vu le surnom, ses oreilles n'étaient pas le trait de son anatomie le plus remarquable : elles se révélèrent discrètes, parfaitement harmonieuses.

Il les conduisit à son laboratoire, pas beaucoup plus grand qu'une kitchenette et bourré d'appareils électroniques, genre oscilloscopes, micros, tables de mixage, ordinateurs. Des enveloppes et des boîtes scellées par des cachets de cire rouge s'accumulaient dans un coin : des enregistrements ou des indices à traiter, venus des services de police de toute la capitale et de sa banlieue.

— Je vois que tu ne manques pas de boulot, fit Serge. C'est sympa de t'être occupé de notre cas en priorité.

— Je travaille sur des écoutes pour le renseignement intérieur, un truc fastidieux, des centaines d'heures à me farcir, et ils veulent un retour pour le 2 janvier… Bref, faut pas que je chôme, mais quand votre répondeur est arrivé, j'ai accroché direct. De la bonne came, votre machin. De la sacrée bonne came. Du coup, j'ai mis le reste de côté, et je me suis cassé la tête sur votre bande tout le dimanche. J'ai encore pas mal d'analyses à lancer, notamment en termes de comparaison de voix, mais je voulais vous informer au plus tôt de ma découverte. Ça va vous plaire.

Le technicien les emmena devant un écran, puis chargea un fichier dans un logiciel. Plusieurs courbes apparurent.

— Pour commencer, voici diverses représentations de votre enregistrement, auxquelles j'ai appliqué des paramètres différents. Ici, je vous repasse le message d'origine…

Il appuya sur un bouton, et les enceintes retransmirent ce qu'ils avaient entendu la première fois : une soupe indigeste.

— Tel quel, c'est à n'y rien comprendre, je vous l'accorde. Alors j'ai diminué la vitesse entre deux et trois fois pour obtenir un débit de parole normal. Ne faites pas attention à la voix, elle est déformée à cause de la modulation de vitesse.

« *It fofo that t'afarréfétefe all this dafavifidefe cefe n'éfé more möglich afarréfétefe now sifinonfon céfé moifoi quifi méfétréfé finfin afa céfé oforeferefe.* »

Franck demanda à réécouter, et resta dubitatif.

— On dirait qu'il y a plusieurs langues.

— Un mélange de français, d'anglais et d'allemand, en effet, répondit Christian Alouane. Certaines syllabes sont dédoublées, et la première lettre de la syllabe parasite est transformée en « f ». Par exemple, « maison » devient « *maifaisonfon* ». Ce système de dédoublement s'étend aussi parfois aux mots allemands ou anglais, mais plus rarement. Et ce qui embrouille encore plus, c'est l'absence de ponctuation ainsi que la prononciation : les syllabes ne sont pas accentuées vocalement là où on s'y attend.

— C'est quoi ? Un code secret ? questionna Serge.

— La cryptophasie, ça vous dit quelque chose ?

— J'ai une gueule à utiliser ce genre de vocabulaire, tu trouves ?

Alouane décocha un sourire au flic, dévoilant des dents de rongeur. D'ailleurs, il piocha des éclats de noisettes qui traînaient dans un emballage posé devant son clavier et les grignota.

— C'est un terme qui désigne des langages inventés et parlés par un nombre très restreint de personnes. En fait, les études qui ont été faites démontrent que la cryptophasie concerne, presque toujours, des enfants jumeaux de même sexe à qui on a diagnostiqué des problèmes psychologiques…

Franck et Serge échangèrent un regard. Ils étaient complètement perdus. Des jumeaux… C'était la dernière chose à laquelle ils s'étaient préparés.

— C'est une plaisanterie, rassure-moi, lâcha Amandier.

— Pas vraiment, non. Des cas remarquables ont été documentés depuis vingt ans. Pour n'en citer qu'un, en 1977, il y a l'histoire de ces jumelles de six ans, vivant à San Diego. À la suite d'un déménagement à San Francisco, elles se sont retrouvées mises à l'écart par les élèves de leur nouvel établissement et malmenées tous les jours. Pour se protéger, Grace et Virginia Kennedy se sont d'abord baptisées Poto et Cabengo, allez savoir pourquoi. Puis elles ont dressé des barrières en se servant de leur gémellité. Elles ont notamment altéré leur langage afin d'empêcher quiconque de les comprendre, excluant même leurs parents. Quand elles le souhaitaient, elles discutaient dans un mélange d'argot, d'espagnol et d'américain, le tout avec une rapidité telle qu'on croyait qu'elles avaient inventé un dialecte…

Franck était sous le choc. Il imagina l'individu, en pleine nuit, laisser son message codé sur le répondeur de David Merlin, de la cabine située en bas de son immeuble. Un autre David Merlin, en tout point identique au premier ? Mais avec quel visage ? Grimé, lui aussi ? Le Méticuleux avait-il un jumeau ? Un frère si proche de lui que les deux hommes communiquaient, encore aujourd'hui, selon des règles établies dès leur plus jeune âge ?

Même si Sharko ne saisissait pas encore tout, loin de là, il nota ce rapport, une fois de plus, à des traumatismes de l'enfance. Il repensa aux photos des gamins nus. Chacun de ses collègues avait observé ces clichés, et personne n'avait décelé la présence de frères jumeaux : les mômes étaient tous différents.

Serge avait sorti le portrait-robot de sa poche, il le contemplait d'un regard chargé d'incompréhension.

— C'est lui, le propriétaire du répondeur ? demanda Alouane.

— Oui… Enfin, pas réellement. Tout est faux, sa barbe, ses lunettes… Des jumeaux, bon sang… Qui aurait pu envisager une chose pareille ? Comme si toute cette enquête n'était pas déjà assez compliquée.

Malgré le séisme intérieur que ces révélations avaient provoqué, Amandier tenta de se reconcentrer et hocha la tête vers l'écran.

— Qu'est-ce que ce fichu message raconte ?

Le technicien lui tendit un papier, sur lequel figurait la retranscription. Serge le lut :

— « Il faut que t'arrêtes tout ça, David, ce n'est plus possible. Arrête maintenant. Sinon, c'est moi qui mettrai fin à ces horreurs. »

Le vieux flic confia le document à son collègue. Franck relut tout bas. Les jumeaux semblaient en conflit et, surtout, le frère était visiblement au courant des actes de David Merlin.

— On est sûrs que cette… cryptophasie ne s'applique qu'aux vrais jumeaux du même sexe ? s'enquit Sharko. La voix m'avait l'air plutôt féminine. Enfin, c'est difficile à estimer, Serge ne partage pas mon avis.

— Je ne peux rien affirmer, mais je vais continuer à analyser la bande pour déterminer les fréquences. Elles m'en apprendront sans doute un peu plus. En revanche, les cas de cryptophasie les plus connus ne concernent en effet que des vrais jumeaux, de même sexe. Et ça s'expliquerait. D'après les spécialistes, il ne s'agirait pas uniquement d'un langage secret, mais d'un degré de fusion extrême. Ces enfants ne forment qu'un, ne pensent qu'un, ont des comportements très proches. C'est pour ça que la plupart du temps ils ont le même physique et sont monozygotes. Mais peut-être existe-t-il des exemples non référencés avec des faux jumeaux ou des frère et sœur.

Nouvelle fournée d'éclats de noisettes. Alouane se cala au fond de son siège.

— Je décortique tout ça dès que j'ai cinq minutes et je vous recontacte quand j'ai davantage d'informations. J'espère avant demain soir, mais je ne garantis rien. Quoi qu'il en soit, lorsque vous mettrez la main sur votre assassin, assurez-vous qu'il soit le bon, et pas son frère.

66

— Bonjour, madame Forestier. Inspectrice Florence Ferriaux. Merci de me rappeler.

— En quoi puis-je vous aider ?

Assise à son bureau, Florence leva un œil vers Serge et Sharko, qui entraient dans la pièce en tirant des gueules de six pieds de long. Pas difficile d'imaginer qu'ils débarquaient armés d'un nouveau flot de mauvaises nouvelles.

— Nous travaillons sur une enquête criminelle et avons en notre possession une photo de classe qui doit dater du début ou du milieu des années 1970. Nous connaissons l'identité de l'une des élèves qui y figurent, elle se nomme Hélène Lemaire. J'aimerais savoir si vous conservez dans votre collège des archives de ces années-là : des portraits, des listes…

Il y eut un blanc. Sur sa gauche, ses collègues discutaient à présent avec le Corse, qui se recula sur sa chaise comme s'il s'était pris un coup de poing dans le ventre. La flic préféra leur tourner le dos pour ne pas être distraite. Elle consulta sa montre : 16 h 30 passées. Son contact au conseil de l'ordre des médecins ne se manifesterait plus à cette heure. Plutôt que de fulminer, elle se concentra sur la voix qui revint dans l'écouteur.

— Pour ma part, ça fait deux ans seulement que je suis en poste ici, mais nous possédons des archives, en effet, dont les plus anciennes doivent dater des années 1940, si mes souvenirs sont bons. En revanche... pour tout vous avouer, c'est un peu le fouillis. Tous les dossiers sont dans de gros cartons entassés qui ont subi un déménagement et qui prennent la poussière depuis bien longtemps. C'est tout ce dont vous disposez ? Un nom ? C'est-à-dire que nous avons plus de cinq cents élèves chaque année...

— Désolée. Pour être franche avec vous, je ne suis même pas sûre de taper à la bonne porte, bien que les probabilités soient très fortes puisque Hélène Lemaire était de Sallanches, et qu'il n'y a qu'un collège sur la commune. J'ai réellement besoin de votre aide, et c'est une recherche qui ne devrait pas prendre tant de temps que ça. Une heure ou deux, maximum...

— C'est vous qui le dites... Écoutez, je suis en vacances, alors je peux vous faire ça à la rentrée, si vous voulez.

— Ce sera trop tard. D'ici à demain, ce n'est vraiment pas possible ?

— Non, non, pas du tout. Je reçois une vingtaine de personnes pour le réveillon et je dois tout préparer. Au mieux, dans deux, trois jours, disons jeudi, mais...

Florence regarda Sharko, qui regagnait sa place en se massant les tempes. Serge passa devant elle, faisant le signe « 2 » avec son index et son majeur, puis s'affala sur le canapé sans qu'elle ait compris le sens de son message.

— Et si on vous envoie quelqu'un ? suggéra-t-elle. Tout ce que vous aurez à faire, c'est conduire l'inspecteur de police jusqu'à vos archives. Il pourra même vous redéposer la clé lorsqu'il aura terminé. C'est urgent, madame Forestier. Des vies sont en jeu.

La flic entendit des enfants piailler à l'arrière. Son interlocutrice cria un coup et lâcha enfin du lest :

— Très bien, d'accord. Envoyez-moi quelqu'un demain, mais dans l'après-midi, parce que je ferai mes courses le matin. Qu'il sonne à l'Interphone du premier bâtiment juste avant la grille, et je l'accompagnerai vite fait jusqu'à la pièce du collège où tout est stocké.

Après avoir raccroché, Florence alla échanger deux mots avec son chef, qui acquiesça. Après quoi elle s'adressa à l'équipe :

— Qui est numéro 6 et dernier de groupe, ici ?

Franck releva la tête, le sourcil interrogateur. Elle se dirigea vers lui.

— On sait que t'as envie de rendre un immense service à la police nationale française…

Franck lorgna avec méfiance le papier que sa collègue tenait.

— Je ne suis pas certain, non…

— Ton billet aller-retour pour Sallanches, en Haute-Savoie, annonça-t-elle en écrasant sa feuille devant lui. L'idée, c'est que tu débarques là-bas demain en début d'après-midi, ensuite la principale du collège t'ouvre les archives et tu nous rapportes le gros lot. Je suis sûre que ça va payer.

— La Haute-Savoie, répéta Sharko, dépité. Merde, Florence, ce n'est pas la porte à côté.

— Six ou sept heures de route, grand max. Autoroute tout le long. Comme une lettre à la poste.

— Et je fais quoi après les archives ? Je ne me vois pas me farcir le retour aussi sec. Je dors dans un hôtel, un 31 décembre ?

— On est tous d'astreinte, alors au 36, dans un hôtel ou chez toi collé au téléphone pendant que les autres font la fête, c'est du pareil au même. Au moins, tu t'en souviendras, de ce réveillon…

— Je m'en souviendrai, ouais. Je crois que niveau souvenirs, j'ai ma dose. Je ne risque pas d'oublier mes trente ans. Vivement le 25 avril, tiens, que je change d'année !

Elle lui adressa un bref sourire et s'approcha de Serge, qui semblait au fond du gouffre.

— Qu'est-ce qui se passe, mon gros ?

— Il se passe que, d'après l'Oreille, on aurait affaire à des jumeaux, tonna la voix de Santucci dans son dos. Des putains de jumeaux.

Le Corse les rejoignit et s'affala à son tour sur le canapé avec un rire nerveux. L'inspectrice ne l'avait jamais vu dans cet état. Elle resta là, bêtement, face à eux. Se tourna vers Sharko pour s'assurer que tout cela était vrai. Il acquiesça.

— L'un qui appelle l'autre d'une cabine située au pied de son immeuble pour lui ordonner de tout arrêter, ou alors… il mettra fin lui-même à tout ça. On croirait une mauvaise blague.

À l'image de ses collègues, Florence alla s'effondrer dans un fauteuil.

— Ça alors…

Amandier lui tendit la retranscription du message, qu'elle lut. Puis il se leva avec un grognement et alla fouiner dans le frigo.

— Le meilleur moyen d'affronter ça, c'est encore de boire un coup.

Il proposa une canette à son chef. Celui-ci, pour une fois, ne déclina pas l'offre. Quatre bières. Pour quatre flics abattus. Ils trinquèrent comme on le fait après un enterrement. C'était un moment triste, mais Sharko se rendit compte qu'il n'était plus en dehors du groupe. Non, il était là, avec eux, au cœur d'une famille qui se reformait autour du Corse, malgré les tensions, les colères, les différends. Ils traversaient une épreuve commune qui, chacun à leur façon, les ébranlait, mais ils faisaient corps.

Dans les minutes qui suivirent, ils ne parlèrent pas beaucoup. Tous étaient plongés dans leurs pensées, essayant de se refaire le film de l'enquête, d'imaginer une présence duale, une deuxième silhouette dans l'ombre de la première. Des jumeaux…

Canette à la main, Florence finit par regagner sa place. Elle s'assit sur le rebord de son bureau et parcourut les photos de l'appartement de David Merlin. Sharko l'observait. Elle était comme lui, elle n'arrêtait jamais. Derrière le joli minois, le prédateur traquait sans relâche…

— On est certains qu'ils sont frères ? s'enquit-elle.

— L'Oreille sera peut-être en mesure de nous confirmer ça en analysant les voix, répliqua Serge. Moi, je le crois. Sharko est plus sceptique. Toujours est-il que, d'après le technicien de l'IJ et les études menées sur la cryptomachin, c'est-à-dire sur l'élaboration d'un langage secret, ce truc touche surtout les vrais jumeaux. Si tu veux, il y a la cassette de l'enregistrement dans mes affaires...

— Les études, ça reste des études.

La flic glissa la cassette dans un magnétophone et écouta.

— Alors ? demanda Serge.

— Je n'en sais rien. Drôle de voix, en effet.

Elle fouilla dans ses piles de paperasse et ouvrit une pochette bleue avant d'en sortir un cliché, qu'elle regarda longuement.

— T'as quelque chose ? lança Santucci.

Elle sembla revenir de loin et secoua la tête.

— Non... Enfin, si. Tu te souviens, ces gamètes peints en rouge sur les murs de la maison d'Hélène Lemaire ? Le masculin et le féminin. Deux symboles tracés face à face dans le hall... Indissociables... C'est tordu, mais peut-être que ces dessins ont un lien avec cette histoire de gémellité. C'est lui qui agit, mais il laisse une trace de sa jumelle chez sa victime avec ces gamètes... Ou alors, il nous fait savoir qu'il n'est pas seul... Un homme et une femme...

Amandier siffla entre ses dents.

— Qu'est-ce qui t'arrive ? Tu te mets à faire du Sharko ?

Elle ignora la remarque de son coéquipier, se décala vers les photos prises récemment chez David Merlin.

— On retrouve cette même... comment dire... obsession, ou plutôt dualité, dans son logement. Ces hommes en plastique travestis et maquillés. Ces femmes brûlées aux parties génitales. Je n'ai aucune idée de ce que tout cela signifie, mais il y a quelque chose de l'ordre du trouble psychique lié à la sexualité. Pas la sexualité en tant qu'acte de coït. Je pense davantage à quelque chose en rapport avec le genre, au sens génétique du terme. Mâle, femelle…

Elle acquiesça, comme si elle se parlait à elle-même et qu'elle validait ses propres propos.

— Et s'il avait une sœur jumelle avec laquelle il a été fusionnel dans son enfance ? Et si c'était à cause d'elle, d'un drame passé, qu'il reportait aujourd'hui sa haine sur les femmes… Tout autre hypothèse : peut-être aurait-il aimé être une femme, à l'image de sa sœur jumelle ? Prendre sa place ? Qu'il soit elle, et qu'elle soit lui.

Serge engloutit plusieurs gorgées d'alcool d'un coup et leva sa canette.

— Toi, t'as pas besoin de picoler pour débiter des trucs délirants. Elle, lui ; lui, elle : j'y comprends plus rien.

— Ou alors, il la venge. Tout simplement.

Il faisait désormais sombre, dans le bureau. Elle alluma la lumière et se posta devant le mur où étaient exposés les gamins nus.

— Un bras vengeur, oui. On se demande depuis le début s'il n'est pas parmi ces garçons, mais c'est peut-être sa sœur jumelle qui est là. C'est elle qui a eu affaire à Escremieu et au pédiatre. David Merlin a-t-il partagé, psychologiquement, la souffrance physique de sa sœur, à un point tel qu'ils en sont venus à se couper des autres et à créer leur fameux langage secret ?

Elle plaqua ses paumes sur ses joues et tira vers l'arrière, jusqu'à ce que ses yeux se brident.

— Tout ça me rend dingue ! C'est comme pour ton histoire de jockey, Sharko, je suis sûre que la solution est sous notre nez, et qu'on ne la voit pas.

Franck posa sa canette à moitié entamée sur la table basse et la rejoignit. Lui aussi considéra chaque visage, dont seuls deux avaient en définitive été identifiés : Delphine Escremieu et Caroline Brandier. Il en restait vingt et un, dont neuf fillettes inconnues. De petites têtes blondes innocentes.

— Peut-être qu'elle est là, oui. Mais si le tour est bien ficelé, on peut encore chercher longtemps…

67

Sharko fourra l'essentiel dans un sac de sport : nécessaire de toilette, slip, chaussettes, maillot de corps, pull en laine. Il n'oublia pas non plus la photo de classe, ainsi que les clichés des enfants nus. Puis il zippa la fermeture et plaça le sac près de sa porte d'entrée. Le lendemain, il partirait aux alentours de 7 heures, ce qui lui permettrait d'arriver à Sallanches en début d'après-midi.

— Je ne comprends pas qu'on t'envoie là-bas un jour de réveillon, s'insurgea Suzanne lorsqu'il lui téléphona. Ils n'ont donc aucun scrupule ?

— Ce ne sont que des archives à fouiller, ça va aller. Au moins, je vivrai mon astreinte paisiblement dans les montagnes, sans risque d'être dérangé par un appel. Ce n'est pas si mal, finalement. Et j'emporte une boîte de foie gras avec une demi-bouteille de sauternes. Comme ça, on trinquera tous les deux, même à distance ! Qu'est-ce que t'en penses ?

— Il n'y a que toi pour avoir des idées pareilles.

Ils discutèrent une petite heure, puis Franck raccrocha. Il soupira alors longuement, plein de remords. Il ne lui avait pas parlé de ce qu'il s'apprêtait à faire.

Allait-il réussir à mettre un nom sur le tueur des Disparues du Sud parisien ? Le chef du SMUR de la Salpêtrière lui avait laissé un message avec les adresses des suspects. Le jeune inspecteur avait noté, sur un morceau de papier, les deux qui l'intéressaient : celle de Richard Jumont, l'infirmier, et celle de Dominique Tournel, le médecin. Ils habitaient Paris *intra-muros*.

C'est ce soir, songea-t-il. *C'est ce soir que tout se passe...* Il jeta un œil à son holster alourdi de son MR 73, suspendu à son portemanteau, hésita et décida de ne pas l'embarquer. Après tout, il ne devait faire que de la reconnaissance, et en aucun cas tenter quoi que ce soit.

Vêtu d'un jean noir, d'un pull camionneur bleu foncé et d'un blouson d'hiver gris, il rejoignit le métro et prit la direction du 1er arrondissement, là où logeait le toubib du temps où ce dernier travaillait à la Pitié-Salpêtrière. Il était 19 heures. Sharko ignorait encore ce qu'il ferait une fois sur place, il comptait sur la présence d'un concierge qui pourrait lui fournir des informations. Dans le pire des cas, rien que le fait de voir à quoi ressemblait l'homme serait utile, non pas pour l'incriminer, mais au moins pour le discriminer. En effet, d'après les témoignages récoltés au fil des années, l'assassin était quarantenaire, il mesurait dans les un mètre quatre-vingts, était large d'épaules, et avait les cheveux courts de couleur sombre à l'époque du premier meurtre.

Franck descendit au métro Bourse et, aidé de son plan de poche, trouva la rue Hérold, non loin du très animé quartier des Halles. Selon les indications de Rotten, Dominique Tournel vivait au numéro 21.

Franck repéra le bâtiment de quatre étages, beau standing, massive façade en pierre blanche, jouxtant des cabinets d'avocats et de juristes. Était-ce un signe ? La justice d'un côté, le crime de l'autre ?

Il passa une première fois devant l'entrée : protégée par un digicode. Il se glissa alors dans l'ombre, sous le porche de l'immeuble voisin, et attendit un quart d'heure qu'une vieille dame sorte avec son chien. Il se précipita dans son dos et eut juste le temps de bloquer le battant du pied avant qu'il ne se referme.

Le stress monta d'un cran lorsqu'il lut, sur une des boîtes aux lettres, celle de l'appartement numéro 37, « MME & M. TOURNEL ». L'urgentiste était marié, ce qui ne l'empêchait pas d'être coupable. Certains meurtriers avaient une femme, des enfants, et menaient une vie sociale des plus normales. Autre hypothèse : Tournel s'était mis en couple après ses forfaits, et ce changement de situation avait mis fin à son épopée sanglante.

Franck grimpa au troisième, le col relevé, l'oreille attentive. Il resta au niveau de la cage d'escalier, le 37 en vue, ne bougea plus le temps que le minuteur s'éteigne et remarqua la lumière qui filtrait depuis l'intérieur du logement. Il y avait quelqu'un. Difficile d'imaginer qu'un tueur barbare puisse se terrer derrière cette cloison. L'envie était forte de mettre un visage sur ce nom, Tournel, mais le jeune inspecteur refusait de prendre le moindre risque. Hors de question de frapper et de baratiner un mensonge. Même des années après ses actes, le potentiel criminel devait encore être sur ses gardes.

Sharko avait un plan de secours. Il redescendit dans la rue, patienta vingt nouvelles minutes, et quand il repéra la dame de retour avec son chien, il courut et essaya d'ouvrir la porte devant elle. Il feignit la panique.

— Excusez-moi, madame. J'habite en face depuis peu. Mon bébé est tombé de sa chaise haute et il s'est tapé la tête. Il est conscient, mais il n'arrête pas de pleurer. Une voisine m'a dit qu'il y avait un médecin, ici. Elle ne se rappelle plus son nom. Quarantaine d'années, large d'épaules, environ un mètre quatre-vingts…

Les sourcils de son interlocutrice se froncèrent.

— Il y a bien le docteur Tournel, oui. Mais il a aux alentours de cinquante-cinq ans, et il est plutôt petit et maigrichon. Enfin peu importe, il pourra vous aider. Venez…

Elle composa le code et se retourna. Mais Sharko s'éloignait déjà.

— Je vais finalement m'arranger autrement, lança-t-il. Merci quand même !

L'assassin n'était pas Tournel. Alors, à grands pas, Franck regagna la station de métro, prit la ligne 3, puis la 5 en direction du sud. Il était proche, tout proche du but de sa quête, désormais.

Accroché à une poignée, serré contre les autres voyageurs, il observait. Les gens qui lisaient le journal, assis sur les banquettes. Ceux qui somnolaient. Il savait que n'importe lequel d'entre eux pouvait basculer, que personne n'était à l'abri, pas même lui. Il se dit que Richard Jumont, l'infirmier, avait peut-être emprunté cette rame, aujourd'hui. Un anonyme parmi les autres rentrant chez lui, après une journée de travail bien remplie. Un monstre avec du sang sur les mains.

Terminus Place-d'Italie. Il trouva le boulevard Auguste-Blanqui, qu'il remonta sur trois cents mètres.

Le vent d'hiver balayait les artères, le métro aérien filait dans un fracas de métal, bondissant d'arrêt en arrêt comme un bourdon en quête de fleurs. Il arriva devant l'immeuble du 96, une tour de quinze étages. Ce coup-ci, à proximité des portes vitrées qu'il atteignit après avoir gravi quelques marches, pas de digicode. En revanche, à l'intérieur, dans le hall, il tomba sur une loge au-dessus de laquelle était vissée une plaque « CONCIERGE ». Une fenêtre ouverte, en partie obstruée par une grille à demi baissée, faisait office de guichet et donnait sur un bureau encombré de balais, de seaux, de petit matériel de dépannage. Sharko regarda sa montre – 20 h 20 – et alla jeter un œil aux centaines de boîtes aux lettres, sur le mur d'en face.

— Je peux vous être utile ?

Le concierge était apparu à son poste, en train de manger une pomme. Un homme au visage rond et jovial, moustache noire et cheveux gominés en arrière. Franck n'était pas à l'aise, il devait éviter de trop traîner là, au cas où, malchance, Jumont viendrait à passer. Il s'approcha de son interlocuteur.

— Oui, sans doute. On prépare une surprise à un ami ainsi qu'à son frère. Je voulais m'assurer que le frère habite bien ici, parce qu'on va lui envoyer une invitation mystère dans quelques jours.

— Je connais à peu près tout le monde. Dites-moi comment il s'appelle.

— Richard Jumont.

— Désolé, mais ça fait un bail qu'il a déménagé.

Franck ne cacha pas sa déception.

— Mince… Vous avez une idée de sa nouvelle adresse ?

Le type observa sa pomme, la tourna pour en croquer une grosse bouchée.

— Non. Mais vous, vous n'êtes pas au courant de ça ? Ça ne colle pas, votre histoire de surprise, monsieur. Ça fait plus de deux ans que Richard Jumont est parti. Qu'est-ce que vous cherchez, exactement ?

Sharko avança jusqu'à l'encadrement, les ombres creusèrent davantage ses cernes. Il décida de montrer sa carte de police.

— Parlez-moi de lui, s'il vous plaît.

Une lumière brilla dans l'œil du concierge.

— Pour tout vous dire, je le voyais peu, il travaillait souvent la nuit. Toujours très poli. Pas le genre à faire des problèmes.

— Célibataire ? Marié ? Est-ce que vous pouvez le décrire physiquement ?

— Je l'ai toujours vu seul. Et pour la description… Je vous laisse patienter une seconde.

L'homme disparut un instant et revint avec une photographie.

— J'ai une quinzaine d'années de métier dans cet immeuble, et j'aime bien me fabriquer quelques souvenirs avec les locataires ou les propriétaires qui s'installent ici. Quand ils acceptent, parce que ce n'est pas le cas de tout le monde… Bref, j'ai plus de deux mille Polaroid comme celui-là. Et je vous présente M. Jumont.

Franck saisit le cliché d'excellente qualité, tiré devant un parterre de fleurs de l'immeuble. L'infirmier avait une carrure imposante et dépassait le concierge d'une tête. La quarantaine, cheveux courts et châtain foncé. Rien, et surtout pas son sourire, n'indiquait qu'il était un sadique sanguinaire. Il avait les traits plutôt réguliers, une belle tenue, un physique agréable. Comme Ted Bundy, assassin de plus de trente femmes. Au dos du papier glacé, une date avait été inscrite : 8 septembre 1987. France, la deuxième victime, avait été tuée moins d'un mois avant. Tout correspondait ou, en tout cas, rien ne réfutait le fait que Richard Jumont pût être le monstre qu'il traquait.

— Je peux garder votre photo ?

Le concierge hésita, puis acquiesça.

— Allez-y, oui. Je n'y tiens pas particulièrement, mais si vous pensez à me la rapporter, à l'occasion, ce serait sympa.

Franck glissa sa trouvaille dans son portefeuille.

— Je le ferai... Est-ce que vous vous rappelez plus précisément quand il a quitté l'immeuble ? Vous avez parlé de plus de deux ans.

— Oui, oui... Je dirais l'été 1989. Maintenant que j'y songe, ça a été une drôle d'histoire, d'ailleurs...

— C'est-à-dire ?

— M. Jumont est parti du jour au lendemain. Je l'ai vu descendre un soir, sans valises, sans rien, et ça a été la dernière fois...

Sharko se raidit. Le troisième meurtre avait eu lieu en avril 1989. Depuis, plus aucune manifestation de ce taré... Y avait-il un lien avec ce départ précipité ?

— Vous savez ce qui s'est passé ?

— Oui et non. Quelqu'un de sa famille a débarqué quelques semaines plus tard pour récupérer ses affaires, parce que M. Jumont avait tout laissé en plan. Quand j'ai demandé de ses nouvelles, parce que j'étais inquiet, l'homme m'a répondu que M. Jumont avait été agressé, et jeté dans le canal de l'Ourcq. Et qu'il avait survécu, mais avec de graves séquelles, et ne reviendrait plus loger ici.

Franck ne sut dire combien de temps dura le trou noir qui l'ensevelit. Ses tempes bourdonnèrent. Il se rappela sa conversation avec Florence, le jour où ils étaient allés prévenir les parents de Delphine Escremieu. Les révélations qu'elle lui avait faites, au sujet du demi-frère de Serge. Quand il redressa la tête, ses deux mains étaient cramponnées au guichet. Le concierge criait presque à son oreille.

— Oh, ça va ?

— Je… Oui, oui.

Non, rien n'allait. Franck reprit son souffle, il devait absolument se calmer.

— Est-ce que vous vous souvenez si celui qui a vidé l'appartement avait une marque de naissance sur le nez ? Une tache de vin rouge foncé ?

L'autre acquiesça avec certitude.

— Oui, c'est tout à fait exact. En plein milieu du visage.

Le jeune inspecteur, encore sonné, le remercia et regagna le boulevard Blanqui. Il ne sentait plus le vent glacé qui fouettait les bâtiments ni n'entendait le boucan des rames aériennes. La ville lui passait au travers, tandis que tout s'éclairait soudain. Son cerveau joua la scène qui avait dû se produire dans le bureau, des années plus tôt, lorsque Serge, alors chef de groupe, avait découvert la note de Titi dans la bulle.

Ai appris qu'un appartement avait en partie brûlé à l'étage du logement d'Isabelle Rondieux, la troisième victime, fin mars 1988, soit treize mois avant son meurtre. [...] Pompiers et ambulance ont été envoyés sur place.

Amandier avait-il tilté en lisant cette phrase qui mentionnait l'intervention des services d'urgence ? Avait-il eu un simple doute, estimant que son demi-frère pouvait être l'assassin qu'ils traquaient depuis tout ce temps ?

Franck le visualisait en train de se débarrasser du papier de Titi, puis... C'était à peine croyable, mais Serge avait trouvé le meurtrier : son propre demi-frère. Facile d'imaginer son anéantissement et sa colère. Alors il avait pris une décision : il n'y aurait pas de justice, mais la loi du talion s'appliquerait. Richard Jumont avait fait du mal. Il allait payer à son tour. Œil pour œil, dent pour dent. Serge Amandier avait-il ensuite participé à l'agression et balancé le corps dans le canal de l'Ourcq ? Ou avait-il engagé des malfrats pour le faire ?

Sharko parcourait les couloirs du métro d'un pas d'automate. Après ça, son coéquipier avait sombré dans l'alcool, la dépression. Son monde s'était effondré, ses convictions également : le mal pouvait se cacher sous les traits de n'importe quel visage, y compris celui des êtres qui lui étaient proches. Il avait malgré tout fallu continuer à faire semblant, à poursuivre un fantôme, à mentir à tout son entourage. Ses collègues, sa famille, celles des victimes... Et pendant ce temps-là, son demi-frère au cerveau grillé par le manque d'oxygène, aveugle d'un œil, croupissait dans un centre spécialisé. Peut-être même plus conscient des atrocités qu'il avait commises.

Sharko saisissait mieux pourquoi Serge avait insisté pour qu'il ne parle de sa piste des ciseaux à personne.

À tous les coups, il n'avait jamais interrogé le légiste à ce sujet. Il avait cherché à éloigner Franck de la bonne voie. Fait en sorte que cette histoire reste enterrée à tout jamais.

Franck rentra chez lui et s'écroula sur le canapé, les mains sur le crâne. La voix rauque de son coéquipier résonnait dans sa tête. « Pas impossible que t'aies à me rendre la pareille un jour », lui avait-il glissé, quand le jeune inspecteur le serrait contre lui devant la maison de Madelie Souffrant.

Bon Dieu, qu'est-ce qu'il allait faire ?

68

Les Alpes... Violentes, puissantes, dressées là comme pour décourager toute velléité de les franchir. Sharko devinait, au loin, le bleu turquoise des glaciers, la colère des roches, et les arêtes blanches des crêtes qui se chevauchaient jusqu'au toit de l'Europe. Il s'aventurait sur un territoire où le temps ne s'écoulait pas à la même vitesse qu'ailleurs. La férocité de Paris, l'enfer des meurtres, lui parurent à des années-lumière de là.

Le jeune inspecteur ne s'était arrêté qu'une fois sur une aire d'autoroute, au niveau de Mâcon, pour faire un tour aux toilettes et avaler un sandwich. La veille, il n'avait pas beaucoup dormi, miné par ses découvertes concernant l'affaire des Disparues. Par la décision qu'il allait devoir prendre. Serait-il capable de mettre derrière les barreaux, jusqu'à la fin de ses jours, l'homme qui lui avait sauvé la vie ?

Enfin, il arriva à destination. L'hôtel, d'abord. Il dénicha un trois étoiles agréable dont les deux tiers des chambres étaient inoccupés. Il dépassait le budget alloué par son service, mais il accepta d'ajouter la différence. Après tout, il y fêterait son Nouvel An... Et la vue saisissante le valait bien. Il posa sa valise sur le lit et mit le sauternes ainsi que le foie gras dans le petit réfrigérateur faisant office de minibar.

Il était environ 14 heures quand il sonna à l'Interphone de la principale. Magalie Forestier portait un tablier taché de farine autour de la taille. Après de brèves salutations, elle lui proposa de la suivre jusque dans la cour de l'établissement qui, intégralement blanche, scintillait au soleil. Franck marchait le long du préau lorsqu'il repéra les montagnes en arrière-plan. Il leva la photo de classe qu'il tenait à la main. Aucun doute, l'instant avait été immortalisé à cet endroit. C'était déjà, en soi, une bonne chose.

Forestier baissa le gros interrupteur du circuit électrique et invita son visiteur à descendre dans un sous-sol éclairé par des lampes à néon. Après un couloir, ils bifurquèrent dans une pièce glaciale où s'entassaient des cartons de paperasse.

— Voilà, fit la principale. Comme je l'ai expliqué à votre collègue, j'ai hérité des archives dans cet état et je dois vous avouer que je n'ai pas encore eu le temps de songer à les trier… J'espère que vous trouverez ce pour quoi vous avez fait toute cette route.

Après lui avoir donné quelques consignes à appliquer une fois ses fouilles terminées, elle lui tendit le trousseau de clés et s'en alla. Franck observa les murs noirs, la lumière des tubes fluorescents qui grésillait, et poussa un soupir. Il n'y avait même pas de chaise ni de table, et l'éclat aveuglant du paysage lui paraissait déjà loin.

Heureusement, les années étaient inscrites sur la plupart des cartons. Il commença par rassembler ceux qui couraient de 1972 à 1976, ce qui devait correspondre à peu près à la période où Hélène Lemaire avait fréquenté l'établissement. Il ouvrit le premier et, assis sur un autre, en sortit des pochettes cartonnées qui portaient, chacune, le nom d'une classe. Quatre par niveau, ça en faisait donc seize.

Sa déception fut grande quand il constata que leur contenu se résumait à un simple empilement de fiches administratives et de relevés de notes. Pas même des photos d'identité, uniquement des patronymes, des dates de naissance et des adresses sur des feuilles jaunies par le temps.

Il ne se laissa pas abattre pour autant et partit à la recherche de la seule information dont il disposait : Hélène Lemaire. Pour ce faire, il se devait d'être méthodique. Ainsi, puisqu'il était difficile d'estimer l'âge de la jeune fille sur le cliché qui figurait dans le cahier de David Merlin, Franck commença par le début. Les 6e eurent alors toute son attention.

Tandis qu'il épluchait les dossiers et que les adolescents anonymes défilaient devant ses yeux fatigués, Sharko sentait que son esprit divaguait. Sa conscience s'envolait comme un papillon. Il voyait Serge démolir le visage de son demi-frère. Lui casser les os de ses gros poings, frapper, frapper jusqu'à manquer de souffle, le balancer à la flotte, en faire un handicapé à vie. Ces images lui étaient insupportables.

Il enchaîna deux cartons sans succès, puis, soudain, son regard accrocha ce qu'il l'était venu chercher à six cents kilomètres de chez lui. Année 1972. Hélène Lemaire, née en octobre 1961 à Sallanches, avait été en 6e B.

L'inspecteur reprit une à une les fiches des élèves de cette classe. Avec un peu de chance, il tomberait sur deux noms identiques. Car si David Merlin avait effectivement été scolarisé dans ce collège, et qu'il avait une sœur ou un frère jumeau, il était probable qu'ils aient été ensemble en cours. Du moins l'espérait-il. Mais il ne trouva rien.

Il mit plus d'une heure à reconstituer le parcours d'Hélène : 5e D, 4e C, puis 3e C. Il écrivit ces informations dans son carnet. Il s'intéressa ensuite de nouveau à ceux qui avaient été ses camarades. Son cœur s'emballa quand il découvrit le même nom, sur deux feuilles successives, pour la 4e C. On était en 1974.

David Lescure, né le 4 août 1960 à Brest.

Julie Lescure, née le 4 août 1960 à Brest.

Des jumeaux. Sharko sentit un immense apaisement l'envahir. Il les tenait. Cette fois-ci, plus de pseudonyme ni de grimage. Des identités brutes, perdues dans des sous-sols oubliés.

Il compulsa les renseignements administratifs ainsi que les bulletins de chacun. De trimestre en trimestre, les appréciations de Julie s'étaient dégradées, jusqu'à devenir catastrophiques. « Résultats en chute libre », « Julie ne travaille plus », « Avertissement pour mauvais comportement », indiquaient les appréciations des professeurs. Les notes de David avaient suivi la même courbe descendante, mais en moins violent.

Franck s'empressa de relever l'adresse des parents. À l'époque, ils vivaient à Passy, un bled encore plus paumé dans la montagne, dont il avait vu le nom sur un panneau. Il prit son temps pour chercher la trace des jumeaux dans les autres classes d'Hélène. En vain.

D'ailleurs, il ne retrouva leur présence que l'année de leur 5e. David et Julie Lescure étaient donc arrivés dans cet établissement sur le tard – peut-être après leur déménagement de Bretagne – et l'avaient selon toute vraisemblance déserté avant la fin du cycle. Pour quelle raison les deux adolescents n'avaient-ils pas fait leur 3e dans ce collège ?

L'inspecteur remit les cartons en place, éteignit les lumières et quitta les lieux en prenant soin de verrouiller les issues, satisfait. Il n'était pas venu pour rien. David Merlin était David Lescure. Et Julie, sa jumelle qui l'avait appelé de la cabine téléphonique. Celle qui menaçait de prévenir la police si son frère continuait son massacre.

Le soleil avait déjà disparu derrière les crêtes lorsqu'il rendit les clés à la principale. Il profita de cette entrevue pour lui montrer l'adresse des parents. Il comptait y faire un saut pour vérifier s'ils y habitaient encore. Elle lui expliqua que Passy se situait à dix minutes de là, qu'il fallait longer le lac et attaquer les pentes par la D13. Ensuite, un plan détaillé le renseignerait du côté de la mairie.

Dans l'habitacle de sa Renault, Franck lorgna sa montre : bientôt 17 heures. Il allait d'abord jeter un œil là-bas, puis il passerait un coup de fil à Santucci pour l'informer de ses découvertes.

Les jours de liberté de David Lescure et de sa sœur, si elle était impliquée dans quoi que ce soit, étaient comptés.

69

Florence raccrocha son téléphone, s'arracha de son siège et plaqua un morceau de papier devant le nez de Serge, qui sirotait son café de fin d'après-midi tout en tapant d'un doigt à la machine à écrire.

— Enfin, je l'ai ! Je croyais que le gars du conseil de l'ordre ne me rappellerait jamais. Comme quoi, on peut se tromper… Le complice d'Escremieu se prénomme Albert Lagarde, né en 1921 à Lyon. Il a soixante-dix berges et a travaillé en endocrinologie pédiatrique à l'hôpital Meurin de 1958 à 1974…

Amandier s'empara de ses notes pendant qu'elle poursuivait :

— Pour le reste de sa carrière, mon contact n'a pas d'infos, ce qui signifierait qu'il a quitté le Finistère ou qu'il a arrêté d'exercer la médecine. Il faudrait cette fois qu'on se fende d'une lettre officielle au conseil de l'ordre national pour espérer en apprendre davantage.

— Des chieurs de première, ceux-là. Ils nous emmerdent, avec leurs courriers.

— Je suis d'accord. Par contre, le type à qui j'ai parlé a pu me dire d'où Lagarde venait quand il a pris son poste à Meurin : l'institut Demonchaux, du côté de la forêt de Sénart et d'un bled du nom de Draveil.

— C'est quoi, cet institut ?

— Apparemment, un endroit où l'on soigne des enfants à problèmes.

Elle alla chercher son blouson, s'empara des photos de l'affaire qu'elle glissa dans une pochette et se dirigea vers la sortie.

— L'institut existe toujours, j'y vais. Même si ça remonte à loin, ils doivent avoir des traces de Lagarde.

Son collègue consulta sa montre.

— T'as vu l'heure ? Ça va te servir à quoi, d'aller là-bas maintenant ?

— J'ai besoin de cerner le bonhomme. Essaie de voir si tu peux retrouver son adresse quelque part.

— Et tu veux que je fasse quoi, exactement ? Dans une heure, tout est fermé. Je te préviens, à 17 heures, je suis plus là.

Il leva son mug de café.

— J'ai rencard avec un Chivas vingt ans d'âge. Ça fait des semaines que je prépare mon foie pour ma plus grosse biture de l'année, alors faut pas me gâcher ça… Tu sais combien elle coûte, ma bouteille ?

Florence le considéra avec des reproches dans le regard.

— J'emmerde l'astreinte, renchérit Serge. Tu t'imagines que je vais rester collé à mon téléphone comme un bon toutou ? Attendre gentiment le coup de fil qui m'annoncera qu'un salopard a zigouillé sa femme à cause d'un programme à la télé et qu'on nous réquisitionne pour régler toute cette merde ? Qu'ils aillent se faire foutre ! C'est déjà beau que je me pointe ici demain. C'est le jour de l'An, putain…

L'inspectrice ne dit rien. Elle n'était pas en colère, mais peinée. Elle, au moins, elle avait encore ses parents, et elle s'entendait bien avec ses deux frères. Mais lui… Il allait boire jusqu'à en vomir, puis tomber dans un gouffre. Au moment où elle le quittait, il l'interpella.

— Je crois pas qu'on se reverra aujourd'hui. Alors, bon réveillon, ma grande. En espérant que 1992 sera meilleure que 1991.

Elle vint se serrer affectueusement contre lui.

— À toi aussi, Serge. Fais gaffe, quand même, avec ce Chivas…

70

L'institut Demonchaux se situait à une vingtaine de kilomètres au sud de Paris, dans un environnement agréable avec la Seine d'un côté, et la forêt de l'autre. Un jardin planté de marronniers et de tilleuls ouvrait sur une imposante bâtisse XIXe de quatre étages, à mi-chemin entre la maison de maître et l'hôtel particulier. Sa façade de brique rouge et jaune était protégée par une toiture abrupte recouverte de tuilettes noires qui s'assombrissaient à mesure que le soleil tirait son ultime révérence sur l'année 1991.

Florence parcourut l'allée pavée d'un pas déterminé, comme si elle courait après le temps. Sharko n'avait pas encore donné de nouvelles, mais il devait certainement arriver au terme de ses recherches. Les liens du passé se resserraient, les secrets allaient remonter à la surface, la flic en avait la conviction.

Elle franchit la porte d'entrée et se retrouva dans un espace typiquement administratif et hospitalier : un accueil, des fléchages vers des services, du personnel en tenue de ville, mais également en blouse, circulant dans les différents couloirs ou escaliers, et cette odeur si caractéristique. On entendait des airs de musique, venus de l'étage, des clameurs parfois.

L'inspectrice s'avança jusqu'au comptoir derrière lequel une jeune femme faisait du rangement. Elle présenta sa carte de police et expliqua la raison de sa visite : elle souhaitait des renseignements sur Albert Lagarde, employé ici même avant 1958, et se demandait s'il y avait encore, à tout hasard, des salariés de l'époque dans les locaux. Ou si, au pire, on pourrait lui fournir les coordonnées du directeur d'alors.

Son interlocutrice regarda l'horloge d'un air las.

— Je sais, anticipa Florence, mais c'est important.

La femme décrocha son téléphone, échangea quelques mots et raccrocha.

— Grégoire Millet va vous recevoir. C'est le chef du service éducatif. Il est à deux doigts de la retraite et a fait toute sa carrière entre ces murs...

L'homme ne se fit guère attendre. Longs cheveux poivre et sel ébouriffés, barbe de trois jours, chemise épaisse à carreaux par-dessus un pantalon en velours côtelé. Davantage style baba cool que chef d'un service quelconque. Il marqua sa surprise lorsqu'il serra la main de la flic.

— J'ignorais qu'il y avait...

— Il faut un début à tout, y compris dans la police, l'interrompit Florence.

Le fait qu'elle le coupe d'emblée sembla le perturber. Son visage gris, tout en rides, garda néanmoins son expression cordiale. Il lui fit signe de le suivre.

— La secrétaire m'a indiqué que vous souhaitiez obtenir des renseignements sur Albert Lagarde. Si ma

mémoire est bonne, c'était il y a plus de trente ans…
Qu'est-ce que vous voulez savoir, au juste ?

— J'éclaircirai tout ça quand nous serons au calme dans votre bureau. Ça devrait être rapide. L'heure du réveillon approche, et on a tous envie de rentrer chez soi.

— Comme vous dites.

— Que faites-vous précisément dans ce centre ?

— Nous sommes une structure publique qui existe depuis 1922. Nous accueillons à ce jour quarante enfants pour des séjours de plusieurs semaines. Ils ont entre huit et quinze ans et présentent des troubles du comportement ou de la personnalité, voire les deux.

— Ce qui signifie ?

— Phobie sociale ou scolaire, psychose infantile, troubles paniques… Vous trouverez parmi le personnel encadrant des enseignants, des éducateurs et des professionnels du soin comme des médecins ou des psychologues. Nous ne sommes pas un établissement psychiatrique. Nous médicamentons peu, et nous ne sommes pas favorables à la contention. Le dialogue et la pédagogie avant tout.

Ils passèrent devant des escaliers et s'enfoncèrent dans un couloir visiblement dédié à l'administration.

— Puisque l'objet de votre visite concerne l'histoire de l'institut et Albert Lagarde, je me dois de vous informer que, jusqu'en 1968, nous possédions également une très grosse unité baptisée le CÉDICS, le Centre d'études des désordres infantiles à caractère sexuel. Nous y traitions, entre autres, des gamins sujets à des CSP, autrement dit, dans le jargon, des comportements sexuels problématiques : manipulation du sexe seul ou devant des tiers, utilisation constante de mots sexuels,

attouchements sur d'autres mineurs, orientations homosexuelles…

— Orientations homosexuelles ? Vous rangez ça
avec toutes ces déviances ?

— Pas moi. Mais n'oubliez pas qu'on parle des
années 1950 et 1960. Sans doute ignorez-vous que l'homosexualité n'a été supprimée de la liste internationale
des maladies mentales que l'an dernier, par l'OMS.

— Disons que je connais quelques homosexuels, et
ils sont largement plus sains d'esprit que la plupart des
hétéros. Enfin bref, j'imagine que je ne me trompe pas
en supposant qu'Albert Lagarde travaillait dans cette
unité ?

— En effet. Il en a pris la tête de 1950 à 1957, avant
de démissionner. Bon vent à lui.

Une chose était sûre : même après trois décennies,
Grégoire Millet semblait garder une certaine rancœur
contre Lagarde et un souvenir intact de lui. Il ouvrit la
porte de son bureau et invita la flic à s'asseoir. Celle-ci
sortit une photo de sa pochette et la lui tendit.

— Tout ce que nous savons de lui, c'est qu'il est
sur ce cliché, vraisemblablement pris à l'hôpital Meurin
de Brest, au côté d'un chirurgien en urologie qui se
prénomme André Escremieu. Le nom de ce médecin
vous dit-il quelque chose ?

— Non…

Il tapota sur le visage de Lagarde.

— Alors c'est là-bas qu'il s'est installé après…
Au fin fond de la Bretagne… Dans un hosto, évidemment… Et pourquoi le recherchez-vous ?

— Nous estimons que sa vie est aujourd'hui en
danger.

Florence fouilla dans sa pochette et lui donna le paquet de clichés des enfants nus.

— Nous avons de bonnes raisons de penser que Lagarde a été impliqué, lorsqu'il a exercé à l'hôpital Meurin, dans quelque chose de grave en lien avec des mômes dont il s'est occupé. Il en va de même pour le chirurgien, André Escremieu.

Grégoire Millet observa les photos jusqu'au bout, les mâchoires serrées.

— Parlez-moi de lui, fit-elle. De son boulot ici, de son rapport avec ses patients…

Il se leva et alla se poster devant la fenêtre donnant sur le jardin, les mains dans le dos.

— Il est arrivé à l'institut en 1950, quelques années après moi. Je travaillais au CÉDICS, et notre directeur de l'époque devait recruter un responsable, puisque le précédent était parti à la retraite. Lagarde avait à peine trente ans, il était plein d'avenir. Il avait écrit une thèse remarquée sur l'hermaphrodisme, un phénomène qui le fascinait, et avait commencé à mener des recherches universitaires sur ce qu'il appelait « la malléabilité psychosexuelle dans la petite enfance ».

— Vous m'expliquez ?

— Une théorie selon laquelle tous les nouveau-nés sont des pages blanches et que c'est l'environnement dans lequel ils évoluent qui détermine leur orientation sexuelle. Lui, comme de nombreux autres, considérait que n'importe quel enfant, garçon ou fille, pouvait être élevé en tant qu'individu de genre opposé si on s'y prenait très jeune. Ça paraît aberrant aujourd'hui, mais c'était la réalité dans les années 1950, et ce courant de pensée faisait presque l'unanimité parmi les cliniciens et les scientifiques…

Florence écoutait religieusement. Le sujet qu'il évoquait semblait en parfaite adéquation avec leur enquête. Millet jeta un œil vers elle.

— Pour être franc, dès le début, je n'ai pas accroché avec Lagarde. C'était un intellectuel théoricien, je le trouvais hautain, il transpirait l'ego et l'ambition. Les gamins qu'on traite ont besoin qu'on soit proches d'eux, qu'on comprenne le fond de leurs problèmes. Lagarde ne les a jamais considérés autrement que comme des rats de laboratoire, destinés à nourrir ses statistiques et ses études…

Il désigna sa pipe, posée sur le bureau.

— Vous permettez ?

L'inspectrice hocha la tête. Il bourra l'objet de tabac blond et fit craquer une allumette.

— Pour aller droit au but, est-ce qu'il a eu des comportements inappropriés envers des jeunes patients de l'institut ? lança Florence.

— Question claire qui mérite une réponse aussi claire. Tout paraît si évident, avec le recul. Vous savez, Albert Lagarde a été recruté pour faire le bien. Mais en définitive, il n'a répandu que le mal…

71

Les eaux du lac avaient viré au noir, dévorées par l'obscurité qui dévalait les pentes au rythme d'une avalanche. Les sommets alentour se transformaient en un théâtre menaçant. Franck emprunta une route qui s'attaquait à la montagne et qui, heureusement, avait dû être salée dans la journée. Après quelques virages, il entra dans Passy, trouva le plan dont lui avait parlé la principale et repéra le chemin qui l'intéressait : ce n'était qu'à un ou deux kilomètres de là.

Il reprit son périple. La petite ville, avec ses rues désertes, ses habitations en bois, lui donnait l'impression d'un décor de Far West en plein cœur des Alpes. Arrivé chemin de l'Épagny, plus de salage, juste de la neige écrasée par quelques rares voitures. Il comprit qu'il ne parviendrait pas à destination sans pneus adéquats. Il se gara donc sur le bas-côté, embarqua sa lampe torche et continua à pied.

Un vent cinglant remontait de la vallée et lui piquait les joues. Ça glissait par endroits, ça grimpait. Sharko sentit son cœur partir dans les tours, au fil des lacets. La température avoisinait les moins cinq degrés.

Au panneau « LES MURETS », il s'engagea sur une voie plus étroite encore, qui permettait à peine le passage d'un véhicule. Devant lui, il aperçut la masse imposante de chalets, mi-pierre, mi-bois, éclairés par des luminaires de jardin ou des décorations de Noël, et disséminés dans la nature, au milieu d'un mélange de prairie et de forêt. Les Lescure logeaient à l'époque au numéro 4.

Le jeune inspecteur dénicha sans mal les numéros 3 et 5, mais il n'y avait pas – ou plus – de numéro 4. Au bout d'une allée, il découvrit des ruines cachées, qu'il balaya avec son faisceau. Des restes de fondation, de soubassement, des vestiges de fenêtres envahis de végétation. Franck s'avança le plus près possible, franchit ce qui devait jadis être le seuil et se retrouva dans le chaos. Des arbres, du lierre, des ronces partout. Plus de toiture, plus d'huisseries, plus de plafond. *Le feu*, songea Sharko. Le feu avait tout ravagé.

Il perçut soudain un souffle dans son dos, se retourna brusquement et se retrouva face à un homme engoncé dans une épaisse doudoune, chapka enfoncée jusqu'à ses yeux bleu glace. Il tenait un berger allemand en laisse. L'animal se dressait sur ses pattes arrière par à-coups, les crocs visibles. Des nuages de vapeur s'échappaient de sa gueule.

— Qu'est-ce que vous faites là ?

— Je suis de la police, répondit Franck calmement. Je vais vous sortir ma carte. Faites gaffe à votre chien.

Il tendit sa carte. L'individu d'une soixantaine d'années cria sur son compagnon, qui ravala aussitôt ses aboiements.

— Il est pas méchant, se détendit le type en hochant la tête avec une expression désolée. Excusez-moi, j'habite pas loin et on fait toujours attention aux inconnus qui traînent dans le coin, surtout quand il commence à faire nuit et en période de fêtes. On a eu pas mal de maisons visitées, depuis quelques mois… Mais qu'est-ce que vous cherchez ici à une heure pareille ?

— Les Lescure.

Les sourcils de son interlocuteur remontèrent sous sa chapka. Les cache-oreilles qui retombaient le long de ses joues lui donnaient l'air un peu abruti, mais, au moins, il ne devait pas avoir froid, contrairement à Sharko, qui était frigorifié.

— Les Lescure ? Vous avez loupé quelques épisodes. Vous n'êtes pas au courant de cette histoire sinistre avec les jumeaux ? De l'incendie ?

— Rien du tout. Racontez-moi.

L'homme hésita, puis finit par se lancer.

— Je n'ai pas vécu le drame en direct, j'étais à Lyon à l'époque. Tout ça, c'était avant que j'emménage dans la maison de mes parents. Mais ils m'ont parlé des dizaines de fois de cette tragédie et j'ai gardé leurs vieux articles de journaux… C'est juste à côté, je peux vous montrer, si vous voulez.

— Volontiers.

— Et d'où vous venez ?

— De Paris.

L'homme siffla entre ses dents. Puis tous deux redescendirent jusqu'à la route, prirent vers les hauteurs et s'engagèrent dans une autre allée qui menait à un chalet devant lequel était stationné un 4 × 4 boueux. Tout juste détaché, le chien se réfugia dans sa niche, à proximité d'un abri à bois. Sharko, lui, ne fut pas mécontent de la bouffée de chaleur qui lui frappa les joues une fois à l'intérieur du logement. Vu l'austérité de l'endroit, la légère odeur de renfermé, l'autochtone devait y vivre seul avec sa bête. Il avait déjà mis la table pour son réveillon : une assiette, une bouteille de vin rouge, une belle nappe dont on voyait encore les plis. Il le pria de s'asseoir sur le canapé devant la cheminée et servit d'office deux génépis.

— Ça va vous réchauffer les bronches. Vous êtes gelé. Cul sec.

Il tendit son verre, invitant Franck à trinquer. La gorgée flamba dans le gosier de ce dernier comme un feu de Bengale. L'homme s'amusa quand il vit la tête de son hôte. Après quoi il fouilla dans un tiroir et lui confia une pochette qui contenait, comme promis, un tas d'articles découpés.

— Les voilà.

L'inspecteur ôta les élastiques, ouvrit, aperçut les gros titres : « Passy, un incendie meurtrier… », « Mystères autour de l'horrible drame des Murets »…

— Presque tout le monde a eu vent de cette histoire, dans le coin. C'était au début des années 1970, les Lescure débarquaient de Bretagne, du côté de Brest, je crois. Le père avait acheté le chalet dans un sale état pour une bouchée de pain et avait tout retapé de ses mains.

Le type essuya son nez qui gouttait sur sa manche.

— Les Lescure, c'étaient des marginaux, ou des timides, en tout cas pas le genre à s'intégrer. D'ailleurs, je me souviens pas de les avoir jamais vus quand je rendais visite à mes parents. Lui, il bossait dans le bâtiment, et elle, dans la restauration.

Sharko acquiesçait, concentré. Le génépi lui travaillait déjà l'estomac et l'autre offrait une deuxième tournée.

— Puis il y avait les jumeaux, Julie et David. Selon mon père, ils étaient toujours fourrés à deux, très réservés. À quatorze ans, en général, on a des tas d'amis, on fait des parties de foot dans le jardin, mais eux, rien de tout ça. Pas de clubs, pas d'activités. Un de nos voisins enseignait au collège de Sallanches, il disait que ça se passait mal. Je connais tous les détails, si ça vous intéresse.

— Bien sûr, que ça m'intéresse.

L'homme leva son second verre et but. Sharko l'accompagna, mais plus modérément.

— Cette Julie, elle était harcelée par un groupe de filles de sa classe. Apparemment, elle avait des vrais airs de garçon manqué dans sa manière de se déplacer. Elle bougeait comme un gars, vous voyez ?

Il fit des mouvements étranges avec ses épaules, cherchant à illustrer ses propos.

— Les mômes, entre eux, c'est pas les plus tendres. J'ai longtemps été directeur de colonie, et c'est clair que c'est pas une légende. À la jeune Lescure, y en a une qui a eu l'idée de lui refiler le surnom de « femme des cavernes ». Ça ne l'a plus jamais quittée, tout le monde l'appelait comme ça. La gamine, elle allait vraiment mal, au point que ça finissait souvent en bagarre, et même le frère n'y pouvait pas grand-chose…

Une bûche craqua. L'homme – il se prénommait Fernand – s'approcha pour tisonner le feu dans l'âtre. Franck était impressionné par son étonnante capacité à relater des souvenirs rapportés, comme s'il les avait vécus lui-même. Il brodait sans doute un peu, mais le policier estima que tout était bon à prendre.

— Puis il y a eu cette photo… Il paraît qu'elle a circulé dans presque toute l'école avant qu'un professeur la confisque. Mais c'était malheureusement trop tard…

— Quel genre de photo ?

— Le genre de celles prises par-dessus la porte des toilettes. La rumeur raconte qu'on y voyait Julie en train d'uriner debout.

Il fit claquer son verre sur la table. Ses mains ressemblaient à de vieux troncs noueux.

— C'est dégueulasse, de faire ça à une camarade. Je veux dire… Une nana qui pisse debout, ça arrive. Vous avez jamais pissé assis, vous ?

— Cette fille qui a pris la photo ou qui était à l'origine du surnom, ça ne serait pas une certaine Hélène Lemaire ?

— Là, vous m'en demandez trop, inspecteur. En tout cas, le Polaroid, c'est le truc qui l'a mise à terre, cette pauvre Lescure. Après ça, elle chialait tout le temps, et elle refusait d'aller au collège. Il paraîtrait même qu'elle a eu quelques petits problèmes dans sa caboche.

Franck se rappelait la dégringolade des notes de Julie, les remarques du corps enseignant. *Idem* pour le frère. Tous les deux étaient si unis qu'ils avaient sombré ensemble. Hélène Lemaire avait certainement détruit une partie de leur adolescence et, quinze ans plus tard, elle l'avait chèrement payé. David Lescure avait organisé une terrible et inimaginable vengeance à l'encontre de tous ceux qui avaient fait du mal à sa sœur. Qui *leur* avaient fait du mal.

Fernand désigna les articles du menton.

— Et comme si tout ça ne suffisait pas, il y a eu l'incendie, cet été-là, pendant les grandes vacances…

Je suis venu chez mes parents quelques jours après le drame. Ça, ça a été un vrai cauchemar pour les gens du coin. Je vous jure, il a fallu beaucoup de temps pour qu'ils s'en remettent...

Son regard se perdit dans les flammes de la cheminée. Il resta immobile, de longues secondes, avant de secouer la tête et de se resservir un verre. Franck, quant à lui, déclina.

— Dans les journaux, ils expliquent que ça a d'abord flambé à l'étage, en pleine nuit. On parle de lampe à pétrole qui aurait mis le feu... En tout cas, la baraque s'est embrasée en deux minutes. On a raconté que les cadavres étaient tout recroquevillés, noirs comme la suie, et perdus dans les décombres. Quand j'ai débarqué, ça sentait encore le brûlé jusqu'ici. Et c'est pas des conneries. Trois morts, bon sang...

Sharko fronça les sourcils, surpris.

— Trois morts ?

— Les parents et le frère. Y a que la gamine qui a survécu. À quatorze ans... Misère...

L'inspecteur n'en croyait pas ses oreilles. Qu'est-ce que cet homme lui chantait ? Il feuilleta les articles, datés de juillet 1974. *Le père, la mère, le fils, carbonisés. La fille, miraculée.* Il releva des yeux inquisiteurs.

— Vous savez comment Julie Lescure a pu s'en sortir ?

— Elle a été découverte à une dizaine de mètres du chalet, inconsciente. Elle a dû réussir à échapper aux flammes et s'évanouir à cause de la fumée, un truc comme ça.

Sharko ne comprenait pas. David ne pouvait pas être décédé dans l'incendie. Tout ça était insensé... Le flic avait même encore en tête le message, décrypté par l'Oreille, que sa sœur avait laissé sur son répondeur : « Il faut que t'arrêtes tout ça, David, ce n'est plus possible. Arrête maintenant. Sinon, c'est moi qui mettrai fin à ces horreurs. »

Il devait y avoir une explication… Comment Julie s'était-elle retrouvée à l'extérieur sans aide ? Et s'il ne s'agissait pas d'un accident ? Mais alors quoi ? Un crime ? Son frère David avait-il tué ses parents et sauvé sa sœur avant de s'évanouir dans la nature ? *Quid* du troisième cadavre, dans ce cas-là ?

Franck lut quelques papiers en diagonale, il était confronté à un problème insoluble : leur suspect ne pouvait pas être mort dans le passé et vivant aujourd'hui. Peut-être le corps d'enfant qu'on avait extrait des décombres n'était-il pas le sien ? Pour le moment, c'était la seule option envisageable.

— Et Julie Lescure, qu'est-elle devenue ? demanda-t-il.

— Certains disaient qu'elle avait été placée dans un foyer, d'autres qu'elle était à l'asile…

— Il y a eu une enquête, à l'époque, je suppose ?

— Les gendarmes ont récupéré le dossier, oui. Si vous cherchez des renseignements plus précis, tournez-vous vers Jacky Blocart. Le gars est à la retraite, mais c'était un copain de mon père et je sais qu'il a travaillé là-dessus. Il vit avec sa femme sur le plateau d'Assy, en haut. Je vais vous montrer comment y aller. Par contre, vous risquez pas de les trouver ce soir. À mon avis, ils sont déjà partis faire la fête quelque part.

Il prit une feuille et griffonna un plan approximatif, tout en le complétant par de précieuses indications.

Sharko le remercia chaleureusement. L'autre voulut lui resservir un coup pour la route.

— Je suis de la police, quand même, se justifia-t-il en refusant.

— Oh ! vous êtes pas les derniers à boire !

Ils se souhaitèrent la bonne année et se quittèrent. Franck faillit chuter à plusieurs reprises en regagnant son véhicule. Avec l'arrivée de la nuit, la neige se transformait en glace. Il rejoignit la départementale et monta jusqu'au plateau d'Assy, pleins phares, roulant avec prudence. L'alcool lui chauffait la carcasse et des paillettes de givre brillaient sur l'asphalte dans les virages.

Comme l'avait prédit le buveur de génépi, les Blocart n'étaient pas là. Sharko rédigea un mot au chaud dans sa voiture et le glissa sous la porte, communiquant l'adresse et le numéro de téléphone de son hôtel, et priant l'ancien gendarme de le contacter dès que possible. Puis il fit demi-tour.

Tout en bas, des lumières scintillaient le long de la vallée ; elles ressemblaient à des étoiles tristes tombées du ciel. Il laissa la gravité entraîner sa Renault dans la pente, direction Sallanches.

Sa chambre grand luxe, sa bouteille de vin et son foie gras l'y attendaient.

72

Grégoire Millet tira de petites bouffées rapides sur sa pipe pour embraser le tabac. La lumière crue du plafonnier renforçait la profondeur de ses rides, surtout sur le front.

— Lagarde a tout de suite imposé sa vision des choses, expliqua-t-il à Florence. Il nous demandait d'appliquer ses recommandations sur nos patients et d'« éduquer » leur entourage. En ce qui concerne l'homosexualité, il écrivait dans des notes internes que les exhibitions parentales étaient importantes pour un bon développement hétérosexuel de l'enfant, ou encore qu'il fallait encourager les géniteurs à se dénuder dans la nature s'ils en avaient l'occasion afin de prendre de l'assurance et de pouvoir se montrer nus sans gêne devant leur progéniture. Si vous lisiez ça aujourd'hui, avouez que ça ressemblerait à une mauvaise plaisanterie. Et pourtant, ça n'en était pas une.

Un nuage grisâtre s'installa entre lui et Florence. Cette dernière eut soudain envie de fumer, mais se retint. Les odeurs de pipe et de cigarette mêlées lui donneraient mal à la tête.

— Il faut se resituer dans le contexte de l'époque, précisa son interlocuteur. Je vous rappelle, ou vous apprends peut-être parce que vous êtes jeune, que, dans ces années-là, certains psychologues américains très controversés parlaient de la pédophilie comme d'un moyen plausible de soigner les comportements sexuels déviants chez des mineurs. Ils affirmaient qu'être le partenaire d'un proche ou d'une personne plus âgée n'avait pas nécessairement d'effets négatifs sur l'enfant. Vous imaginez ? La pédophilie, qui est la plupart du temps la cause de ces comportements déviants chez des gosses, était préconisée pour les traiter. Le serpent qui se mord la queue, en somme...

Ce qu'entendait l'inspectrice ne la surprenait pas. Elle avait le souvenir d'une des diffusions de l'émission de Bernard Pivot, « Apostrophes », il y avait un an peut-être, dans laquelle il avait reçu cet écrivain, Maznef, ou un nom dans ce goût-là. Celui-ci avait prôné en toute impunité la pédophilie dans un programme littéraire, devant des millions de téléspectateurs. Tout cela existait, en pleine lumière qui plus est, elle le savait. Et en huit ans à la Crim, forcément, elle en avait vu... Quelque part, elle était heureuse de ne pas être mère.

Millet se dirigea vers une armoire métallique et l'ouvrit.

— Les patients qui intéressaient Lagarde par-dessus tout, c'étaient les intersexués. C'est sur eux qu'il a le plus travaillé et publié. Ils étaient, bien plus que les homosexuels, le terreau idéal pour étudier sa théorie de la malléabilité psychosexuelle.

— Par intersexués, vous voulez dire ceux qu'on qualifie d'hermaphrodites ?

— Ce n'est pas tout à fait la même chose. Les vrais hermaphrodites sont très rares, ce sont des individus autant mâles que femelles, qui développent à la fois des tissus ovariens et des tissus testiculaires. Leurs deux organes fonctionnent parfaitement. Les intersexués, eux, naissent avec une anatomie sexuelle atypique qui n'est pas obligatoirement visible. Leurs organes externes peuvent ressembler à ceux de n'importe quel garçon ou fille, mais leur anatomie reproductive interne peut être à l'opposé de leur sexe apparent. Les cas d'intersexualité sont nombreux et très différents les uns des autres.

Le chef de service considéra un instant la flic avant de poursuivre.

— Nous accueillions ce genre de jeunes gens, à l'institut. Leur mal-être était flagrant. Des filles qui avaient, dans leurs manières, leur façon de marcher, des attitudes masculines. Des garçons qui, malgré les efforts désespérés de leurs parents, jouaient à la poupée ou voulaient enfiler des robes. Lagarde les appelait les « fruits des expérimentations menées par la nature », et ils devaient permettre, selon lui, de résoudre l'un des plus anciens problèmes posés à la science : la perception de notre identité sexuée est-elle déterminée par l'inné ou par l'acquis ?

À ce moment, Millet sortit un livre de l'armoire et le lui tendit.

— Vous n'observerez dans cet ouvrage que des photos de femmes qui mettent un bébé au monde. Les clichés sont esthétiques mais rudes, rien n'est épargné.

Florence tourna les pages, le nez plissé. Contre toute attente, il lui parut soudain plus simple de regarder un cadavre mutilé qu'un accouchement.

— Ce bouquin faisait partie de la panoplie d'outils qu'utilisait Lagarde pour éduquer les garçons intersexués et leur couper l'envie d'être femme. Il s'agissait pour lui de « schémas de genre ». Autrement dit, l'idée était de forcer un intersexué que les parents avaient élevé dans un genre donné depuis la naissance à rester enfermé dans ce genre. Il se servait également d'images d'adultes en pleines relations sexuelles pour consolider ces schémas. Il demandait ensuite aux enfants de se déshabiller pour décrire leur anatomie, il leur imposait même de mimer des positions sexuelles « homme », ou « femme ». Et…

Embarrassé, il désigna de la tête la pile de photos qu'avait apportées Florence.

— Leur montrer leur propre corps nu, c'était une étape de sa méthode. Et si, personnellement, je trouvais cela abominable, Lagarde n'a jamais été inquiété, ni par la hiérarchie ni par les familles. Les gens l'estimaient, vous comprenez ?

L'inspectrice acquiesça sans conviction. Albert Lagarde avait été un prédateur dangereux qui n'avait même pas éprouvé le besoin de se cacher pour commettre ses crimes. La blouse blanche, l'autorité, la réputation… Et il avait sévi en toute impunité.

— Le pire, c'est que ces patients étaient la preuve que la théorie de l'enfant né « page blanche » ne fonctionnait pas, puisque, malgré l'éducation, malgré le conditionnement social, ils sentaient, au fond d'eux, qu'ils n'étaient pas celui ou celle qu'on voulait qu'ils soient. Leurs gènes les rappelaient à leur genre d'origine. Mais Lagarde considérait que la chirurgie réparatrice pédiatrique, qui se développait à grands pas dans ces années-là, allait résoudre ce problème. Ainsi, les parents choisiraient le genre de leur bébé intersexué dès ses premières semaines de vie, et on lui attribuerait le sexe adéquat grâce à d'innombrables opérations... Évidemment, ne jamais rien révéler à l'enfant était un impératif pour espérer le succès de cette solution. Un poids sacrément lourd à porter, n'est-ce pas ?

Son visage affichait très clairement le dépit qui l'habitait.

— En fin de compte, malgré l'insistance de Lagarde et sa volonté de tout réformer, notre centre n'avait pas vocation à mettre en pratique ce type de « traitement ». Ses relations se sont dégradées avec le directeur, et il a fini par démissionner. Après son départ, je n'ai pas essayé de savoir ce qu'il était devenu, mais, pour être honnête, je ne suis pas étonné qu'il se soit retrouvé si loin d'ici, dans un hôpital, au sein d'un service d'urologie pédiatrique.

Florence commençait à entrevoir l'horrible scénario qui se dessinait dans la tête de son interlocuteur.

— L'endroit idéal pour appliquer ses théories, souffla-t-elle. Tout reprendre de zéro ailleurs, mais au côté d'un chirurgien qui partagerait ses convictions.

— Sans doute, oui.

La flic cernait désormais précisément le rôle de chacun dans ce duo Escremieu-Lagarde. Tous ces gamins qu'ils avaient forcés à être ce qu'ils n'étaient pas au fond d'eux-mêmes, à coups d'interventions au bloc, d'images choquantes, d'humiliations, de menaces...

Elle planta son regard sur la photo de la fillette qu'avait été Delphine Escremieu, preuve, évidente, que les deux hommes n'étaient pas seulement des scientifiques convaincus par leurs idées, mais des pervers qui avaient profité de leur statut pour faire toutes sortes de monstruosités sur des mômes.

— Aujourd'hui, on sait si cette théorie de la malléabilité associée à la chirurgie infantile fonctionne ? demanda-t-elle.

— Ça a été un brillant échec, dit-il en prenant place derrière son bureau. L'identité sexuelle est un sujet de recherche d'une incroyable complexité, mais une chose est sûre : en allant à l'encontre du ressenti d'un enfant intersexué, on ouvre grand la porte à des suicides ou de graves maladies mentales. Celles-ci, d'ordinaire, s'installent durant l'adolescence : angoisses profondes, troubles dissociatifs de la personnalité, schizophrénies…

Les maladies mentales… Florence revoyait la scène de crime à Saint-Forget, les mannequins dans l'appartement de David Merlin, ce contrôle, mais aussi cette folie qui se dégageaient de tout ce qui concernait le Méticuleux.

Elle sortit d'autres clichés de sa pochette. Les disposa sur le bureau, tout en expliquant :

— J'aurais besoin de votre avis. On pense que l'assassin qu'on traque, celui qui constitue un danger pour Lagarde, est passé, dans sa jeunesse, entre les mains de ce dernier et de son acolyte à l'hôpital Meurin. Peut-être même fait-il partie de ces enfants qui ont été photographiés nus. En tout cas, voilà ce qu'il a peint, il y a quelques semaines, sur les murs du hall de l'une de ses victimes…

Millet observa les dessins, sourcils froncés.

— Les gamètes homme et femme.

493

— Il a brûlé au chalumeau les organes génitaux de celle qui habitait là, continua l'inspectrice. Je peux vous montrer ? Moi aussi j'ai mon stock de trucs difficiles à encaisser, je vous préviens.

Il acquiesça et observa.

— Mon Dieu…

— Et ça, ce sont des prises de vue de l'endroit où il vit. Ces mannequins trônent dans sa salle à manger tels que vous les voyez là… Il a, là encore, brûlé le sexe des femmes, et il a travesti les hommes.

Le chef de service scruta chaque cliché. Florence lui laissa le temps de digérer tout ça avant de le questionner.

— Croyez-vous que ces actes puissent être ceux d'un individu intersexué ou présentant une… ambiguïté sexuelle, comme vous dites ? Pour compliquer l'équation, sinon ce serait trop simple, on sait également qu'il a une sœur ou un frère jumeau.

Millet se figea. Il plongea ses petits yeux gris dans ceux de son interlocutrice.

— Des jumeaux… Lagarde en parlait ici comme du Graal. Il appelait ça la *matched pair* idéale.

— Précisez, s'il vous plaît.

— Il estimait que les vrais jumeaux monozygotes, dont l'ADN porte la même information génétique, dont le cerveau et le système nerveux se sont développés *in utero* dans le même bain d'hormones, pourraient délivrer la preuve absolue de la véracité de sa théorie des genres. Dès la naissance, l'un serait élevé dans son sexe d'origine, et l'autre contre nature. Mais son idée avait peu de chances de trouver un champ d'expérimentation, car il aurait fallu que l'un des nourrissons naisse avec des problèmes génitaux ou que ceux-ci surgissent dans ses premières semaines de vie, qu'il subisse une chirurgie pédiatrique de changement de sexe, qu'il endure d'autres opérations plus tard, type vaginoplastie ou phalloplastie, ainsi que des traitements hormonaux permettant de stimuler la formation des seins ou de freiner la pilosité, par exemple. Et bien sûr que les parents acceptent tout ça. Ça reste plausible, mais je…

Il ne termina pas sa phrase. De nouveau, il observa le cadavre mutilé, puis la forêt de mannequins. Il se renfonça dans son siège, dans un état de sidération manifeste.

— Selon vous, l'assassin que vous traquez est un homme ?

Florence hésita, puis hocha la tête.

— Tout l'indique. L'un de nos experts nous a signifié que l'ADN du tueur était celui d'un homme.

Millet fit crisser les poils sur ses joues, pensif. Il avait le regard du physicien confronté à une énigme impossible à résoudre. Il se replongea quelques minutes dans une étude attentive de chaque cliché, puis affirma, catégorique :

— Je mettrais ma main à couper que votre tueur, c'est une femme.

73

Une interminable file de fourgons et de véhicules de police dormait le long du Palais de justice et des trottoirs du quai des Orfèvres. Vu de la Seine, le navire du 36 était à l'arrêt, presque entièrement plongé dans la froide obscurité de cette nuit de Nouvel An.

Presque, car, tout en haut, sous les combles, la lumière clinique du bureau 514 était encore allumée. Florence venait de décrocher sur la ligne directe de Santucci. Le Corse était rentré chez lui, comme tous les autres, quelques heures plus tôt. Il avait précisé qu'il serait joignable en cas d'urgence, certes, mais il n'en réveillonnait pas moins en famille, alors puisqu'elle était là, autant se rendre utile.

— Allô ! Ferriaux à l'appareil, lança-t-elle.

— Florence ? C'est Sharko. Je voulais parler au chef, mais il est peut-être déjà parti…

À six cents kilomètres de Paris, Franck s'installait sur son lit, le téléphone posé sur les genoux. Il avait sorti son vin et son foie gras du réfrigérateur et les avait placés sur la table rectangulaire encastrée dans un angle de la chambre. Il avait déniché un gobelet en plastique dans la salle de bains – avec une brosse à dents emballée à l'intérieur, offerte par l'hôtel –, un tire-bouchon dans le minibar, mais avait oublié d'embarquer dans ses valises des couverts et une assiette. L'assiette, il pourrait à la rigueur s'en passer. Mais difficile de s'attaquer au foie gras avec une brosse à dents…

L'inspectrice s'assit sur la chaise de Santucci, porta une main à son front.

— Il sera là demain. Je suis toute seule et je ne suis pas loin de me choper une migraine, je ne vais pas tarder à plier bagage. Alors, quelles nouvelles ?

— Eh bien, je n'ai pas chômé. Et je peux te confirmer qu'Hélène Lemaire était scolarisée au collège de Sallanches. Le cliché avec les visages découpés remonte à sa 4e, en 1974. Parmi les élèves de sa classe, il y avait des jumeaux : David et Julie Lescure. Nés en 1960. Ils étaient arrivés de Bretagne avec leurs parents un an auparavant…

Des faux jumeaux, un garçon, une fille… Florence nota toutes ces informations sur une feuille, incapable pour le moment de mettre toutes ses idées au clair. Son entrevue avec Grégoire Millet et les révélations de celui-ci l'avaient totalement déboussolée.

— J'ai découvert que Julie avait été harcelée par un groupe de filles, à cause de son allure de garçon manqué. On la traitait de « femme des cavernes ». Un Polaroid d'elle en train d'uriner debout dans les toilettes de l'école s'est mis à circuler et a causé beaucoup de tort aux deux adolescents. Je crois que c'est Hélène Lemaire qui est à l'origine de ce harcèlement. On aurait donc, si l'histoire s'arrêtait là, affaire à une vengeance. En effet, notre David Merlin serait en réalité

David Lescure, et il vengerait sa sœur jumelle, Julie, de tous ceux qui lui ont fait du mal.

Sharko avait coincé le combiné entre son oreille et son épaule, ses yeux étaient rivés sur la photo de classe. Il n'en était pas certain, évidemment, mais il pensait avoir identifié les Lescure. À l'extrême gauche du rang du bas, à l'opposé d'Hélène Lemaire. Les postures étaient identiques, haut du dos légèrement voûté, mains jointes, et les corps très rapprochés, presque collés.

— Florence ? T'es toujours là ?

— Oui, oui. J'essaie juste de raccrocher les wagons avec mes propres découvertes.

Elle s'était relevée. Malgré la fatigue, elle ne tenait pas en place. Le cordon du téléphone se tordait dans tous les sens au gré de ses va-et-vient.

— Attends, c'est pas tout ! poursuivit Sharko. En fin d'après-midi, je me suis rendu à l'adresse qui figurait sur leurs fiches administratives, dans un bled à côté de Sallanches. Mais il n'y avait que des ruines. J'ai appris que leur chalet avait brûlé une nuit de cet été-là, celui de l'année 1974. Un départ de feu visiblement lié à une lampe à pétrole mal éteinte. On a retrouvé trois cadavres : les parents et David. Julie, elle, a été découverte saine et sauve devant l'habitation. La seule survivante du carnage… Tu vois le problème ?

— Je vois, oui. Si David Lescure est décédé, il ne peut pas se cacher, aujourd'hui, derrière ce pseudonyme de David Merlin…

— Exactement. J'aurai des éléments nouveaux demain, enfin j'espère. J'aimerais m'entretenir avec un des gendarmes qui ont enquêté là-dessus. Possible qu'ils se soient gourés, à l'époque. Il y a forcément une explication logique.

Une explication logique… Depuis le début, rien n'était logique, dans cette affaire. Florence revint vers ses notes et se figea sur la date de naissance des jumeaux. 1960. Bien sûr…

— Écoute-moi attentivement, Shark. Il y a des trucs qui s'imbriquent entre ce que tu me racontes et ce que j'ai pu trouver. Des trucs qui… qui nous éclairent en partie sur ce vaste merdier. J'ai obtenu l'identité du pédiatre, il s'appelle Albert Lagarde et…

— Il est vivant ?

— Je ne sais pas. Serge n'a pas pu avancer sur le sujet. Quand on a eu l'info, il était trop tard pour contacter qui que ce soit. Mais je suis allée dans un institut pour enfants où Lagarde a travaillé avant d'arriver à Meurin et j'ai discuté avec un type, Millet, qui l'a bien connu. Millet a réussi à me convaincre que notre David Merlin, fausse barbe, faux sourcils et tout le toutim, est en réalité une femme. T'entends ? C'est une femme que nous traquons.

— Pardon ?

— Enfin, si tu préfères, il est génétiquement homme, avec des chromosomes XY, mais de genre féminin. Un intersexué… L'analyse ADN a tout biaisé en nous orientant vers un individu de sexe masculin alors que ce n'était pas vraiment le cas.

Le silence qui suivit ne la surprit pas. Sharko devait être dans le même état qu'elle lorsque Millet lui avait fait part de sa conviction.

— En fait, continua-t-elle, Albert Lagarde n'était pas que pédiatre, il était chercheur et menait des études sur les intersexués. Il était persuadé qu'on pouvait forcer ces gamins à devenir garçon ou fille par l'éducation des parents et, éventuellement, la chirurgie réparatrice des organes sexuels. Notre assassin est un homme au fond de ses tripes, mais qu'on a forcé à devenir femme. Quand tu reprends tout sous cet angle, il y a un tas d'éléments qui s'emboîtent : les gamètes peints chez Lemaire, les attributs féminins brûlés, les mannequins hommes travestis…

— Attends, attends… Faut que… La vache !

— Je sais, c'est du délire.

— Carrément. Donc, Julie Lescure serait réellement, enfin, génétiquement, un garçon que son père et sa mère auraient élevé comme une fille ? En lui mettant des robes, en la maquillant, en lui laissant les cheveux longs, des trucs dans ce genre ? Et pour pousser le raisonnement jusqu'au bout, ce serait elle, selon toi, notre Méticuleux ?

Florence confirma les déductions de son collègue avec toute l'assurance dont elle était capable, mais elle devait bien admettre qu'elle tentait encore autant de se convaincre elle-même que de convaincre Franck.

— Ça se tient, Sharko. Même si elle a subi de nombreuses opérations pour avoir des organes sexuels féminins et qu'elle a suivi des traitements hormonaux, le fait de pisser debout était peut-être un moyen, pour elle, de rejeter le moule dans lequel on voulait à tout prix la faire entrer. Comme un défi à l'autorité ou, tout simplement, l'envie de se sentir garçon.

Franck alla vite chercher les photos des enfants nus qu'il avait embarquées. Observa les visages des fillettes. Puis leurs mains, qui cachaient leur entrecuisse…

— Ce qui signifierait que, si on remonte aux origines, David et Julie étaient de vrais jumeaux monozygotes ? Deux garçons parfaitement identiques ?

— Probable.

— Je ne comprends pas... Pourquoi les parents auraient fait une chose pareille ?

— Il faut reprendre l'historique dont on dispose. Albert Lagarde arrive à Meurin en 1958. Il a démissionné d'un institut qui ne l'a pas soutenu dans ses idées parce qu'il allait trop loin. Les petits naissent à Brest en 1960, peut-être même à Meurin, d'ailleurs, maintenant que j'y pense. En tout cas, on peut se dire que l'un des nourrissons a eu un problème suffisamment important au niveau de l'appareil génital pour nécessiter une hospitalisation au service d'urologie dont Escremieu avait la responsabilité. Et à un moment donné, il a fallu faire un choix irréversible. Lagarde était fasciné par la gémellité, il considérait que c'était le terreau idéal pour mettre en pratique ses théories. Imagine alors l'opportunité. Lui et Escremieu ont dû convaincre les parents d'élever ce bébé dans le sexe opposé à celui de son frère sans jamais rien leur révéler, ni à l'un ni à l'autre. Ou, tout au moins, autant de temps que ça serait possible.

L'inspecteur avait l'impression que son cerveau allait exploser. Il essaya de visualiser l'enfance de Julie. Ses questionnements, ses souffrances, à la fois physiques – après les interventions – et psychologiques. Avait-elle fini par découvrir la vérité, à l'approche de l'adolescence, quand le corps change ? En avait-elle voulu à son père et à sa mère au point de les faire flamber ?

— D'accord, répondit-il enfin. Admettons que Julie Lescure soit David Merlin, qu'elle soit notre Méticuleux.

À l'origine, elle est un garçon, médicalement transformé en fille et élevé comme telle. Aujourd'hui, pour nous égarer, elle se grime. Je suppose que son histoire et le fait qu'elle soit intersexuée lui facilitent la tâche pour tromper son monde, y compris au niveau de la voix. On est OK là-dessus ?

— *A priori*, oui, la génétique doit l'aider à mettre en œuvre son plan.

— Très bien, mais bon Dieu, on a encore un problème de taille à résoudre : c'est quoi, ce bordel de message téléphonique si son jumeau est mort dans l'incendie ? On entend clairement que le message d'accueil est enregistré par un homme et que la personne qui passe le coup de fil, dans la cabine en bas de l'immeuble, je te rappelle, a plutôt une voix de femme, même si Serge a des doutes. Et cette voix en question demande à David de tout arrêter, le menace… En toute logique, on parle là de Julie qui s'adresserait à son frère, pourtant officiellement décédé.

Franck soupira, se servit un verre de sauternes et en but une gorgée. Il y avait quelque chose de diaboliquement irrationnel dans cette histoire. Et ce n'était pas Florence qui allait le contredire…

— Je n'y comprends rien, avoua-t-elle. C'est un coup à se faire une rupture d'anévrisme.

Elle s'empara de la feuille sur laquelle elle avait pris des notes.

— En tout cas, on possède des identités formelles. Demain, Nouvel An ou pas, je retourne voir Circé. Peut-être que le nom de Lescure lui fera recouvrer la mémoire. J'en reviens à mon idée première : si Julie ou David Lescure la connaissent, alors elle aussi, elle les connaît. Et je compte lui montrer quelques éléments du dossier. C'est une sacrée observatrice, elle pourrait capter des détails qui nous ont échappé.

Ce disant, elle estima qu'il était temps de rentrer chez elle. Ce sac de nœuds lui tapait sur le système, elle avait besoin de repos.

— Appelle sur ma ligne perso, demain, si t'obtiens des infos intéressantes avec le gendarme. Et désolée que tu sois bloqué tout seul si loin à un moment pareil. J'aurais pu faire le déplacement, mais…

Franck s'était allongé sur le lit, il fixait le plafond.

— Ça va, je suis pas si mal, ici, je vais téléphoner à ma fiancée. On va papoter et trinquer ensemble à mille kilomètres de distance. Et puis, tu verrais le paysage, t'en oublierais tout le reste. Florence, je peux te poser une question qui n'a aucun rapport avec l'enquête ? Une question qui me taraude, en tant que policier…

— Balance toujours.

Sharko pesa chacun de ses mots.

— Imagine que tu te retrouves, un jour, seule face à l'individu qu'on traque, le Méticuleux ou un autre. Un monstre qui a détruit des vies, des familles, qui n'a laissé, derrière lui, que de la souffrance et des larmes. Tu as la possibilité de le tuer sans que personne le sache, sans risque qu'on remonte jusqu'à toi. Et tu le fais. Tu appuies sur la détente et tu te débarrasses du corps…

L'inspectrice s'était rassise, silencieuse, les sourcils froncés.

— Mais quelqu'un, un autre flic par exemple, découvre ce que tu as fait. Un flic qui croit en la justice, qui considère que tout criminel mérite jugement. Pour compliquer la chose, cet autre flic t'est redevable d'un service inestimable. S'il parle, il t'envoie en prison. S'il se tait, il va à l'encontre des raisons pour lesquelles il exerce ce métier… Qu'est-ce que tu ferais à sa place ?

Il y eut un long blanc. Puis la voix de sa collègue résonna enfin :

— Il n'y a pas de bonne réponse. En ce qui me concerne, en tout cas, j'ai toujours préféré les hommes qui vivent selon les règles plutôt que selon les lois…

Elle le salua, puis elle raccrocha, abandonnant Franck à un flou encore plus grand.

74

Ivry-sur-Seine, un jour de l'An. La gare du RER quasi déserte, hormis quelques SDF cuvant sous les bancs. Des rues encore endormies, même si on approchait de midi. Les volets métalliques des boutiques baissés. La Seine, encastrée entre les immeubles d'entreprises et les chantiers en cours. Sans la présence du fleuve, tout aurait certainement été bétonné, envahi de bureaux, de commerces, d'hôtels. Paris était un ogre insatiable.

Après un coup de fil à Santucci, déjà au 36, Florence était venue directement ici depuis son appartement, évitant ainsi un détour par le Quai des Orfèvres. Elle marcha une dizaine de minutes, dossier sous le bras, l'esprit encombré. Le récit de Sharko, la veille, l'avait travaillée une bonne partie de la nuit. Un jumeau qu'on croit mort, fauché en pleine adolescence, mais qui serait toujours en vie… Un double meurtre (voire triple) qu'on aurait fait passer pour un accident… Ne s'agissait-il pas là du plus horrible des tours de magie ?

Les parents avaient peut-être été assassinés par leurs propres enfants, parce qu'ils avaient fait aveuglément confiance à des monstres comme Escremieu et Lagarde.

Pendant quatorze ans, ils avaient forcé Julie à être ce qu'elle n'était pas. Ils étaient les premiers responsables de sa souffrance et, par conséquent, de celle de son frère.

Mais des questions demeuraient : qui avait, en définitive, mutilé et tué Hélène Lemaire ? Qui avait déterré Delphine Escremieu et l'avait violée avec un arsenal de godemichets, pour ensuite l'abandonner dans une porcherie ? Qui se cachait derrière la fausse barbe ? Julie, ou David ? Auquel des deux appartenait l'ADN découvert à Saint-Forget ?

Elle finit par atteindre la résidence de la magicienne, un ensemble de bâtiments autour d'un parc plutôt agréable. Après avoir identifié le bon bloc, elle se présenta devant un Interphone et sonna sur le bouton indiquant « CIRCÉ ». Puis elle patienta. Au bout d'une vingtaine de secondes, un grésillement se fit entendre.

— Oui ?

— C'est Florence Ferriaux, l'inspectrice de la Brigade criminelle. Désolée de vous déranger un jour pareil, mais… c'est urgent. Je peux vous parler ?

Il y eut un temps de silence. Puis un bip signala que la porte se déverrouillait.

*
* *

Franck était en train de boucler sa valise lorsqu'un appel de l'accueil l'informa qu'un homme du nom de Jacky Blocart le demandait en bas. L'ancien gendarme… Il répondit qu'il arrivait et enfila ses chaussures, assis sur la chaise la plus proche de la fenêtre.

Il profita encore un peu de la vue, se pencha pour apercevoir, à l'horizon, le mont Blanc entièrement dégagé. Un instant de grâce qu'il aurait aimé interminable.

Jacky Blocart était de ces types charpentés, solides, qu'on imaginait transbahuter des troncs sur l'épaule ou attraper la truite à mains nues dans un torrent. Il dominait Sharko d'une demi-tête et, malgré l'âge, était bien campé sur ses jambes, le dos droit et l'œil vif. Ils se saluèrent respectueusement, se souhaitèrent la bonne année. Le jeune policier commanda deux cafés et ils s'installèrent dans un coin salon, à gauche de l'entrée.

— Merci d'être venu le jour de l'An. Surtout dès le matin.

— Je suis un lève-tôt. Et je dois avouer que votre mot m'a intrigué. Un inspecteur du prestigieux 36, quai des Orfèvres qui débarque chez moi le soir du réveillon pour enquêter sur cette vieille histoire…

Il attendait quelques explications, que Franck simplifia autant qu'il le put : on avait récemment retrouvé Hélène Lemaire, qui avait été élève au collège de Sallanches, assassinée du côté de Paris. Il montra la photo de classe trouée, lui exposa ses recherches dans les archives de l'établissement. L'année 1974, le harcèlement, les jumeaux Lescure. L'ancien gendarme observa le cliché avec beaucoup d'attention.

— Et donc… vous croyez que c'est Julie Lescure la coupable. Ça alors…

Sharko lui laissa le temps de digérer l'information, avant de poursuivre :

— Nos investigations nous indiquent qu'elle n'est pas seule dans le coup. Ou, en tout cas, que quelqu'un d'autre est au courant de son crime. Je sais que cela va

507

vous paraître impossible, mais nous pensons que son frère jumeau, David, est cet « autre ».

Jacky Blocart secoua fermement la tête.

— Ça ne me paraît pas impossible. *C'est* impossible.

— Les corps ont été carbonisés dans le chalet, je présume qu'ils étaient méconnaissables. Vous avez disposé d'éléments concrets garantissant que le cadavre de l'adolescent était bien celui de David ?

— Oui, figurez-vous. Les dents.

*
* *

Rouge à lèvres noir sur visage poudré, longue robe de chambre en soie juste assez transparente pour qu'on puisse deviner ses petits seins, pieds enfoncés dans des chaussons… Circé n'était pas encore habillée, mais déjà maquillée. La trentenaire s'écarta de la porte et invita l'inspectrice à entrer.

— Je suis désolée de vous accueillir ainsi, fit la magicienne. Je me suis couchée tard. Ou, plutôt, tôt… Et votre visite est la dernière chose à laquelle je m'attendais.

L'appartement était vaste, doté d'un séjour lumineux à la décoration minimaliste, celle-ci se résumant à quelques statuettes aux formes étranges – à tous les coups, de l'art contemporain. Une bibliothèque généreuse apportait un peu de couleur dans cette pièce épurée.

— Installez-vous, fit Circé. Je vais lancer la cafetière…

Florence posait à peine son dossier sur la table que son hôte revenait déjà. Toutes deux s'assirent face à face.

— Vous parliez d'urgence… Toujours cette même affaire, j'imagine ?

— En effet. Nous avons avancé et, si je suis ici, c'est parce qu'une vie est probablement en danger à l'heure où je vous parle. Nous possédons l'identité du ou des assassins, les retrouver n'est qu'une question de jours, mais demain, il sera peut-être trop tard. David et Julie Lescure. Est-ce que ça vous évoque quelque chose ?

La flic vit un nuage passer dans les iris verts de l'illusionniste. Elle se recula sur sa chaise. À l'évidence, ces noms ne la laissaient pas indifférente.

— Un homme et une femme ? Des époux ?

— Frère et sœur. Enfin, c'est plus compliqué que ça. Ce seraient à l'origine des jumeaux garçons, dont l'un aurait été élevé comme une fille, sans doute à cause de problèmes d'ordre sexuel à la naissance. Dites-moi que ce que je vous raconte, ça fait remonter des souvenirs…

Un des coins de la lèvre supérieure de Circé se mit à tressauter. La magicienne plaqua ses doigts dessus, pour empêcher cette soudaine manifestation nerveuse.

— Je les connais, oui. Bien sûr que… que je les connais…

Florence ressentit un immense soulagement. Elle y était. C'était ici qu'allait se refermer la boucle. Face à elle, Circé se prit la tête entre les mains, le visage contracté. Elle inspirait et expirait lourdement.

— Ça ne va pas ? interrogea la flic.

— Excusez-moi, je… j'ai régulièrement des migraines carabinées… Vous devriez partir, maintenant. S'il vous plaît.

— Vous avez des médicaments, je présume ? Quelque chose pour apaiser la douleur ?

Circé se leva d'un coup.

— Je… Il faut que j'aille dans la salle de bains… Repassez à un autre moment.

— Je vais attendre que ça aille mieux. Je vous l'ai expliqué, c'est important.

La jeune femme s'éloigna. Florence resta interdite : l'évocation des Lescure avait mis son interlocutrice dans tous ses états, jusqu'à lui provoquer un brusque mal de crâne. Deux minutes plus tard, elle entendit l'eau d'une douche couler.

— C'est quoi, ce bordel ? se murmura-t-elle à elle-même.

Cette curieuse réaction l'avait refroidie, mais il n'était pas question de renoncer. Bras croisés, elle s'avança dans le séjour, jeta un œil par la fenêtre qui donnait sur le parc. Un homme promenait son chien. Un couple apprêté sortait en riant. Elle frissonna tout à coup, toucha le radiateur : il était au minimum… Puis elle observa les murs. Pas de cadres, rien de personnel. Dans la bibliothèque, quelques classiques. Une rangée de romans policiers. Dessous, des ouvrages sur la cognition, l'art de la manipulation ou celui de convaincre, sur le mental, la psychologie, l'étude des expressions faciales…

Plus bas, elle bloqua subitement sur un dos qu'elle connaissait par cœur, désormais. Elle saisit le livre, les sourcils froncés. Baudelaire, *Les Fleurs du mal*.

Exactement la même édition que celle des enveloppes, mais abîmé. Lu et relu. Avec appréhension, elle alla à la page 122.

Delphine la couvait avec des yeux ardents,

« Delphine » était entouré au stylo bleu… Il y eut, dans les profondeurs du cerveau de Florence, une étincelle qui sembla tout embraser. La traînée de feu flamba jusqu'à sa conscience. *Non, ça n'est pas possible*, se dit-elle. Et pourtant, sa main tremblait comme jamais lorsqu'elle reposa le recueil.

*
* *

Dans le coin cosy de l'hôtel, un serveur apporta les cafés. Jacky Blocart plongea un sucre dans le sien et mélangea avec sa petite cuillère.

— David Lescure était allé chez un dentiste de Sallanches pour traiter une carie, six mois avant la tragédie. Je ne saurais plus vous dire précisément, mais on a retrouvé la trace de ce soin sur la denture du cadavre. Tout comme d'autres éléments, notamment une marque d'ancienne fracture sur un des tibias, stigmate d'une chute de vélo survenue peu de temps après leur emménagement à Passy. Il n'y a aucun doute là-dessus : David Lescure et ses parents sont morts le 21 juillet 1974 dans l'incendie de leur chalet. Julie a été la seule survivante.

Franck voulait bien le croire. L'idée d'un corps brûlé à la place d'un autre, d'un gamin de quatorze ans qui n'aurait plus donné signe de vie sans que personne s'en

511

inquiète, ne l'emballait pas, de toute façon. Mais ça ne faisait qu'accroître la force de l'énigme à laquelle il était confronté.

— Vous savez comment Julie a pu réchapper du brasier ?

— Les pompiers venaient de la retrouver dans le jardin quand je suis arrivé sur les lieux. Je me rappelle encore, elle était en pyjama, quasi inconsciente… Elle n'a jamais été capable de raconter ce qui s'était passé. Tout ce dont elle se souvenait, c'était s'être endormie dans son lit et s'être réveillée là, devant la maison en flammes. Le médecin a dit que l'amnésie était relativement fréquente, dans de telles situations. Une espèce de mini-trou de mémoire autour d'un événement traumatisant.

Sharko but une gorgée de café.

— J'ai vu les articles de l'époque, annonça-t-il. Le départ de feu était lié à une lampe à pétrole, c'est bien ça ?

— Ça a été notre déduction, oui. La nuit, il y en avait toujours une allumée qu'ils accrochaient sous le fronton de l'entrée. Mais les débris qu'on a découverts dans les décombres, ils n'étaient pas à ce niveau, et on a supposé qu'elle avait été utilisée à l'intérieur, ce soir-là. Mal éteinte, posée au mauvais endroit ou renversée. On connaît la suite…

— En effet. Et Julie, qu'est-elle devenue ?

Blocart serra sa tasse entre ses grosses mains, comme pour les réchauffer. Il n'était pas difficile de deviner que le drame avait laissé des traces indélébiles.

— Écoutez, inspecteur. Cette gosse, elle n'allait pas bien, ce qui peut se comprendre après un truc pareil.

Elle a été prise en charge par les services sociaux, elle s'est retrouvée dans un foyer de la DDASS du côté de Chamonix. Je lui ai rendu visite plusieurs fois, là-bas. Ils ont essayé de contacter des membres de sa famille, des grands-parents, des oncles, des tantes, mais ça n'a rien donné. Il semblait que les Lescure s'étaient coupés de tout le monde en fuyant la Bretagne. Julie n'arrêtait pas d'appeler son frère, elle hurlait, et elle a commencé à se faire mal, comme pour se punir d'avoir survécu. Et puis il y a eu autre chose…

Le regard de l'ancien gendarme se perdit quelques instants dans le vague. Il gonfla la poitrine et expira doucement par le nez.

— Au foyer, son corps s'est peu à peu transformé. Il se… masculinisait. Duvet au-dessus de la lèvre, voix qui descend dans les graves… La môme a fini par avouer qu'elle prenait des comprimés depuis des années, stockés en quantité chez ses parents, mais qu'elle refusait désormais d'en avaler. Je ne me souviens plus du nom exact, mais c'étaient des antiandrogènes, des médicaments qui contrent les effets des hormones sexuelles mâles. Elle était en réalité un garçon…

Tout en faisant ces révélations, le retraité fixait Sharko, qui hochait la tête.

— Vous étiez au courant ? demanda-t-il.

— Une collègue m'en a informé pas plus tard qu'hier soir. On pensait traquer un homme, à cause de l'ADN prélevé sur les lieux du crime. Mais tout indique à présent qu'il s'agit d'une femme. Julie…

Son interlocuteur se pencha un peu plus vers lui, baissant d'un ton.

— Je ne pourrai pas vous en dire beaucoup plus, j'ai à l'époque moi-même eu quelques soucis personnels qui m'ont éloigné de toute cette histoire, et de cette gamine. Mais quand j'ai voulu prendre des nouvelles, après plusieurs mois, j'ai appris qu'elle avait tenté de se suicider et qu'elle avait été internée dans un hôpital psychiatrique, un truc pas gai, du côté d'Annecy. Je n'ai plus jamais eu de contacts avec elle, je ne sais pas ce qu'elle est devenue...

Sharko imaginait toutes les épreuves endurées par Julie Lescure. Son enfance, son adolescence n'avaient été qu'un parcours du combattant plein de souffrance. Que s'était-il passé à l'asile ? L'avait-on contrainte à continuer son traitement hormonal ? L'avait-on enfermée, toujours plus, dans un corps de femme qui n'était pas le sien ? L'avait-on convaincue de rester piégée dans ce genre-là, parce qu'un retour en arrière était impossible ?

— J'aimerais vous montrer des photos, monsieur Blocart. Ce sont celles de gosses nus qui, on le suppose, ont subi des attouchements ou des sévices sexuels de la part des médecins qui se sont occupés d'eux. On a de bonnes raisons de penser que Julie et peut-être également son frère David font partie de la série... Ça s'est probablement produit avant leur installation ici.

Le jeune inspecteur donna d'abord le paquet de garçons à l'ancien gendarme. Celui-ci les observa avec gravité jusqu'au dernier.

— Rien...

Les filles, à présent. Les rectangles de papier glacé paraissaient ridicules entre ses mains de géant. Franck termina son café et posa sa tasse presque sans faire de bruit : le regard de Jacky Blocart s'était figé devant un cliché.

— Vous l'avez ? demanda le flic.

Le retraité acquiesça avec conviction.

— Oui, c'est elle. C'est Julie Lescure.

Il retourna la photo, et Sharko eut alors l'impression que la terre se dérobait sous ses pieds. Il connaissait ce visage, lui aussi.

Il bondit de son fauteuil avant de se ruer vers l'hôtesse d'accueil. Il espérait que Florence serait joignable. Qu'il ne serait pas trop tard.

— Je dois utiliser votre téléphone !

*
* *

Florence n'arrivait pas à y croire. Fébrile, elle vérifia l'entrée de la pièce. Elle entendait encore l'eau couler dans la salle de bains. *Mais qu'est-ce qu'elle fout ?* Elle revoyait la lèvre rebelle de la magicienne, ses traits qui s'étaient contractés. Elle devait en avoir la certitude… Alors elle ouvrit un des tiroirs du meuble à côté duquel elle se tenait et s'empara du premier document officiel qu'elle trouva. Facture de gaz. Le nom lui souleva l'estomac. Julie Lescure.

La montée d'adrénaline fut fulgurante, son cœur partit dans les tours en un claquement de doigts. Ses tempes pulsaient. L'inspectrice sortit son arme de service de son holster et ôta le cran de sûreté, incrédule. Circé était venue au 36, le Glaive avait pris sa déposition, mais avait-il seulement réclamé une pièce d'identité ? Il le faisait pourtant toujours, c'était la procédure.

515

Visiblement pas cette fois. Pas avec elle. Et, si elle n'avait pas jugé utile de mentir sur son adresse, elle avait pu donner n'importe quel nom. Caroline Brandier, par exemple. D'une manière ou d'une autre, elle les avait complètement manipulés.

Florence emprunta le couloir. La porte d'où provenait le bruit était entrebâillée. De la vapeur d'eau s'échappait par l'interstice. Elle s'approcha à pas feutrés et perçut soudain un craquement de plancher derrière elle. Le temps de se retourner, il était déjà trop tard. Un homme aux yeux noirs, barbu et affublé d'une casquette, se jeta sur elle. Et un objet s'abattit avec force dans sa direction.

Le choc fut d'une telle violence que son crâne sembla exploser.

75

L'Oreille frappa à la porte du 514 et entra d'un pas vif. Serge comatait sur le canapé, un gobelet d'eau dans une main, un tube d'aspirine dans l'autre. Einstein traitait de la paperasse, et Santucci s'entretenait avec le Glaive dans le bureau de ce dernier.

Un magnétophone sous le bras, Christian Alouane salua Romuald avant de se diriger vers le vieux flic qui somnolait à moitié, et dont la chemise blanche et chiffonnée débordait du pantalon.

— On m'a dit que t'étais d'astreinte, expliqua le technicien, amusé. Je vois qu'elle est compliquée.

Serge poussa un grognement. Alouane s'installa face à lui et posa son matériel sur la table.

— Hier soir, j'ai pu terminer les dernières analyses sur le message téléphonique. T'as encore des neurones intacts pour m'écouter ?

— T'as donc pas de vie ? grommela Serge. Tu sais quel jour on est ?

— Ça ne pouvait pas attendre. Enfin, je crois que mes découvertes vont vous intéresser.

Einstein s'était avancé. Il s'assit à côté de son collègue.

— Qu'est-ce que t'as trouvé ?

— Alors… Vous le savez, la voix humaine est une émission de sons par le moyen des cordes vocales, qui font vibrer l'air. Elle est caractérisée par quatre paramètres principaux : la hauteur, la durée, l'intensité et le timbre. Un autre élément est important, c'est ce qu'on appelle la fréquence fondamentale, la F0, qui dépend de facteurs anatomiques ainsi que de facteurs articulatoires et qui, globalement, permet de reconnaître le genre de la personne qui parle. J'ai mesuré, sur votre bande, un F0 de 135 hertz. On estime que 140 hertz est un seuil en deçà duquel une voix tend à être perçue comme masculine. Au-dessus, on s'oriente vers une voix féminine.

Serge posa une main sur son front.

— Je comprends rien à ce que tu me racontes, bordel. Tu peux pas revenir demain ?

Einstein, lui, hocha la tête, incitant son interlocuteur à poursuivre.

— Certaines femmes, comme certains hommes, ont des voix dont la F0 tourne autour de ce seuil de 140 hertz. Dans ce cas, il est difficile, voire impossible, d'être catégorique quant au sexe de l'individu en question. D'autant que chacun est en mesure de moduler un peu sa voix…

À l'autre bout de la pièce, un téléphone sonna. Einstein constata qu'il s'agissait de celui de Florence, et invita le technicien à continuer.

— Vous devez également savoir qu'il existe de petites différences entre de vrais jumeaux : les empreintes digitales, mais aussi l'iris de l'œil, ainsi que le timbre de la voix, entre autres. Chacun de ces éléments est la signature qui garantit l'unicité d'une personne. Donc, des jumeaux peuvent avoir des voix très ressemblantes, en hauteur, en durée, mais il y aura toujours des variations dans le timbre, parfois imperceptibles à l'oreille, mais que l'ordinateur, lui, décèlera. Chaque voix est unique, même si on tente de la truquer.

Il appuya sur une touche de son magnétophone, qui retransmit la phrase enregistrée par David Merlin sur son répondeur : « C'est David Merlin, je suis absent pour l'instant, laissez un message et je vous recontacterai. »

— Celle-là a l'air masculine, mais les fréquences indiquent qu'elle se range dans la catégorie des ambiguës. Je vous épargne toutes les manipulations, transformations mathématiques et analyses qu'il a fallu faire, mais je suis parvenu à extraire des signaux qui m'ont permis de comparer les deux voix : celle de l'appelé, et celle de l'appelant. Et une chose est sûre, il n'y a vraiment que dans des affaires criminelles qu'on croise ce genre d'aberrations.

Serge releva la tête. Des tas de petites veines rougeâtres avaient colonisé le blanc de ses yeux. Derrière, c'était à présent le poste de Santucci qui lui vrillait les tympans.

— Et ça insiste, en plus. Va m'entendre, celui-là…

Amandier s'arracha du canapé et répondit. Soudain, il se figea, puis chassa d'une main lourde ses cheveux vers l'arrière, visiblement en proie au désarroi. La seconde d'après, il raccrochait d'un geste sec, courait jusqu'au bureau de Florence et se mettait à fouiller de manière frénétique. Il haletait tel un vieux fauve.

— Elle est où, l'adresse de cette putain de magicienne ? s'exclama-t-il.

— Qu'est-ce qui se passe ?

— C'était Sharko. Il est formel : Circé est impliquée, il pense même que c'est la tueuse ! Florence est partie se jeter dans la gueule du loup !

Romuald s'éjecta à son tour du canapé.

— Merde… Va voir le Glaive, il doit avoir noté ses coordonnées.

Serge partit comme une flèche, renversant la moitié de la paperasse de sa collègue. Einstein fit signe à l'Oreille de le suivre tandis qu'il enfilait déjà son blouson.

— Quel genre d'aberrations ? lâcha-t-il dans la précipitation.

— Eh bien, c'est rigoureusement la même voix. Celui qui a enregistré le message d'accueil sur le répondeur et celle qui a appelé à minuit depuis la cabine sont la même personne…

76

Une seule étoile dans la nuit noire. Une tête d'épingle lumineuse sous le film délicat de ses paupières, à laquelle Florence essaya de se raccrocher. Ne pas sombrer, ne pas céder au poids du sommeil qui cherchait à l'entraîner dans les abysses. Elle avait la langue gonflée, un goût de médicament sur les lèvres. Et une douleur intense pulsait dans les profondeurs de son crâne.

Elle entendait, là, quelque part autour, des coups sourds, lointains, et l'écho d'une voix qui lui semblait à des kilomètres d'elle. Des hurlements… Des hurlements qu'on aurait étouffés en fourrant du coton dans la bouche de celui qui exprimait… quoi, d'ailleurs ? sa souffrance ? son effroi ?

Elle réussit à ouvrir un œil. Elle était à l'horizontale, entièrement immobilisée dans une longue boîte posée sur une table. Elle voyait l'ensemble grâce à un miroir plaqué contre une paroi de tôle, plus loin. Ses tripes se nouèrent. La silhouette d'une femme allongée était peinte sur le côté de la boîte dans laquelle on l'avait enfermée. Au-dessus, à peu près à la hauteur de son bassin, un bras articulé avec, au bout, une gigantesque scie circulaire à l'arrêt. Florence était piégée dans une machine infernale. Celle de la femme coupée en deux.

Elle tenta de se débattre, en vain. Puis elle tendit le cou : devant elle, au niveau de sa gorge, un tissu noir faisait office de séparation avec l'intérieur du coffrage, comme dans les théâtres de marionnettes. À l'autre extrémité, ses pieds sortaient aussi. Elle parvenait à les bouger, à peine, mais suffisamment pour lui confirmer que c'étaient les siens. Pas de moulage, pas de trucage, son corps n'était pas recroquevillé ou contorsionné dans une cache secrète. Elle était juste prisonnière de ce sinistre sarcophage.

Les cris sourds reprirent de plus belle. Elle tourna la tête de l'autre côté. À deux mètres, elle la reconnut immédiatement : la pagode chinoise de torture, tout en métal et en verre. Puissante, imposante, cadenassée, rivetée de partout. Dedans, un vieil homme nu, suspendu par ses chevilles, qui dépassaient de la boîte hermétique. Il avait la face tuméfiée, en sang, mais Florence n'eut aucun doute : il s'agissait d'Albert Lagarde. Ses poings fatigués tapaient avec l'énergie du désespoir contre la paroi, son entrecuisse empourpré, sa chair fripée bleuie par les meurtrissures, les ecchymoses, les brûlures. La peau avait même fondu, à certains endroits.

L'inspectrice observait. On la retenait dans une espèce de petit entrepôt, un cube où s'entassait du matériel de magie : des cages pliables, des malles, des coffres, des présentoirs colorés à tiroirs cachés, des costumes accrochés à des cintres sur une barre métallique… Florence remarqua également une table en bois munie de contraintes en cuir. Des godemichets de toutes les tailles, de toutes les matières, certains encore tachés de sang… Et, parmi eux, un mini-chalumeau de cuisine, ainsi que son Manurhin MR 73 de service.

Soudain, elle perçut un courant d'air sur sa gauche. Son agresseur passa devant elle, un tuyau d'arrosage à la main. Il s'approcha de la pagode – où Lagarde avait cessé de se débattre et de beugler –, puis escalada une chaise et vissa son tuyau au couvercle de la machine infernale. Tout en exécutant ces gestes, il jeta un regard vers elle, en partie dissimulé par sa casquette. Il portait un gros pull à col roulé, dans lequel se fondait sa barbe fournie. Florence ne savait plus quoi penser.

— Circé ? se hasarda-t-elle.

— Circé n'est pas là. Mais je crois qu'elle va quand même assister au dernier acte. Après tout, et quoi qu'elle en pense, tout ça, c'est pour elle.

Le rythme de la voix était lent, le timbre grave. Différent de celui de l'illusionniste, mais pas tant que ça non plus.

— Je ne comprends pas : comment vous pouvez être vivant ? clama Florence. David Lescure est décédé, brûlé dans un incendie, en 1974.

— Je vois que vous n'avez pas traîné à remonter à la source… La photo de classe dans mon cahier, n'est-ce pas ? J'avais prévu de vous la montrer, mais pas tout de suite. Vous m'avez pris de court. Finalement, ça ne change rien à mes plans. Sauf que, maintenant, je ne peux plus accéder à mon appartement. Heureusement, ma sœur a le sens de l'hospitalité et a accepté de m'héberger.

Il se dirigea vers un robinet qu'il manipula. Un jet d'eau jaillit du tuyau et vint heurter le fond de la grande illusion de Houdini, ce qui provoqua un sursaut de panique chez Lagarde.

— Deux mille litres. Ça va prendre un peu de temps, mais tu seras mort avant que la moitié soit remplie. Tu n'as toujours pas trouvé le moyen de sortir de là ? Tic, tac… Tic, tac…

Alors qu'il était dos à elle, Florence essaya de bouger ses bras, ses jambes. Mais tout était comprimé, il n'y avait rien à faire. Et son sentiment d'impuissance était d'autant plus fort qu'elle avait bien conscience que personne ne viendrait à son secours, puisqu'elle-même n'avait aucune idée de l'endroit où ce type la retenait prisonnière. Elle était entièrement à la merci de cet esprit malade.

— Ne faites pas ça, dit-elle le plus calmement possible. Je sais tout le mal qu'il vous a fait, mais ce n'est pas de cette façon que vous rendrez justice.

Il la considéra avec colère.

— Vous *savez* ? Vous prétendez *savoir* le mal qu'il a fait ?

D'un pas vif, il alla chercher un godemichet en forme de bougie.

— Le bougirage… vous connaissez, peut-être ?

L'inspectrice ne répondit rien. Il agita l'engin sous son nez.

— Un acte « médical » qui consiste à élargir un organe creux et qui nécessite des instruments de ce genre. Julie, elle avait quatre ans quand les séances ont commencé dans l'intimité du cabinet de cette ordure.

Il parlait de sa sœur. Florence avait du mal à assembler les pièces du puzzle. Qui était face à elle ? Pouvait-il vraiment s'agir de David Lescure ?

— Un acte médical, répéta-t-il. Moi, j'appelle ça de la torture sexuelle. Lui et Escremieu avaient des mallettes noires comme celle sur laquelle vous avez dû tomber dans la porcherie. Quinze godes différents. Quinze ! Et Julie… Julie, elle était toute nue, elle pleurait tellement, elle souffrait quand ils lui enfilaient ces trucs…

Il pointa l'objet en direction de Lagarde.

— Ils observaient la taille de son vagin, ils disaient qu'il fallait l'entretenir en permanence, que c'était important pour qu'elle soit pénétrable lorsqu'elle serait grande. Pénétrable…

Il fit des allers et retours, fébrile…

— Je voulais qu'Escremieu comprenne le sens précis de ce mot au moment où il retrouverait sa fille. Mais ça ne s'est visiblement pas très bien terminé pour lui. Lâche jusqu'au bout.

Il se mit à chuchoter, à lever la main dans un mouvement de rage. Comme s'il échangeait avec lui-même. Il revint vers la flic. Se baissa à son niveau. Ses iris noir charbon… Ses cheveux courts… Ses gros sourcils… Derrière ces leurres, Florence avait l'impression de reconnaître le regard.

— À neuf ans, Julie n'en pouvait plus, elle refusait de retourner à l'hôpital. Elle se débattait, mais on l'y amenait de force. Ces porcs, ils n'arrivaient plus à lui enfiler leurs bougies. Alors ils ont réussi à convaincre ma mère de le faire. Ils racontaient, encore et toujours, qu'il fallait entretenir son vagin reconstitué par les opérations pour qu'elle soit pénétrable plus tard… Pénétrable… Toujours ce putain de mot… Mais Julie, c'était pas un animal, merde !

Il parlait de sa sœur, mais tout, dans sa gestuelle, ses révélations, indiquait qu'il parlait aussi de lui. Il se redressa.

— Ce soir-là... avant que tout brûle... ils nous avaient enfin expliqué la vérité... Il y avait eu une anomalie lors du développement embryonnaire, après la division de l'œuf... Ma sœur était née avec un vagin, des testicules pas descendus, un micropénis et un clitoris...

Son visage se contracta. Ses yeux n'étaient plus que fureur.

— Les médecins avaient alors recommandé que Julie devienne une fille... C'était soi-disant la meilleure solution. Mais pourquoi ? On était jumeaux, et moi, j'étais un garçon. Elle aurait dû être comme moi. Nos parents ont demandé à rencontrer d'autres familles pour avoir des conseils, mais ces monstres ont affirmé que c'était impossible, car le cas de Julie était unique. Alors ils ont obéi, sans réfléchir...

Lagarde tambourinait de nouveau sur la vitre. L'eau avait monté de quelques centimètres. Son bourreau se laissa distraire un instant, avant de poursuivre :

— Dès les premiers jours de sa vie, ils lui ont injecté des quantités d'hormones, et ça ne s'est plus jamais arrêté. À un an, ils lui enlevaient ses organes sexuels masculins. À quatre, ça a été les clitoridoplasties, puis la vaginoplastie. Cinq interventions lourdes en onze ans pour la transformer en femelle. Une enfance entière à l'hôpital, à se faire progressivement enfermer dans un corps qui n'était pas le sien...

Il se prit la tête entre les mains et, à ce moment, sa lèvre supérieure se mit à tressauter. Il tira dessus d'un mouvement sec.

— *Foufoumoifoi lafa péfé ! Cefe néfé pafa à you defe tofocufupéfé defe safa !*

Florence s'évertua à croire à ce que son esprit était en train de déduire. Millet avait évoqué des maladies mentales, notamment des troubles dissociatifs de la personnalité qui s'installaient parfois, à l'adolescence, chez les intersexués en souffrance. Par troubles dissociatifs, avait-il voulu dire dédoublement de personnalité ?

Alors, tout devint limpide : ils étaient deux face à elle. Deux dans la même tête. Julie et David Lescure. Circé avait continué à faire vivre son frère mort à travers elle. Et ce dernier avait pris une vraie place, une vraie identité. Il était là. Et il était le tueur.

Il retrouva son calme. La lèvre avait cessé de tressauter.

— Elle n'avait que la magie pour s'échapper de tout ça, c'était son seul moyen de fuir l'enfer qui s'abattait sur elle. Et elle était très douée !

En rage, il se précipita vers le robinet et le tourna à fond, augmentant le débit d'eau à son maximum.

— Ce que je fais, je le fais pour elle. Il faut que les gens sachent ce qu'ils ont infligé à tous ces enfants. Que *vous* sachiez. J'ai tout orchestré pour que vous découvriez notre histoire, vous et vos collègues. Pour vous mener à la vérité. C'est maintenant chose faite.

L'inspectrice nageait en pleine folie. Elle pensa à Jekyll et Hyde. Deux vies séparées. Deux comportements différents. Deux esprits dans une même enveloppe physique.

« David » alla s'asseoir en tailleur devant la pagode. Le front de Lagarde était à présent immergé. Dans un ultime effort, l'homme se contorsionna pour tenter

527

d'attraper ses chevilles, sans succès. Son bourreau parut s'en réjouir.

— Dis-toi que Houdini avait en plus un tas de chaînes et des menottes, et que la pagode était déjà pleine quand on le plongeait dedans. Son temps était largement plus compté que le tien.

Il était au spectacle, les coudes posés sur ses cuisses, ses mains jointes sous le menton. Mais il n'était pas en paix. Florence l'entendait murmurer, le voyait gesticuler, puis se calmer. L'eau atteignait désormais le nez du médecin, qui étouffait, se débattait comme un poisson prisonnier d'une nasse. Le liquide devait commencer à lui rentrer dans les poumons.

— Vous ne pouvez pas le laisser faire, Circé, s'écria la flic. Vous n'êtes pas une meurtrière, vous. Trop de personnes ont souffert.

Vu de dos, celui qu'ils avaient surnommé le Méticuleux semblait se tordre, puis se raidir. Elle devinait une sorte de combat intérieur. Lagarde, lui, poussait sur ses bras – qui touchaient le sol de la pagode – pour faire fléchir ses jambes et ainsi relever le reste de son corps, mais il ne tiendrait pas longtemps dans une telle position. La mort était toute proche, et elle serait abominable.

— Circé, écoutez-moi !

— Circé n'est pas là ! Fermez-la !

— Si, elle est là ! Circé, vous vous rappelez, quand on… ?

Florence ne put finir sa phrase. « David » se redressa en un éclair et se rua sur elle. Il appuya sur un bouton qui actionna la scie rotative et fonça vers la table en bois. En moins d'une seconde, il s'empara du MR 73, le fourra dans sa bouche et pressa la détente. L'arrière du crâne explosa, la détonation fit vibrer les parois de l'entrepôt et siffler les oreilles de la flic. Le corps s'effondra d'un bloc sur le béton glacé.

La scie se mit à descendre au ralenti. Le cœur de Florence s'emballait. Son organisme avait beau libérer toutes les substances possibles pour décupler ses forces, sa rage de vivre, rien n'y faisait. Sur sa droite, Lagarde était toujours en train de se noyer. De grosses bulles d'air s'échappaient de ses narines. Il eut un dernier sursaut, puis ce fut terminé. Sa bouche se transforma en un gigantesque trou noir. Ses yeux s'immobilisèrent, exorbités.

L'inspectrice tendit le cou et constata que la roue au bruit strident, insupportable, attaquerait bientôt la boîte. Et, en effet, les dents d'acier ne tardèrent pas à faire gicler les premiers copeaux de bois. Alors que le son plongeait dans les graves, que le disque recrachait la sciure, la jeune femme pleurait et priait pour que ce fût bref.

Elle sentit à peine un soubresaut lorsque la lame se couvrit d'un film pourpre. La rotation projeta des gouttes qui allèrent s'écraser jusque sur une des vitres de la pagode. Florence ferma les paupières. Alors que la chaleur lui inondait le ventre, elle cessa de crier.

La boîte était désormais intégralement coupée en deux. C'était fini. L'engin de mort s'arrêta, puis remonta. Florence ne comprenait pas : elle était en vie. Ses pieds bougeaient encore. Maintenant qu'elle retrouvait un peu de lucidité, elle se rendait compte que la gravité terrestre l'attirait. Quelque chose s'était produit sous elle : la partie centrale de son corps, des hanches jusqu'au haut des cuisses, ne lui paraissait plus *dans* la caisse, mais *sous* la caisse.

Elle poussa un long hurlement libérateur. Puis tourna la tête vers le miroir : ses fesses reposaient sur une espèce de petit hamac de toile, sous la table. Et elle comprit alors : à une certaine inclinaison du bras mécanique, un système avait dû déclencher une trappe, permettant ainsi à son bassin de passer légèrement sous la lame, le tout à l'abri des regards.

Dans la caisse coupée en deux, elle parvint enfin à se débattre. Elle força sur ses jambes, réussit à ramener ses pieds à l'intérieur. Puis elle sortit grâce à l'ouverture que la scie venait de pratiquer.

Après ça, épuisée, Florence se tint un instant debout, immobile. Ses oreilles bourdonnaient, de la sciure voletait encore dans les airs. L'eau continuait à remplir la pagode. Elle alla fermer le robinet, puis atteignit la porte de sortie. Une clé était enfoncée dans le cadenas qui empêchait quiconque d'entrer. Encore tremblante, l'inspectrice dut s'y reprendre à deux fois pour le déverrouiller.

Le premier soleil de l'année 1992 brillait avec vigueur et lui brûla les rétines quand elle poussa le battant. Elle se trouvait quelque part au milieu d'une zone industrielle déserte. Elle s'avança sur la route sans savoir où ses pas la menaient.

Tout ce qu'il lui fallait, c'était un téléphone.

77

Les Jekyll et Hyde avaient toujours existé, ils n'appartenaient pas qu'à la science-fiction. Sharko avait découvert que l'un des cas les plus célèbres était sans doute celui de la patiente hystérique Bertha Pappenheim, souvent présentée sous le nom d'« Anna O ». La première des personnalités de cette femme ne parlait qu'anglais et était paralysée du bras droit. L'autre n'avait aucun problème physique et s'exprimait en allemand, en français, ainsi qu'en italien. Pappenheim avait laissé deux testaments derrière elle, chacun rédigé d'une main et d'une écriture différentes.

Et que dire de Sybil Dorsett, une Américaine aux seize personnalités qui avait passionné les psychiatres de tous les pays dans les années 1960 ? Dans son petit monde intérieur, certaines personnalités se croyaient seules, d'autres étaient au courant des moindres « faits et gestes » de leurs alter ego.

Ces troubles résumaient l'incroyable complexité du cerveau humain, et Franck était loin d'avoir tout saisi. Il se tenait debout devant le tableau du 514. Désormais, il allait falloir mettre des mots sur ce micmac pour finaliser les rapports et, pour un esprit structuré comme le sien, ce n'était pas simple.

Ses coéquipiers, installés à leur bureau, produisaient eux aussi de la paperasse qui irait s'entasser dans d'énormes classeurs, qui finiraient à leur tour entassés sur des étagères d'archives. Le bruit des barres de lettre venant heurter les rouleaux des machines à écrire donnait l'impression d'être dans la rédaction d'un journal.

Ça faisait deux jours que Julie Lescure s'était donné la mort dans un entrepôt de Saint-Ouen qu'elle louait pour stocker son matériel. Florence avait expliqué que c'était bien David qui avait noyé Albert Lagarde, mais que c'était Circé qui avait fourré le canon du revolver dans sa gorge et appuyé sur la détente. Le seul moyen de mettre enfin un terme aux horreurs de son « frère ». Car c'était sans aucun doute possible David qui avait tout organisé, qui les avait guidés, eux, les flics, jusqu'à lui. Parce que, au fond, peu importait qu'il se fasse prendre, tant que la vérité éclatait, et que ceux qui avaient détruit sa vie payaient.

Les flics ignoraient encore, à ce stade, quand le mental de Julie Lescure s'était fracturé au point d'offrir à David, son jumeau décédé dans l'incendie, une telle place. Pour ça, il leur faudrait creuser du côté de l'hôpital psychiatrique où elle avait passé une partie de son adolescence.

En revanche, on avait trouvé, lors de la perquisition au domicile de Circé, tout ce qui avait été nécessaire au grimage. Des boîtes de lentilles de couleur noire ainsi que des bandages élastiques pour faire disparaître la poitrine étaient notamment cachés dans une armoire de la salle de bains. Le dressing de la chambre était, quant à lui, divisé : les vêtements pour femme d'un côté, ceux pour homme de l'autre.

C'était donc là-bas, dans le logement d'Ivry-sur-Seine, que David se manifestait. Il surgissait, se déguisait, puis il allait vivre sa vie, à l'autre bout de Paris. À quelle fréquence sortait-il de sa tanière ? Pendant combien de temps prenait-il les commandes ? Des jours ? Des semaines entières ? Pourquoi Circé, quand elle était elle-même, ne se débarrassait-elle pas de tous ces accessoires ? Acceptait-elle la présence de David, ou était-ce simplement pire pour elle si elle tentait de le refouler ? Enfin, où était-elle, lorsqu'il tuait et torturait ses victimes ? Avait-elle eu pleinement conscience des actes de son alter ? L'avait-elle vu agir ?

Tant de questions demeuraient… Franck traça un trait vertical sur une feuille et, pour essayer d'y voir plus clair, nota à gauche tout ce qui concernait Circé, à droite tout ce qui concernait David. D'une part, David le serrurier, le locataire de l'appartement collé aux rails, l'homme pervers et dangereux qu'ils avaient traqué. De l'autre, Circé la magicienne, vivant à Ivry, employée nocturne du Millionnaire, subissant les incursions psychologiques de son alter dominant.

Sharko poussa un soupir. Il se demanda comment aurait pu être jugé un cas d'une telle complexité aux assises. Coupable ? Irresponsable ? Mais pouvait-on parler d'irresponsabilité avec un pareil degré de préméditation ? Et qui le jury aurait-il eu face à lui ? Circé ? David ? Les deux ?

Il retourna à sa place, dans son courant d'air qui le faisait frissonner chaque fois que quelqu'un ouvrait la porte. Il glissa des pages vierges dans sa machine et se mit à rédiger. Pas mécontent que cette enquête soit terminée. Il allait enfin retrouver un rythme de vie normal, profiter de ses week-ends avec Suzanne avant qu'elle ne s'installe définitivement avec lui, essayer de lui faire aimer cette ville qui lui réserverait vraisemblablement de nombreuses autres affaires compliquées et sordides. Combien de temps tiendrait-il la route ? Il l'ignorait, mais ce qu'il savait, en revanche, c'était que le combat serait difficile. Et qu'il ne faudrait jamais cesser d'être vigilant, car les monstres se tapissaient souvent là où on s'y attendait le moins.

Il observa Serge. Celui-ci fumait sa dernière clope de la journée, celle qu'il se grillait toujours avant de quitter la Brigade criminelle. Pour ce rituel, il s'enfonçait systématiquement sur sa chaise, les pieds croisés sur son bureau, contemplant le plafond, la tête renversée. Peut-être percevait-il, dans la lumière crue des néons, la danse macabre de ses fantômes…

Quelques minutes plus tard, le vieux flic écrasa son mégot dans son cendrier trop plein qu'il vida dans sa poubelle. Puis, comme tous les jours, il rassembla ses feuilles, referma ses pochettes cartonnées et ouvrit le tiroir de son caisson.

Franck put alors voir les traits de son visage passer d'une apparente tranquillité à l'effroi le plus total. Son coéquipier se rassit. Sortit, d'un geste lent, une photo. Il la fixa de longues secondes, les os de ses mâchoires roulant sous sa peau, puis tourna la tête vers lui. Leurs yeux se rencontrèrent. Jamais Sharko n'avait décelé tant de détresse dans un regard. Ce que Serge tenait dans sa main, c'était le Polaroid prêté par le concierge.

Avant qu'Amandier fasse quoi que ce soit, le numéro 6 du groupe se leva, attrapa son blouson et se dirigea vers son collègue. Sans un mot, il déposa sur son bureau une boîte qui ne contenait qu'une seule allumette, puis fit demi-tour, lâchant un vague « À lundi » au moment où il franchissait la porte. Serge allait brûler la photo. Sharko avait payé sa dette envers lui.

Dehors, il trouva une infecte mélasse de neige fondue, mêlée à un vent glacial. Le jeune flic enfila son bonnet, remonta son col mouton, glissa les mains dans ses poches et courut rejoindre Suzanne, qui l'attendait à l'abri, sous l'arche du Palais de justice, emmitouflée dans une grande écharpe rouge.

Il la serra contre lui et l'embrassa longuement. Dans ses bras, il n'avait plus froid. Un beau week-end en amoureux se profilait, enfin. Ensemble, ils traversèrent le carrefour et s'engagèrent sur le Pont-Neuf, laissant derrière eux l'implacable arène du 36, quai des Orfèvres.

MOT DE LA FIN

On m'a souvent posé des questions sur le passé de Franck Sharko, personnage que le lecteur découvrait pour la première fois dans *Train d'enfer pour Ange rouge*, au début des années 2000. D'où venait-il ? Pourquoi était-il policier ? À quoi ressemblait-il, plus jeune ? Ces questionnements m'ont, il y a environ deux ans, donné envie de retourner en arrière, vers ces années que j'ai bien connues, les années 1990, qui semblent aujourd'hui tellement loin, tant notre monde a changé. Sharko n'avait alors que trente ans, il débarquait au 36... Qu'il a été bon d'écrire à une époque où, pour s'orienter, il fallait encore les bonnes vieilles cartes et où le seul moyen de joindre quelqu'un en dehors de chez soi était de trouver une cabine téléphonique en état de marche.

Au moment où j'étais plongé dans la première moitié de cette histoire, j'étais confiné à mon domicile, comme la plupart des habitants de cette planète, pandémie de Covid-19 oblige. Moi qui écris toujours des histoires très contemporaines, vous ne pouvez imaginer à quel point j'étais soulagé de travailler sur une histoire qui se passait presque trente ans plus tôt, si loin de ces ténèbres qui s'abattaient alors sur nous. Heureux hasard… Ce voyage dans le passé m'a permis de me déconnecter quelque peu de la réalité, et m'a aidé à surmonter cette épreuve que nous avons tous endurée. Je crois d'ailleurs que je n'ai jamais autant écrit que pendant le confinement.

Je tenais à remercier du fond du cœur toutes les personnes qui m'ont accompagné dans l'écriture de ce livre, que ce soit dans le milieu policier, judiciaire ou celui de la magie, un univers qui m'a fasciné. Elles se reconnaîtront. Merci aux équipes du Fleuve et d'Univers Poche, qui sont à mes côtés depuis bientôt dix ans, et qui ont encore une fois accompli un travail remarquable. À vous tous, chers lecteurs, qui n'oubliez jamais notre rendez-vous annuel en librairie, et à ma famille pour son soutien.

Pour retrouver l'univers de *1991*, rendez-vous sur : http://www.1991-lelivre.fr

Franck Thilliez

Franck Thilliez
Le Syndrôme E

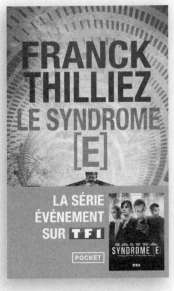

« Une intrigue captivante, qui scotche le lecteur à son fauteuil, jusqu'au point final.»

Y.P. -
Le Monde

Un film mystérieux et malsain qui rend aveugle... Voilà de quoi gâcher les vacances de Lucie Henebelle, lieutenant de police. Cinq cadavres retrouvés atrocement mutilés... Il n'en fallait pas plus à la Criminelle pour rappeler le commissaire Franck Sharko, en congé forcé. Deux pistes pour une seule et même affaire qui va réunir Henebelle et Sharko. Ensemble, ils vont mettre le doigt sur un mal inconnu, d'une réalité effrayante...

Composition et mise en pages
Nord Compo à Villeneuve-d'Ascq

Achevé d'Imprimer en octobre 2023
par Grafica Veneta S.p.A.
à Trebaseleghe (Padova)

POCKET - 92, Avenue de France - 75013 Paris

S32474/06